JN086439

岡野弘彦インタビュー集

——歌は世につれ情は歌につれ

【聞き手】
小島ゆかり

本阿弥書店

『岡野弘彦インタビュー集　歌は世につれ情(よ)は歌につれ』＊もくじ

装幀　渡邉聡司

岡野弘彦インタビュー集

歌は世(よ)につれ情は歌につれ

聞き手　小島ゆかり

【第1回】

私の生い立ち・少年編

三十五代目の神主を継ぐ資格を持って生まれる

小島——今回から一年間、岡野弘彦さんの、生い立ちから始まって、いろいろな方との交流、ご自身の作品史もからめながら、お話をうかがいたいと思います。

岡野さんは大正十三年七月七日生まれでいらっしゃいます。とてもロマンチックな日にお生まれですが、何かご両親の「魂胆」があったんでしょうか（笑）。

岡野——それはまあ、生まれてきたんですから両親に魂胆があったに違いない（笑）。あれはいつごろだったか、中学の終わりのころ、あるいは折口信夫先生のところに行ってからかもしれないけれど、斎藤茂吉の書いたものを見ると、彼も自分はいつ母の胎内に宿っただろうかということを知りたくてしようがないわけですよ。それで、父親の日記を見ていたら、あのころは農閑期になると大八車に家財道具を積んで温泉場へ行って、自炊して、温泉に入って骨休めするわけです。ちょうど一週間青根温泉へ行ってる。これだ、これに違いない、と書いているわけです。彼はお医者さんですからね、そうか、そういうふうに考えるんだなあと思ってね。僕は大正十三年七月七日生まれだ。十月十日というから、あの関東大震災の一年後かと考えていたら、はっと閃いたわけです。僕が小学校二、三年のころかな、母が「関東大震災のときはこのあたりもだいぶ揺れたのよ。でも、お父さんが来てくださってたから頼もしかったわ」と言ったんです。父が養子に来てその翌年なんです。うーん？　さてはその晩、仲良くしたんだなあと。

小島――怖いですから、いっそう心が寄り添いますよね。

岡野――そうです。そうすると関東大震災のエネルギーで僕はこの世に生まれてきたんだと思った（笑）。

小島――岡野さんのような奇想天外な少年のいきさつとしてはよくわかります（笑）。岡野さんのお父様は神主さんでいらした。今とはまた違うと思うのですが、ふだんはどんな生活でいらしたのですか。

岡野――僕のおばあさんは母が五つくらいのころに亡くなっているんです。さらに母親は十七歳くらいで父親を亡くした。村の親類が相談して、女学校を卒業するとすぐに、幼なじみたいな、村の旧家の青年と一緒にさせたんだけれど、うまく収まらなかったんですね。それで、また親族会議をして、これは三十歳くらいのしっかりした男の人に来てもらわんといかんということで、母よりも十一歳年上の、僕の父となる人を婿養子にもらった。父の家は松阪と山田の間に玉城(たまき)町という町がありまして、古い伊勢街道の要所で、城のあるところです。そこの旧家で、父親の兄は皇學館を出て伊勢神宮に入り、神宮の禰宜(ねぎ)まで行って、辞めて、石川県の能登一宮の気多(けた)神社の宮司になっている。父に連れられて五つのときに僕は能登へ行ったことがあります。そのころ折口先生がそこへ来はじめておられた。後に養子になる藤井春洋(はるみ)さんの生家に。だから、僕の伯父と折口先生とは親しくしていた。色紙やら短冊やらをもらっているわけです。けれど、それは後になってわかることです。

小島――ご縁がつながっているんですね。

岡野――ええ。不思議な縁が早いうちからつながっているんですね。

僕の家は村から三キロ離れたところで、神主の家と神社だけがあった。昔は伊勢神宮も長谷寺もそうですが、御師(おし)とか宿坊があって、参拝者を泊めてあげて、夜、多少宗教的な話などを聞かせて、翌日、希望者には滝行を受けさせたり、大祓(おおはらえ)の言葉を繰り返して唱えさせて、参拝させて、帰ってもらうという神社でしてね。

北畠氏がその領土の守り神にしたんですよ。そのとき僕の家の祖先が神主になった。僕が三十五代を継がなきゃならないところまで続いていたわけです。北畠は織田に滅ぼされて、それから後、藤堂高虎が入ってくるわけですが、高虎はなかなか政治のうまい人だったらしくて、北畠家の守り神をそのまま藤堂家の守護神にした。そうするとうまく北畠領を統治することができるわけです。

だから、僕が國學院に入ったときも、父に連れられてお殿様にご挨拶に行ったんです。狸穴(まみあな)の藤堂家のお屋敷の応接間で父が「息子が國學院大学に入りまして、三十五代の神主を継ぐ資格を取ることにいたしました」と言った。昔のお殿様のお目見えみたいなものだなと思ったりしたことがありました。

小島——そのころまではまだ、お継ぎになる気持ちがおありでしたか。

岡野——ええ。でもやがて軍隊から解放され、折口先生のところへ行ったころから、どうもこの先生からは離れられないだろうという予感はありました。折口先生の魅力は大きかった。

ひとりの世界——絵馬殿で、文学全集で

岡野——私の家は、村から三キロの山道は細くて自動車が入ってこられない。電信柱も立っていなくて、当然、電気もないわけです。電気が来たのも自動車が入ってくるようになったのも敗戦後です。

村からの道の大部分はお稲荷さんみたいにびっしりと鳥居が立ち並んでいて、雨が降っても傘が要らない。その代わり、秋の夕方、学校から家に帰ってくるとき、早く日が暮れて暗くなるんです。僕はそんなところに住んでいるから、臆病ではないのだが、暗い鳥居のトンネルの中を歩いてくるのがいやでねえ。

僕が小学校に入ったのは満州事変が起こった頃です。「爆弾三勇士」が爆薬の筒を抱えて飛び込んで行く写真が教室の正面に掲げてあって、毎朝、校長先生の発声で、「爆弾三勇士」の歌をうたわせられるんです。僕の小学校はそこから始まるわけです。ですから、僕は完全に戦中派です。

小島――小学校まで歩いて行かれたのですか。

岡野――はい。往復六キロでした。今はだいぶ短く、往復四キロくらいになりました。というのも、細い道が高いところについているんです。途中で谷川を六度渡らなきゃならない。川のところまで降りていって、土橋を渡って、また道を上がっていくわけです。さらに行くと、また谷があって、また降りてということで、道程が倍くらいになるんです。そこを一人とことこ歩いてゆく。朝は下り坂ですからバーッと走っていくんです。

小島――大事なお坊ちゃまですから、お手伝いさんみたいな方がついて来られたのではないですか。

岡野――初めは男衆が村の入口まで送り迎えしてくれましたが、それもしばらくで、そのうちに家に飼っている紀州犬を連れて行くんです。うちでは多いときは五・六匹ほどいました。村境のところで放すと帰っていくわけです。それが心強くて、可愛かったですね。

神主の家の長男ですから、私の周りは大人ばかりなんです。私が生まれて、やがて二つ違いで妹が生まれ、弟と下の妹が生まれます。自分より年の下のものは遊び相手にもならない。女中さんが何人か、男衆が一人、ときに二人いました。大人たちばかりで話し相手になってくれる人がいないんです。話し相手になってくれるのは、男衆の万(まん)さんというちょっと霊感のある人で、しょっちゅう神憑(かみがか)りしたりする人でした。もう一人、大和の御杖(みつえ)村神末(こうずえ)という、昔の斎宮さまが大和から来られる時の道に沿った村から来ているおばあさんがいて、昔話をよく聞かせてくれました。

万さんは、「坊さん、あんまり絵馬殿へ行きなはんなや。あそこは恐ろしおまっせえ」と言うんです。「なんでや」「いっぱい戦争の絵が掛かってますやろ。悪霊がとり憑(つ)きますがな」と忠告してくれた。日清、日露の戦闘場面とか、もっと古い、武者絵みたいなものがあるんです。それから、女の人が大事な願いをするときに髪を切って、日本紙に包んで壁一面に掛けてある。その紙に「主人があの女と切れますように」とか「酒を断ちますように」とか書いてある。そして、「三十三歳、巳歳の女」とか、恐ろしい呪いの言葉が書いてあるんです。そういうのがいっぱい壁に掛かっていて、年月が立つと不気味な感じになっている。だけど、それを一つ一つ読んだり、絵馬なんか見ているのが面白くてね。古色蒼然として薄暗い絵馬殿の縁の下に蟻地獄がいくつもいくつも穴を開けていて、そこへ蟻を放り込んだりすると面白いんです。僕はよく絵馬殿で一人で遊んでいたんです。「あそこは怨霊がいっぱい、うようよしてますから、あれに取り憑かれたら恐ろしおますがな」と万さんは繰り返し言うのです。

小島――お小さいころから「あやしの世界」に接近されていたのですね（笑）。

岡野――まあ、そうです。それは本当に面白くて。

もう一つ、気持ちを惹きつけられて、いちばん夢中になったのが本です。小学校へ入る一年余り前ですね。ちょうど文藝春秋社で菊池寛が一生懸命、本を作っていた。円本の時代の走りのころです。『赤い鳥』の時代は終わっていました。文藝春秋社から『小学生全集』九十八巻が出た。白秋の弟の出版社、アルスからはもうちょっと高級な、小学生向けの『日本児童文学全集』が出たころです。父親が文藝春秋社から直接購読してくれた。第一巻が菊池寛の『古事記物語』。私はそれを夢中に読みふけった。

まだ小学校に入る前から母親が部屋に黒板を置いて、一生懸命、平仮名やらカタカナやら教えてくれて、本がかなり読めるようになってたんです。だって、遊び相手がないんですから。

小島――時代を考えると、ご両親はすごく先の見える方ですね。

岡野――特に長男は早く大きくなれと思うんでしょうね。全集は月に三冊くらい配本があって、それを夢中になって読んだ。たまに読めない漢字があるけれど、それも前後の関係で読むと推測がつくわけです。

小島――内容も理解できるのですか。

岡野――だいたい理解できるんですよ。『古事記物語』のほか、神話ものが多くありました。ギリシャ・ローマ神話とか北欧神話。ドイツの『ニーベルンゲンの歌』とか。

小島――今の幼児向けの本に比べて、昔の児童文学書はかなりハイレベルですね。

岡野――そうなんです。アンデルセンのものや、『アラビアンナイト』もありました。菊池寛が自分を始め、宇野浩二や芥川龍之介らに子ども向けの作品をたくさん書かせた。とてもいい作品でした。芥川の「杜子春」「蜘蛛の糸」「アグニの神」など、みな、そのころにできたんです。菊池寛の「太郎次、二郎次、三郎次」。与謝野晶子が「狐の尻尾」を書いています。僕はあれがいちばん面白くなかった。「この人、いちばん下手だ」と子どものころ、思ってました（笑）。都会の子どものことが書いてあって、僕にはピンとこなかったんですね。そんなのは小学校に入る前に僕は読んでいたと思う。ああ、もう一度読み直してみたくなったなあ。

初恋のキス

小島――小学校は共学ですか。

岡野――ええ。分校ですから、複式教室でして、一年と二年が一緒です。僕のクラスは特別少なくて、男子が四人、女子が九人でした。上の二年生は男女半々くらいでしたね。しかも、二十何人いました。お遊戯の時間に男女が手をつないで、うたいながら踊ります。僕といつも手をつないでいた女の子がいるんです。女先生が「はい。今日はこれでおしまいね」と言ったとたんに、僕の心にひらめいた。アンデルセンの物語の、お城の舞踏会が終わったとき、必ず王子様は王女様のおでこにキスをしなきゃいけないんだと思い出して、僕は手をつないでいた女の子のおでこにチュッとキスをしたわけです。

小島――うわあ、ハイカラですねえ（笑）。

岡野――そうしたら、周りが変な顔をするわけです。僕の持っている文化は全然、村の子とは異文化なんですね。

小島――浮き上がった少年ですねえ。

岡野――沈んだ少年かもわからない（笑）。ですから、みんなギョッとしたんでしょうね。その女の子もびっくりしたでしょうけれど、おとなしく僕にキスされてたんです。

その小学校は子どもたちの授業が終わったら、夜は補修科みたいなかたちで使っていました。小学校を出た後、高等科は分校ではなく本校に行くんですが、補修科があって、小学校を出て

二、三年経った連中が夜学に来るわけです。そこでパーッとその話が広がった。

小島——今ならツイッターで大変な騒ぎになります（笑）。

岡野——翌日には村の壁という壁に相合傘が。そこに相手の女の子と僕の名前が書いてあるんです。気の毒なことをした、悪いことをしたと思うんですけどねえ。その女の子もさぞつらかったと思うんです。

そのころの村の子どもは女の子もパンツなんてはいてないんです。

小島——エッ！

岡野——着物で、下はすっぽんぽんです。白木屋の火事で、女性に下着が急に普及したのは昭和七年のことです。

小島——ああ、着物ってそういうものですね。

岡野——古い、よれよれの帯をギュギュッと締めて走り回っている。でも、そのときの僕は名古屋の松坂屋から取り寄せたサージの半ズボンで、革靴を履いて学校へ行ってたんです。親がそうさせるんです。だからもう、本当にいやでいやで。とうとう一週間で「これ、脱がせてくれ。村の子と同じ格好をしたい」と言ったら、着物にしてくれましたけど、着物の下に、寒いころですからネルの茶色の長襦袢を重ねて着せるんです。そしたらまた子どもたちが寄ってきて、「何じゃ、これ。こいつ、何を着てるんだ。腰巻きしてるよー」と言う。それでまたいやになってねえ。

小島――チュッとされたときはどんな服装でいらしたのですか。お洋服ですか。

岡野――ええ。サージの服を着て行ってたわけです。ランドセルを背負って。村の子はみな、布製の肩掛けカバンです。しかも上の子が何代か使ったものでよれよれです。

小島――岡野さんは美少年でいらしたでしょう。

岡野――そんなこと、全然思っていません。ただ、『ニーベルンゲンの歌』を読んでいて、王子ジーグフリードが悪龍退治に白馬に乗って天界を下ってゆく絵を見て、初めてリビドーを感じたことは、強く心に残っています。家では大人ばかりで、古い女中から若い女中から、いるわけでしょう。僕は女言葉を使って、小学校へ行って、「おたいはー」と言ったら、たちまち袋叩きみたいなもんですよ。女の子とすらケンカできない。

小島――大人の女性たちに囲まれているのは光源氏の生い立ちに近いですねえ（笑）。

岡野――両親ももうちょっと考えてくれればよかったんだけど、父親は町から来ているでしょう。母親も村とかけ離れていて、そこまで気が届かなかったんですね。しかし、母親がそのうちに学校に行って校長先生に「私のほうも気をつけますけども」と言ったんだと思うんです。そうしたらまた校長さんが、その翌日の朝礼のときに「人の名誉を重んじろ」という題で、その話をするわけです。そんなの、まるで火に油をかけるようなものでしょう（笑）。

小島——よけい面白がられますね。

岡野——それからが苦しかったですねえ。だけど、担任の女先生が偉かったと思うのです。その年の秋になって学芸会があるわけです。運動会とか学芸会には村中の人がお弁当を作って、見に来るんです。子どものある家もない家も。村中のお祭りみたいなものなんです。学芸会で「天人と白龍（はくりょう）」をやりました。僕が漁師の白龍になって、相手の女の子を天人にして、劇をやらせたんです。「あれ、天人は羽衣の舞いをまいまい、かえりゆく」と最後のところを僕がソロで歌うわけです。子どもがそういう劇をやったら、大人たちがみんな喜びます。それでいっぺんに相合傘は帳消しになったと思うんです。女の先生は、どうしたらこの子たちを救ってやれるのかと考えたんでしょうね。そのころは全然わかりませんでしたけど、後になって身に沁みてくる。

小島——知恵のある先生ですね。ところで、それが初恋ですか。

岡野——うん、まあねえ、それは、その、初恋といえば初恋なんでしょう。

小島——可愛らしい方でしたか。

岡野——うん。そりゃ可愛い。色の白い、ぽっちゃりした子でした。一年生のころ、雨の日なんか、廊下で遊んでいるでしょう。女の子たちは隅のほうでおはじきをしているんですよ。上級のやつが僕を抱えていって、その子の上にバッと落としたりしてね。いやなんだけど、でも、ちょっとうれしい（笑）。

怖いやつだと一目置かれる

岡野——それが、三年生の二学期くらいに、「怖いやつだ。何をするかわからない」と言われるようになったんです。

僕は「禰宜の子」と言われ、神主のことを禰宜と言うんですが、何か事につけていじめられたりするわけです。こいつらに雷を一つ落としてやろうと思って、じーっと考えていたんです。

三年生の秋になったころかな、村中の牛を集めて獣医が検査するときがあるんです。鼻木を代えるんです。校庭の周りの桜や柳の木にでっかいこって牛がつながれていて、ボターッ、ボターッと糞をする。馬の糞はパサパサしてますけど牛の糞はねっとりしている。あ、これだと思ってね。いちばんいじめる五年生の暴れん坊が、校庭の見える窓の敷居にまたがって威張っているんですよ。しかも、体格が大きい。僕は、軍隊に入るころは中ぐらいでしたが、そのころは村の子よりはわりあい大きかった。牛の糞を両手にぺったり摑んで、そいつがアハハッと口をいっぱいに開けて笑っているところにグジャーッと押し込んだ。

小島——うわーっ、すごい（笑）。

岡野——それでもう、「禰宜の子は何をするかわからない。あれには触らないほうがいい」ということになった（笑）。

小島——昔はそういうことで親から苦情が出るとか、そういうことはなかったのですか。

岡野——出ませんでしたね。それはやはり、自分の子どもが悪いということがわかっていると、昔の親は子どもを叱りましたよ。「先生に叱られた」と言うと、「お前が悪いんじゃ」って、また親から拳骨を食らうような。だから、先生に叱られたことなんて、村の子は絶対に親に言わなかったですね。僕は言いましたけどね。そう躾けられてたから（笑）。

小島——仕返しとかはなかったですか。

岡野——なかったです。僕のやることがあんまり突飛だったでしょう。「あの子は何をするかわからない。恐ろしい奴だ」と言われて、一目、置くようになったんです。それからは楽でしたけどね。

情感豊かな少年時代

岡野——五年生のころ、本が好きだから、みんな遊んでいるときに、僕はよく本を読んでました。五年と六年の教室の後ろに、小さな本箱にカーテンを掛けたものが置いてある。カーテンを開けたら白柳秀湖（しろやなぎしゅうこ）集という本が目についたんです。柳田国男以前の民俗学の走りみたいな人で、柳田国男は、「白柳なんかは好事家の学問だ」とか、ちらっと書いていています。若いころは幸徳秋水・堺利彦らに共鳴して、当時はちょっと危ない人なんです。本の内容は子どもでも読んでみると面白いんです。村の習慣とか、特殊な行事とか、そういうものが丹念に集めてある。そういうものに自覚などないまま何となく関心を持っていたんですね。

小島——国語系統がいちばんお出来になったんですか。

岡野——ええ。国語は好きでしたね。一年、二年のとき、女先生は歌とかお遊戯を教えてくださったんだけど、勉強は校長先生がよく教えてくださった。藤田先生というその校長先生が好きでねえ。先生が二年の三学期に代わっていかれた。そのときは夜、先生が峠を越えていくのを夢で見て、わんわん泣いて、親たちが困ったらしいんです。

小島——情感が豊かな少年だったんですね。

岡野——そうでしょうねえ。空想の世界と現実との区別がつかない。「杜子春」を読んだとき、気持ちがどうにも収拾がつかないんです。門の外で呆然としている、あの場面が。

それから、一番幼い妹が疫痢で死んでしまったこと。とても勘のいい子でね。父親が「あの子がいちばん美人になったはずや」と、後でよく言ってました。ちょうど村の子が、三月くらい前に用水池に落ちて死んでしまったんです。その話を聞いて、僕が妹をおぶって外を歩いていると「かわいちょうになあ。お兄ちゃん、かわいちょうになあ」って言うんです。死んだ子どもが可哀想だ、可哀想だと言っているんです。その妹が四歳で、当時村で流行した疫痢で亡くなった。中勘助の「銀の匙」の妹の死ぬところを読んで、涙が止まらなかった。そのころ、夜も寝られなくなって、村の医者へ連れていかれた。そうしたら「この子は神経衰弱だ」と言われてね。苦い薬を三月くらい飲まされましたよ。子どもに神経衰弱なんてないと思うんですけどね。

神主の家の子どもの役目

岡野——小学校で僕はわりあい歌と縁ができるようになりましてね。お正月は、子どもなりにきちんと着物を着せられて、白木の桶に若水を汲みに行くんです。「今朝汲む水は福汲む、水汲む、宝汲む。命長くの水を汲むかな」と三遍唱えて、切麻(きりぬさ)と御饌米(おせんまい)を川の神様に撒いて、白木の新しい桶でスゥーッと上流に向かって水を汲むわけです。

うちへ帰ってきて、それを母親に渡すと、母親はすぐに茶釜でお湯を沸かして福茶にする。残りは硯で、書き初めの水にしたりするわけです。それを五つのときからさせられました。ちょうどその時間、夜中の一時くらいですが、上の神社の森のお社から、村の青年たちを手伝わせて元日のお祭りをしている父親の祝詞(のりと)の声が川音に交じって聞こえてくるんです。

父親がまた『百人一首』を取るのが好きでしてね。母親はじめ、家中の女の人たちに僕たちも交じって。初めは全然取れないんだけれど、そのうちに父親が、一枚札、「むすめふさほせ」

と、二枚札、三枚札を表にしてくれて、けっこう大人たちに交じって取れるようになるわけです。そして、誰に教えられたのか、「きりたちのぼるは僕の恋人」とか、こましゃくれたことを言ったりしてね。何となく恋歌の気分が子どもも心にもわかる。あれだけ恋歌があればねえ。ちょっとそこは村の子どもたちとは違っていただろうと思うんです。

小島——時代を考えると普通のご家庭では軍国少年、男を強く、軍国みたいな方向に行かせるでしょう。岡野家ではそうではなくて、やはり恋歌のあるカルタなどが普通に行われていたんですか。

岡野——ええ。小学校へ入ったころから上海事変でしょう。僕が小学校を出て、中学校へ入ったときが日中戦争の開戦の年です。だんだんと大陸で侵略が進んできましてね。

　ところが、僕の神社は表面では仁徳天皇と磐之媛皇后が祭神なんですけど、昔から戦神でして、仁徳天皇に殺された速総別王と女鳥王の話があります。家の近くの大和の曾爾というところで、女鳥王が殺され、僕の村が源流になっている雲出川の中流のあたりで速総別が殺され、その首は溯って上流の川上さんへ祀られるようになったという藤原千方将軍伝説が平安朝から中世、南伊勢全体に伝わっていたらしい。これは郷土史家が言うのですが、はたして藤原千方という人物は実在したかどうかよくわからない。速総別、女鳥が母胎になった伝説ではないかと思うのです。

僕の父はわりあいにそういうことに詳しい。神主の家は古典の書物があるものなんです。『日本書紀通釈』、『万葉集』の注釈書、『古事記伝』など、祖父と父親が集めた本がありました。五つか六つのころから、社務所に父親が座っていると、僕はいつも反対側の机に座って何となく父親が参拝者に応接するのを見たり聞いたりしていたわけです。面白いですからね、いろいろな大人の話は。

小島――耳学問ですね（笑）。

岡野――ええ。そうしたら、ちょうど冬、前の木にミソサザイが来た。

小島――小さい、可愛い鳥ですね。

岡野――そう。父親が「あれはミソサザイって言うんだ」と言うんです。仁徳天皇の名前は大鷦鷯(おおさざき)と言うんですが、それがミソサザイなんですね。それに対して、異母兄弟の速総別はハヤブサなんだから、こちらの方が強そうな感じですね。女鳥王も鳥でしょう。女鳥王が機を織っていると、仁徳天皇が来て、「お前さんの織っているその布は誰のためのものだい」と問うと、女鳥王は「高行くや速総別の御襲料(みおすいがね)」と答える。「あなたのための布なんかじゃございません。これは愛しい速総別様のための布でございます」と、仁徳天皇は完全に肘鉄砲を食らわされた。それで二人はそこに居られなくなって、初瀬街道の間道、僕の村に近い道を通って逃げてくるのですが、途中で殺されてしまう。

その話を小さいときから父親に聞かされていました。仁徳天皇に殺された速総別は悶々とした恨みをのんで死んだ。それだからどうもここは戦に強い、戦に勝つように守ってくださる神様だと言うんじゃないかなとか、おやじは考えているわけですよ。でも、明治の調査のときには、祭神は仁徳天皇と磐之媛になっている。

どちらにしても戦争になると軍神（いくさ）としての信仰が篤くなる。北畠・藤堂両家の旧領土からの参拝者が増えるわけです。母が小さいとき、家に書家が居候してましてね。中川愛山といって、きれいな力のある字を書きました。その人に習っていたから、母親は字がうまいんです。男みたいなきれいなしっかりした字を書くわけです。父親は、歌はわりあいに作ったんだけど、字は下手なんです。だから、鳥居に「在中支何とか部隊だれだれ」と名前を書くのは母親です。「祈武運長久」の鳥居がずらーっと立ちました。やがてそれも軍事秘密だからというので書けなくなりました。

その道を暗くなって一人で帰ると落ち葉がガサッガサッと、後ろから追っかけられてるように鳴る……。そうだ、妹が亡くなって神経衰弱と言われたのは、そういうノイローゼだったのかもしれませんね。自分で元気づけようと思って、知ってる歌を片はしから大声でうたうのです。大楠公（だいなんこう）・小楠公。あのころはとても歌詞のいい歌がありましたね。なかには「橘中佐」の「かばねは積もりて山を築（つ）き　血潮は流れて川をなす」という、すごい文句の歌もありました。

そんな歌をできるだけ大きな声でうたって、帰るわけですよ。

神社へお籠りのための参拝者があって、その人たちと一緒に帰ると心強いのです。ただ、ちょっと困るのは、坂が多いでしょう。すると、おじいさんやおばあさんが「坊、後ろから押しておくれ」と言うわけです。押してあげるのはいいんだけど、一日中歩いてきた年寄りですから、汗やおしっこのにおいがするんです。子ども心にそれはいやでしたねえ（笑）。でも、とにかく大人と一緒に帰れるのがうれしくて、参拝の人が来ないかなとしばらく待ってたりしました。

危険を予見する力

小島——話はちょっと逸れますが、岡野さんは忍者のことをよくご存じですね。

岡野——ええ、私のところは三重県の伊勢の西の端です。ちょっと北へ行くと伊賀、ちょっと西へ行くと大和です。三つの国のちょうど境になるわけです。そういうところへ荒い心霊を祭って、国境の外から来る悪霊を追っ払う守り神にしたんだと思うのです。伊賀や大和からの参拝者も多かった。伊賀の忍者の棟梁が郎党をつれて祈願に来られることもあった。修験道の影響が非常に強いんです。大峰山も近いですからね。先達、大先達がグループを率いて、法螺貝を吹きながら参拝や参籠することが多かった。

父親は僕が小学校のころなんかはまだ、養子に来て、八年くらいしか経ってないわけでしょう。そのころ、大和の石上の鎮魂術を受けに行って、一生懸命修行してました。「夜、目が見えるようになってきた」とか言ってましたけど、とにかくまだ体験が浅いわけです。

するとと、法力の強い先達が来て、父に霊力をかけるらしいんです。父は話をしていたのが、パーッと机を飛び越えて、修験者に組みついていくんです。さすがに向こうもそれでやめるわけです。あとで、「どうしてあんなことをするの」と聞くと、「あいつは俺に法力をかけてきた。俺はまだ修行が浅いから、時にああしないと防げないんだ。隣に座っているお前は何もそんなことを感じないだろう。お前はここで生まれついて、長男で、神主を継ぐ運命にあるから、相手の影響力を受けない力を持っているんだ」と言うんです。子どもはそんなもの、偉いとも何とも思わない。僕も「ふーん。そんなことがあるのかな」と思ってるくらいです。

さっきも言いましたが、お正月の夜中の祭りがありまして、村の青年が三人四人、手伝いに来ます。周りに雪が深々と積もっているころです。父が提灯を持って、御殿の中へ入って祝詞をあげる。その声が殷々と聞こえてきます。そうすると、その中の誰か一人が神憑りするんです。だんだん白衣の体が揺れてきて、歌舞伎の白い狐みたいになって、雪の中で飛びはねる。それから大祓の長い祝詞、延喜式にも入っていて、六月と十二月にスサノヲの犯した天つ罪と、青人草の犯した国つ罪を祓いやる雄渾な祝詞です。あの祝詞は農家の主はだいたい暗記していたものです。それを上げているうちに、だんだん神憑りしてくるんです。

拝殿の敷居のところに蠟燭を立てて、祝詞を上げているのですが、神がかりして飛び上がった弾みで蠟燭が倒れたりして、敷居が焦げるものだから、その痕があちこちに残っているほどです。危ないから、そういう人が来たら必ず僕に「見ててやれ」と言うんです。

小島――怖くなかったんですか。

岡野――僕は怖くないんですよ。そういう人の肩をパッと押さえてやるとフーッと意識が戻る。真っ青ですけどね。うちへ連れてきて、お風呂に入らせるんです。「それができるのはお前に力があるからだ」と父は言うんです。そうかと思うだけです。

夜、一人で神社の森からさらに奥の滝へ、滝行を受けるためによく行かせられるんです。しばらくすると、「提灯を持っていってはいかん。その代わり、犬を連れていってもいい」と言う。犬がいるといいんですよ。先に立って行ってくれるしね。真っ白な紀州犬だから闇の中でも姿がよく見えるんです。ところが、しばらくすると、その「犬も連れていってはいかん」と言われる。そのうちにだんだん、闇の中でも目が見えるようになるんです。

あるとき、家の戸を開けてパッと入ったら、まだランプを灯してなくて真っ暗です。母親が僕を見て、「気持ちが悪い」と言う。僕の目が青く光っていると言うんです。獣のように目が青く光るから闇の中でも見えるんですよ。特別の酵素が体の中にだんだん蓄積されてくるらしいんです。闇の中を歩いているとそういうふうになる。そんな力みたいなのが軍隊から解放せられるまでは、青年期の私にあったんです。

昭和十九年の東南海地震の時も、学生として愛知県豊川の海軍工廠で兵器を作らされていた。海軍工廠にはあのころの代表的な学校、東京大学、國學院、早稲田、慶應、関西から京都大学、立命館、同志社など十校くらいが来てまして、「大和」「武蔵」の装備はみなここで作ったんです。粗末な長屋みたいなところに一校ずつ分宿していた。一日十二時間労働で疲れきっているのに、夜中に目が覚めてどうしても気持ち悪くてじっとしていられないんです。これはもう何

岡野――これが僕の母と僕の写真です。生後七十五日。母は十九歳です。

僕の記憶で一番古いのが、七月七日、生まれた日のことで、障子にパラパラッと水の雫がかかったんです。それで母親が「ああ、涼しい風が吹いてきた」って、僕の顔の上で言ったのを覚えている、と自分ではそう思っているんですよ。だけど、そんなわけはないのでね。あとになって、学校へ行くころかな、「そんなことを覚えているよ」と母に言ったら、「お前はな、星の王子様だからね。何でも分かっているんだね」と言ってくれたので、ああ、そうか、僕は星の王子様だ、七夕の王子様なんだと思ってね（笑）。

かあるに違いないと思って、同室の者に「起きろ。とにかく服を着ろ」と言った。皆が服を着終わったころ、ズズズズズーーッと地鳴りの音がしてくるんです。

窓をあけると地平線が青光りするんです。ズズズズズーーッ、ズズズズズーーッと来たから、「あ、地震だ」と。そのうちに長屋全体が波打つように揺れだした。そこでみんな慌てて起きて、出口へ行くつもりで反対の便所に首を突っ込んだり、二階から飛び降りて足を挫いたり。でも、僕の部屋ではみんな服を着てたから、すんなりと階段を降りて、避難しました。

軍隊に入って鉾田の飛行場でグラマンの銃撃を受けたときも、早く感知して無事だったし、夜の斥候長は僕に決まってました。

小島――それはお育ちになった環境とか、そういう空気のなかで緊張感を持った体と心があったんでしょうか。

岡野――そうでしょうね。僕は小学校の五年のときにすでに大峰山へ修行に行かされたんです。隣の村の大先達に父親が「息子の命、焼いて食おうと煮て食おうと任せますッ」と挨拶して、連れて行かれた。ワラジで五十何キロ、一日に歩きました。朝の三時ごろ、洞川（どろがわ）の龍泉寺という寺の冷たい泉に浸かって、御詠歌をうたう。それが行の始まりで、それから行場行場を勧めて行く。でも、小学校の五年生なんて、わりあいに筋力がついているし、身は軽いですから、大人とけっこう一緒に歩けた。「東の覗（のぞ）き、西の覗き」もそう怖いと思わなかった。

中学五年のときは一人で吉野へ行って、やさしそうな、兵庫県から来た先達に「ご指導を願います」と言って、連れていってもらって、二遍、行をしました。お礼はどうしたらいいかと中学生なりに考えて、ピースを三個買って渡したら、「ありがとう」って（笑）。

霊感を意識することは、戦後はだんだんなくなりました。

（折口）先生のところに行くようになってから、何となく「先生にそんなことを知れたら怒られるだろう」というような気がして、意識から消してしまうように努めました。あの先生のそばに居ると、何ともいえぬ温かいものにつつまれているような安心感がありました。

皇學館中学時代、母からの手紙

小島——皇學館中学へ進まれるときはお父様のご意向を素直にお聞きになったのですか。

岡野——そのころ父親の健康があまりよくなかった。だから、「早く神主の資格を取っておけ」と言って、皇學館を受けさせられたんです。

当時の皇學館は内務省の管轄で専門部のほかに、そこを卒業しただけでも神主になれる普通科という課程があった。全国から受験する生徒を二十五人だけ入学させて、全寮主義の教育なんです。当時、宇治山田市に住んでいて、伊勢神宮にお父さんが奉仕している人でも寮に入らなければいけない。

内務官僚だった平田先生という館長が九州出身なものだから、教員は九州の人が多かった。殊に寮の舎監はほとんど九州の人でした。僕は国語と漢文ができたんですね。だから、割合に大事にしてもらった。漢文と作文を教えてくださる折尾先生も九州の出身で、陽明学が専門。怖いけれど、どういうわけか僕にはやさしくしてくださった。小深田先生も九州の人です。この先生は入学式を済ませ、寮で一晩寝て、翌朝、朝礼のとき、「昨夜、寝る前に一生懸命、電灯を吹き消そうと苦心していたのがいるということだけれど、誰かわかっとるかあ」とみんなを見回して言うんです。「そこの岡野だーッ、岡野のところは電気がまだ来とらんなあ」と。そんなことをみんなの前で言ったら、上級生に一遍に覚えられるでしょう。いやだなあと思うんだけれど、なにかちょっと、からかうのが面白いような子どもだったんですね。

小島——中学の時代もわんぱくでいらしたんですか。

岡野——僕、「猫を被っている」って同級生からよく言われたんです。猫を被る意識は全然ないんですけどね。悪いことはけっこうするのに。当時は操行点というのがあって、成績とは違う、品行を判断される点数で、一段高く評価される、「操行がいい」と言うでしょう。その操行点が、入ったときから卒業まで甲で通したのは開校以来、僕一人だという噂がありましてね。本当かウソかわからないけど。

ただ、そう言われればわりあい折り目切り目がきっちりしてたんです。母親が毎週、封書で、立派な字で、厚い手紙をくれるんです。うちの状況をこまやかに知らせてくれるわけです。小学校を出たてで、全寮でしょう。上級生五年生、四年生の洗濯から靴磨きから全部しなきゃならないんです。三年生くらいは自分でやりますけどね。柔道着やら剣道着の洗濯もね。柔道着の洗濯って、洗濯板でごしごしやるわけですから指の皮が剝けちゃって、痛痒くなってなかなか治らない。こんなのを母親に言ったら、泣くだろうなと思うのです。その母親が手紙をくれる。舎監のこれも九州出身の、剣道錬士の坂上先生が「岡野、またお父さんから手紙が来たぞ」「いいえ、これ、母なんです」「エッ、この字はお母さんが書いたのか。毎週厚い手紙が来るのう。いいお母さんじゃ」と言ってくれるわけです。僕は折口先生のところに来て、そのまま家を継がなかったから、あの手紙だけは持っていきたいと思ったんだけど、何も持たないで出てきてしまった。母の手紙はありがたかったですね。僕はあの手紙が来るから、あまりぐれたりしないで中学の寮生活が耐えられたと思うんです。

小島——それがブレーキになっていたんですね。

中学の寮生活の明と暗

小島——いじめみたいなのはなかったですか。

岡野——それがすごかったんです。毎週土曜日の深夜、舎監の部屋から一番遠い部屋に、五年生が下級生を集めて、一週間の行動を調べあげて、鉄拳制裁を加えるんです。実に陰惨です。

小島——寮ってそういう感じがしますね。

岡野——旧制高校や大学予科だと自治が成り立つのですが、中学の寮ではそれは無理なんです。そして何より、一期生、二期生あたりに、軍隊の内務班の経験を持ち、軍隊を終わって、神主になろうと思って学校に入ってきたのがいた。それが残していった悪習でしょう。後に僕が軍隊に入ったら、いじめ方が全く同じなんです。

小島——じゃ、やっぱりいじめられたわけですか。

岡野——僕、文学が好きだったでしょ。文学好きの上級生が可愛がってくれるんですよ。神宮の徴古館が近くにあるんです。そこの売店にかわいい女学生がいまして、上級生はその娘が好きで、よく僕をだしにして、「岡野、連れてってやる」って言うんです。そういう上級生が、文学の話のほかに、鉄拳制裁をする粗暴な上級生への対処のこつを教えてくれる。これは助かりました。

制裁の夜は、真夜中に召集がかかる。下級生のクラス全員二十五名を一室に集めて、闇の中で「みんな、目を潰れ」と言って、一つ一つ聞いていくのです。「今週、教師に叱られたやつはおらんか。おったらそーっと手を挙げい」。「喫茶店、入ったやつは」「映画を観に行ったやつは」と次々に質問がとんでくる。

山田市に二つ、映画館があるんです。ブロマイドを売る店も二つある。僕は高峰秀子、デコちゃんが好きなんです。二軒のブロマイド屋に毎週行って、デコちゃんのブロマイドばっかり集めて、デコちゃんの映画は必ず観る（笑）。

共合連盟といって、市内の中学の先生たちが連合して、中学生は映画が観られないようにしてあるんです。ところが、皇學館は専門学校だと思われている。後に大学に昇格するわけですけど。だから、切符を買えば「えらい若い学生さんやなあ、秀才やな」と言って通してくれるわけです。それで、だいたい毎週、観に行ってました。

小島——喫茶店もあったんですか。

岡野——ありました。喫茶店といったって、コーヒーを飲ませたりという程度ですけど。毎週、本屋へ行って、岩波文庫の赤帯、青帯を何冊も買ってくる。そういうのは本棚の奥へ仕舞い、教科書を前に並べていました。舎監の先生に見つからないように。小深田先生は「小説を読むやつは不良じゃ」と言うんです。そんな古風な先生がいる時代でしたからね。僕は何とかして、鉄拳制裁をやることに陶酔している愚か者どもをうまく懐柔できないかなと思ったんです。

寮ですから、ちょっと娯楽も考えてあるわけです。食堂に蓄音機があって、日曜日には、流行歌だとか、軍歌など聞くことができる。そのなかに、二代目だと思うのですが、桂春団治の落語が入っているんです。春団治は猥褻な噺で関西では売れている。そうひどくない噺で

「へっつい泥棒」というのがあるんです。これがいい、これを覚えて、あの愚か者どもに一席やって、骨抜きにしてやろうと思った。

おっちょこちょいな男が、寒ーい晩に、大きな「へっつい」、竈を盗んできて、大八車の後ろに載っけて、家へ持ち帰るわけです。途中の急な下り坂のところで、おしっこがしたくて、我慢ができなくなる。荷が重いからどうにも車が止められない。

はあ、はあ、さぶ、さぶ、さぶいなあ、さぶいわあ、しょ、しょ、しょんべん、したいがな。ああ、ちびる、ちびる、ちびるがな。車はとまらへんし、どないしょ……

アドリブで幾らでも続けられる。これをやっていると、「お前、面白いやっちゃなあ」「もう一席、やりまひょか」「うーん、もう一遍、やれ」とか、言って（笑）。

小島――このインタビューはCD付きにしましょう（笑）。

岡野――「うまい。よしっ、これからはお前を殴らんでおいたる。もっと他のを覚えてこい」とか言うわけですよ（笑）。「よろしおま」とか言ってね。そうすると、「岡野は殴ったら俺が承知せん」と言ってくれるわけですよ。

現実は本当に陰惨なんです。だいたいコーヒーを飲みに入ったり、映画を観たりするのはみんなで一緒にやりますよ。一人ではやらないですよ。それを、皆に目をつぶらせて、「そーっと手を挙げろ」と言うわけです。俺が先に挙げたら、あいつらを裏切ることになるし、でも、誰かが挙げて、後でばれたら、倍殴られることになるし。その心理的な陰鬱さ。軍隊では、柱にかじりついて、みーんみんみんって鳴かされたり、鶯の谷渡りなんかもさせられますけど、中学の寮のようなあんなに陰惨なことはしないですね。大きな練習用のソロバンの上に座らせたりもした。痛いですよね、それだけはいやでしたね。他の点では全寮生活っていいものなんです。僕らが四年生になったとき、「もうこれはやめようじゃないか」と言ったら、みんなが「ああ。賛成、賛成」で、それはしなくなりました。

その体験があるから、軍隊では楽でした。軍隊の内務班では、「軍隊はウンタイとも言い、要領をもってホンタイとなす」という言葉があるんだけれど、本当にそうですよ。ご飯なんかいちはやく食べてしまって、「岡野二等兵、食缶を洗いに行ってまいりまーす」と大声で怒鳴ってパーッと出ちゃえば、かなり時間を稼げるわけです。僕が後に詠んだ、〈若き日を戦(いくさ)の中に過ごしきてすべなき癖ぞ飯(いひ)早く食ふ〉という歌は、中野孝次さんが共感してくれましたが、そういう体験は中学の寮でかなり身につけました。

（二〇一二・一・二六　東京・如水会館）

【第2回】

私の学生時代

皇學館時代の「作歌」の時間

小島――今日は岡野さんが歌に興味を持たれて國學院大学に行かれたことなどを中心に、お話をうかがいたいと思います。

岡野――皇學館大学の普通科の三年生からだったと思いますが、『古事記』『日本書紀』『万葉集』を教わりました。戦前は國學院でも皇學館でも、予科、学部を通じて、「作歌」の時間がありました。教えてくださる先生が佐佐木弘綱門下、つまり信綱さんのお父さん、佐佐木幸綱さんの曾祖父の門下で、金剛幸之助というすごい名前の先生（笑）。古武士のように体格が立派で、日清だか日露だかの勇士だそうです。やがてその息子さんたちが大東亜戦争に出征するようになって、僕らも旗を持って送りにいきました。その金剛先生が私の保証人でした。父親の先生でもあったのですね。

そのころは、どこの学校でもそうでしたけれど、保証人を大事にするんですよ。休みが終わって、新学期に先生のところにあいさつに行くと「お父っつあんは元気か」と言うような先生でね。最初の授業に〈乙女らが泳ぎし後の遠浅に浮き輪のごとき月浮かびきぬ〉という落合直文の歌を何遍も陶然として読みあげ、「浮き輪のごとき月浮かびきぬ、ええのう、ええじゃろう」って。こちらは全然面白くないいんだけど、先生が「ええじゃろう、ええじゃろう」っておっしゃるから、いいんだろうなあと思ってね（笑）。要するに新派和歌の初期の先生に教わったのです。

12歳の岡野少年。皇學館普通科入学の日（昭和12.4.10）。新しい学帽が大きい。左、推薦人の須川氏（三重県庁社寺課課長）、右、父　弘賢氏。

ただ、改まって歌を作らなきゃならないときが年に二遍ありまして、一遍は観月会、名月の夜です。皇學館のグラウンドの芝生に祭壇を作って、上級生たちが白い装束を着けて、クラスで一人、選ばれた歌を朗詠してくれるわけです。自分の歌をあんなところで朗詠してもらえるのは子ども心にうれしいわけで、そんなのが励みになりまし

昭和17年12月、大阪のYMCA予備校で、英語の特訓を受けていた浪人時代。受験写真。

た。

小島——岡野さんも選ばれたのですか。

岡野——わりあい選ばれることが多かったですね。小さいときから家で『百人一首』を取ってましたでしょう。古今調のような先生ですから、調べは合ってたのかもしれません。

もう一遍は秋、十一月五日の本居宣長の命日です。今の伊勢市と松阪市との間の山室山へ、伊勢市から大八車に山桜の苗を積んで行軍して行きました。墓の周りに植えるのです。秋の、稲の実っているころです。学生、生徒に作らせた和歌の中から、クラスで一人、一首選ばれて、宣長さんの墓前で読み上げてくれるんです。それがうれしい。

小島——歌が特別なものという気持ちになりますね。今とは全然、教育が違いますね。

岡野——後に、國學院大学の学生で、僕の研究会に入っていた人が伊勢神宮の神主になって、古本屋漁りをしたら、ある年の山室山の墓前祭の記録が出て来た。それには僕の歌が読まれたことが書いてあると言うんです。そして、「先生、あのころは古今調の歌を詠んでますね」と言うんです。「当たり前だ、教えている先生が古今調の人なんだから」と言ったんですけどね

（笑）。とにかく、短歌を作るということが楽しかったですね。自然に身についていたのです。

「むらさき」を読み、殴られる

小島――当時の年代を考えると、例えば与謝野晶子の歌とか、鉄幹、白秋の歌とかはどういう感覚で受け止めていらしたのでしょうか。

岡野――三年生くらいのころ、金子薫園が編集したポケット版の短歌のアンソロジーを買ってきて、いつもポケットに入れていました。釈迢空という名前もそのアンソロジーで知ったんです。

小島――シャクチョウクウとお読みになりましたか。

岡野――それはもう。というのは、教科書に折口信夫の古典文学についてのエッセイが出てまして、その頭注に「筆名、釈迢空」と書いてあるんです。

当時は詩のほうがより好きでしたね。詩の雑誌を直接購読したり。そのうちに「むらさき」を神田の一誠堂から直接購読して、それが原因で三年生の三学期に猛烈な鉄拳制裁を受けました。それまでは前回お話しした「へっつい泥棒」が効果を発して、「岡野は殴らんでおけ。俺が許さん」とか言っていた人が卒業し、次のクラスと交替するわけですが、交替したやつがかねてから僕のことを生意気だと思っていたんでしょうね。

殴られた理由は「むらさき」という雑誌を「あんなものは女の雑誌だ」と言うんですよ。そういえば女性向けの装丁なんです。最初に薄紫のカラーページがあって、佐藤春夫、室生犀星、釈沼空などの詩が載っている。ちょっと見ると、当時「令女界」などという雑誌があって、ああいう感じに見えるんです。でも、あれは『源氏物語』の啓蒙的な講義の雑誌で、池田亀鑑博士の監修ですから、真面目な読み物です。だけど、彼らは中まで見ませんからね。ひどく殴られて、三年くらい、頬っぺたの内側がケロイドになって、治らなかったですね。

小島――ええっ、そんなにひどく殴るんですか。

岡野――三十くらい殴ると、殴るほうも拳の関節が破けて、血が出てくるんです。マゾヒズムみたいなもんですよ。あの学校の教育は面白かったし、普通の中学では得られないものをうんと与えてもらいましたけれど、あの鉄拳制裁だけは……。月曜日に教室に行けば歴然としているわけです。顔が紫色に腫れあがっているのですから。それを何もしなかった教師。あの人たちは教師としての資格がない人たちだったと今でも思ってます。それで、大学紛争のころ、僕は教師として暴力を教育の場に介在させるのは絶対に許せんと思ってましたね。

そんなことがあったけれど、皇學館の図書館は神宮文庫といって神宮の施設だから、古い本がたくさんあるんですよ。空いている時間に借り出して読むことができました。

岡野――宣長のことですが、これは有名なことですが、自分のお葬式をどんなふうにするか、行列の仕方から、供えるものの献立から、微に入り細にわたって遺言に書いてある。あれを見ていると宣長という人は変わった人だなという感じがするのですが、遺言だけが格別なんですよ。その理由は後にだんだんと僕にもわかってきます。

江戸時代は仏教が国教みたいなものですから、戸籍も全部、お寺と結びついていて、お葬式のときには必ず寺の許可が要るわけです。神主でも、私のところなんかはそうです。

小島――え、神主さんのところででも、ですか。

岡野――ええ。伊勢神宮だけは別です。あそこは宗教的な治外法権ですからね。けれど、村の神主なんて、お寺の許可を得ないとお葬式が出せないんです。明治維新でそれは大転換しますが、そうなっても昔のお布施の慣習は残っている。お寺では五十回忌、百回忌などと書いた紙を本堂へ貼り出すでしょう。お布施を持って行かないと、その紙を外してくれない。神主が神式で葬式できなかったなんて恥辱ですから、絶対にお布施は持って行かない。僕のところはわりに古い家だから、二百回忌・三百回忌とかの紙が貼り出されたままになっていて、外してもらえないんです。親類が「あれ、格好悪いから、そこは目つぶって、お布施を持って行きなさい」って言うんだけど、絶対にじいさんもおやじも持って行かない。そのことに関しては、神主は恨み骨髄に徹しているわけです。

本居家の菩提寺の樹敬寺が松阪にあります。私の叔父、父親の弟が大正大学を出てお坊さんになりました。兄弟の仲はいいんだけれど、その寺の方丈なんですよ。宣長の葬儀は正式には空駕籠で行列を組んで、樹敬寺で供養をしたわけです。しかし亡骸は、深夜ひそかに山室山の麓の小さなお寺へ収めた。できるだけ仏式の印象を避けながら、当時の仏式を重んじる政策に従った。

実は亡くなる半年くらい前に、養子の本居大平以下、門弟を連れて行って、「山室山(やまむろやま)」の尾根のいいところを買い受けています。そこに日本ふうな奥墓(おくつき)を作って、後ろに枝振りのいい山桜の木を植えて、神式の墓を作った。そして、遺言どおりの葬式を有無を言わさず決行した。それはまあ、遺族に多少お咎めは来るでしょうけれども、本人はもう、死んでるわけですから(笑)。そのために宣長は慎重にあの詳しい遺言を書いたんですね。

松阪の地は紀州藩の管轄だったんです。紀州藩が経済的に困窮したとき、宣長に民の心を引き締める学問を講義してもらいたいと頼んだ。それで宣長は『源氏物語』の講義に行くわけです。経済状態が悪くなっているのは人心が荒廃しているからだ、『源氏物語』というすばらしい、日本人の美しい心を講義して、藩政を立て直そうということです。紀州藩は宣長を大事にした。ですから、お咎めも、いくらかゆるい扱いを受けるだろうという気持ちはあったと思うのですが、それでもあのころ、お寺の許可がなければお葬式できないという厳しいなかで、宣長は自分の意思を通すために大変な決意と準備が要ったんです。あの遺言だけ見て、宣長って杓子定規な人だとか変人だとかいろいろ言われているけれど、僕はあれは苦肉の策、苦心の策だったと思うのです。

没後の門人

岡野――何よりも強烈に印象に残っているのは、山の上のほうに宣長の墓があって、ちょっと下りたところに平田篤胤の歌碑が立っているんです。〈亡骸(なきがら)はいづくの土となりぬとも魂(たま)は翁(おきな)のもとに行かなん〉の歌です。これは心もよくわかります。それは篤胤が立てたのではなく、伊勢の篤胤門下たちが師の心を汲んで建てたのです。

篤胤は伴信友と二人、宣長の没後の門人の中で頭抜けているという世評の高かった人です。伴信友は歴史学のほうです。近江の壬申の乱の研究では『長等の山風』といういい本を書いています。篤胤はしばしば宣長をしのぐところもあるような優れた学者です。門人の申し込みはしたらしいんだけど、直接、講義を受けることはなかったのです。それで、没後の門人としてあんな歌を詠んでいるのですが、その志を哀れんで、門下の者が師の墓のそばに碑を立てたのです。宣長の墓よりちょっと下がったところで、いかにも師の墓の前に仕えているような感じ。その歌をまた、先生が朗詠して、二人の学問のアウトラインを話してくれるわけです。「没後の門人」とはいい言葉だなあと感動しましたね。

三年ほど前に、能登の先生の墓のそばに僕の歌碑を立てました。兄弟子をしのいで自分が碑を建てるなんて僭越なことだと思ってましたから、しなかったのですが、僕は毎年、命日にはあそこへ行ってお祭りをして、折口学の講義をするでしょう。「もういいでしょう。もう歌碑を立ててくださいよ」と土地の人たちが言うから。

折口の墓碑銘は、

もつとも苦しき
　たゝかひに
最くるしみ
　死にたる
むかしの陸軍中尉
折　口　春　洋
　ならびにその

とあります。養子の春洋さんが硫黄島で戦死した。そうすると、村の小さな名もない者の墓として廃れていくだろう。せめて自分が一緒に入って、親子墓のかたちで残ればというので、折口先生はあんな激しく切実な思いの墓碑銘を書いたわけです。

小島――「その父」ですからね。最初に見たときは驚きました。

岡野――あれを建てたのは昭和二十四年です。墓碑銘を書くとき、僕はそばで墨を磨っている。先生のところに行ってから、先生がものを書かなきゃならないときはいつも僕は墨を磨ってます。先生は初めの一、二枚、書き潰しするわけです。そういうのはサッともらっておきます。ちょっと遅れると先生はパッと破ってしまわれるから（笑）。

そんな思いの墓碑銘の墓ですから、後に私も、〈荒御霊二つ相寄る御墓山わがかなしみもここにうづめん〉という歌を碑にして、先生お二人の墓山の下のところに立てました。

日常生活の中に歌があった

小島――篤胤の例にしても、岡野さんのさきほどの作品にしてもそうですが、「思う気持ち」

というものは、歌がなければ説明文だけですよね。そうしたら、それほどまでに後から来る者を感動させることはなかったのではないか。歌のかたちで残されていたからこそ、そこに触れて、共感する。それは歌の力ではないかと思うのですが。

岡野――そう。歌の力というのは大きいですね。でも、あなたがそう言って下さるのは、うれしいです。

もう一つは、父親の兄が気多神社の宮司になって行きましたでしょ。この伯父がしょっちゅう、歌の形にして葉書をくれるんですよ。

僕が「國學院大学の予科へ入った。藤井春洋さんからは『伊勢物語』と「作歌」を教えてもらっている」と手紙を出したら、すぐに葉書で〈これはしたり伊勢の生まれの君がしも能登の藤井に伊勢を習ふか〉〈藤井春洋能登一の宮の社家の出なりよく親しみて教はりたまへ〉の二首を書いてよこしました。そして、「この葉書を藤井先生にお見せなさい」と書いてあるんですよ。

ところが、見せようと思ったときにはもう、藤井先生は二度目の出征でね。そのまま硫黄島に行ってしまわれたので、葉書は見せられなかった。後に折口先生の短歌結社鳥船（とりふね）社に入って、初めて先生にその話をすると、「不思議な縁があるものだねえ」と先生が言われた。

ここでちょっと私の父の話をしますが、父は古い文献から「紀州犬には鬣（たてがみ）がある」というのを見つけてきて、「俺は鬣犬を復元する」と決意した。伊勢から大和、紀州、熊野にかけては紀州犬の本場です。紀州犬にもイノシシ狩に行く猪犬（ししいぬ）の他、鹿犬、熊犬とあるんです。体格が少しずつ違います。猪犬は背がいくらか低くて、柴犬のちょっと大きいくらい。鹿犬はスラーッとしていて足が速い。熊犬は秋田犬くらい、がっしりしててね。私の家で飼ったのは鹿犬が多かったですね。猪犬は村の猟師たちはみな飼ってます。

小島——紀州犬の世話は誰がみていたんですか。

岡野——母がブツブツいいながら、大ーきな釜で犬の飯を毎日炊いて。魚のアラや野菜などを入れて、雑炊にしたようなのを作ってましたね。

父は、掛け合わせ掛け合わせして、だんだん鬣のスーッと出る犬を復元していったんです。とうとうきれいに鬣が出るまで作った。父親はそういうことが子どものころから好きだったらしくて、子どものころは闘鶏を飼って、あっちの村、こっちの村へ試合しに行っていたらしい。それが犬になったわけです。

小島——だんだん、岡野さんに流れている血がわかってきました（笑）。

岡野——犬の名もはじめは普通にマルとか、シロとかという名前だったんです。だんだん、戦争が激しくなってくるにしたがって、太刀、弓という名前になってきた。最後のころはヒッとか、ムツとか。

小島――ヒッ・ムッ？

岡野――ヒットラーですよ。ムッはムッソリーニ（笑）。そのころに犬の姿も、掛け合わせ掛け合わせして、きれいに鬣が出るようになったんです。品評会などに出すときは、僕が引き役なんです。「引き方がうまいっ」なんて言われたりして（笑）。

ところが、それが有名になって、「若宮さんに鬣犬ができた」と新聞に出たので、ブローカーが「売れ、売れ」と言ってきたが、「絶対に売らない」とがんばってた。そういうので恨みを買ったんですかねえ。毒を飲まされて、いい犬が死んじゃったんですよ。それからもう飼わなくなりましたねえ。

國學院大学予科入学、水が合っていた

小島――短歌に親しんでいかれる過程で紀州犬まで登場するとは、あまりにも予想外です。さらにどうなってゆくのでしょう。

岡野――國學院大学の予科に入って、入学式のときのこと。予科長は石川富士雄という人で、折口先生に心服している、白髪で、ちょっと見ると政治家みたいな感じの人です。折口信夫という人は、不良性を帯びた若者とか、世間で「あれは策士だ」とか言われるような人も全然気にしないで、真っ当につきあった人です。学長は佐々木行忠さんといって、元侯爵、貴族院の

副議長をしていましたが、忙しいので、入学式や卒業式の式辞は全部、石川富士雄さんが書きます。なかなか名文、格好のいい文章を書く人です。その石川さんが予科長になるとき、予科の教授の行動を全部調べて、弱点を摑んで入ってきた。それでうまく統率したという伝説がある人です。その石川さんが、折口先生には心から深い敬意を持ち、心服していた。

その人が予科長で、以下数人の並んでいるところで、僕は大学予科の入試の面接を受けたわけです。その脇に配属将校がいる。そのころの配属将校は大きな力を持ってます。大学の配属将校は大佐です。佐藤大佐といって、折口先生に教えられて歌も詠む人です。「君は皇學館じゃないか。なぜ國學院に来るんだ」と、その人が僕に聞くんです。つまり「同じ系統だから、皇學館に行けばいいじゃないか。なぜこっちに来るんだ。何か悪いことでもしたか」みたいな。そういう質問にはこっちも考えてあったから、「いいえ。こちらの教授にすばらしい方がおられますから」と答えると、「皇學館だって山田孝雄先生がいるじゃないか」と言うわけ。困ったなあと思ったら、予科長が「佐藤さん、この人が國學院大学に入りたいというのは、そういう理由を越えた思いなんですよ」と。予科長はどうしてあんなありがたい助言をしてくれたんだろうと思ってね。

後になってわかったんですが、折口先生の出題で、作文に「系図」という題が出た。これなら得意なものだと思って、わが家の系図を書いたわけですよ。それがよかったらしいんです。

採点するのは折口先生ではなくて予科長だったらしい。それで僕のことが印象に残っていたんでしょう。それが縁になって、入学してから一週間くらいしてからかな、「うちへ遊びに来い」と言われてね。玉川のほとりの風情のある家でした。折口先生のところに行ったのも、その縁が一つ。

もう一つは伊馬春部さん。ムーランルージュの座付作者で、NHKのドラマもさかんに書いていました。鳥船社へ入ってから、伊馬さんの家へよく行くようになって、伊馬さんが書き上げた原稿を持ってNHKへ届けに行ったり、ムーラン・ルージュへ届けたりする。すると、「岡野君。言ってあるから、ちょっと明日待子の出ている一幕でも観ておいで」とか言ってくれるんです。あるいはNHKに行った帰りには、新橋駅のガード下に牛丼を食べさせるところがあるんですが、「帰りにあそこで牛丼を食べておいで」とか言ってくれる。そんなことをしていて、恐らく石川さんにも伊馬さんにも、先生はきっと（僕のことで）相談をかけたはずです。鳥船社にいて、いくらか、「歌もまあまあ作れるし」と思ってたんでしょうけど。

とにかく、國學院は、わりあいに僕には水が合っていたという感じがあるわけです。

予科一年の時は春洋さんが作歌の先生です。偉い先生では金田一京助先生の言語学。折口先生の国学。国学なんて他の学校にない講義です。（甲高い声色で）「契沖、阿闍梨という人は」って話し方で、大学の講義ってこういうものかしらと思った（笑）。

武田祐吉先生は『万葉集』です。武田先生はマンヨウシュウと言われ、折口先生はマンニョウシュウです。武田先生は佐佐木信綱先生の影響を受けてますからね。ビール瓶かサイダー瓶の底みたいな分厚いレンズのメガネで、本にこんなに（くっつきそうなくらい）目を近づけて、折口先生よりもさらに甲高い声で読まれるんです。

（籠（こ）もよ　み籠持ち　掘串（ふぐし）もよ　み掘串持ち　この岳（をか）に
　菜摘ます児　家聞かな　名告らさね……）　（『万葉集』巻1・一、雄略天皇の歌）

うわっ、『万葉集』って、こんなふうに読まないといかんのかと思ったり（笑）。でも、聞いているとわかってくるものがあるんです。調べで入ってくるわけです。

小島――このあたりはぜひともＤＶＤで皆さんにお伝えしたい！

　千人（チタリ）の一人（ヒトリ）

岡野――入学式のとき、予科長が「今年、予科一年に入ってきた君たちはやがて、来年、再来年、戦場へ征って、そしてもう帰ってこなくなるかもしれん。だから、この大学の最高の先生方の講義を予科一年のときから聴かせるように時間割を組んだ」と言ったんですよ。それで、発表された時間割を見たら、今まで学部に入らないと聴けなかった先生の講義もちゃんと組んでありましたから、ああ、そういうふうに俺たちを扱ってくれたのかと思うとともに、俺たちは長くは生きてられないんだなあという思いが自然に湧いてきました。

小島——今の大学一年生とは精神の持ち方が違います。それは背景となる時代が違うということですね。

岡野——ええ。おっしゃる通りです。ですから、そのころきちんと組まれた授業だけではなくて、この先生と思う先生の講演会は大学の高い敷居を越えて聴きに行きました。國學院で金田一、折口、武田の三人の揃った講演があると、早稲田や慶應・東京大学、そして近くの実践女子大の学生たちも聴きにきました。生きている間に少しでも聴きたいと思う講義を聴いておかなければという気持ちは、今から思えばいじらしい感じがしますけれどね。

小島——想像を超えたような精神世界ですね。

岡野——そして例の昭和十八年秋の学徒出陣になるわけでしょう。東京の大学生の合同の送別会が神宮外苑であって、それから各大学に分れてそれぞれ送別の式典をやりました。学長の訓示、あるいは配属将校の激励の言葉か、あるわけですが、その次に折口信夫の学徒送行の詩「学問の道」を旅行中の折口に代わって高崎正秀教授が代読しました。声がいい人ですから。

国学の学徒の部隊（イクサ）
たゝかひに　今し出で立つ。

国学の学徒は、若く
いさぎよき心興奮（ホコリ）に、
白き頬　知識に照り
清きまみ　学に輝く。

　いくさびと　皆かく若き
見つゝ　我（ワレ）　涕流れぬ。

「国学の学徒の部隊、たゝかひに今し出で立つ」から始まって、はじめは勇ましい言葉ですが、やがて、

汝（な）が千人（チタリ）　いくさに起（タ）たば、
学問は　こゝに廃（スタ）れむ。

汝(イマシ)らの千人(チタリ)の　一人(ヒトリ)
ひとりだに生きてしあらば、
国学は　やがて興らむ。

と続きます。

小島――すばらしいですねえ。でも、あのころ、そんなことを詩に詠んでよかったんですか。

岡野――だから、びっくりしましたよ。今、こんなことを言っていいのかという感じがするわけです。反歌が三首ありまして、その最後が〈手の本をすてゝたゝかふ身にしみて恋(コホ)しからし。学問の道〉で終わります。講堂には一年生から四年生まで全員いるわけですが、その詩が読み進められていくうちに、うーむという呻きのような感動の声、声にならない声がして、しばらくシーンとしてましたよ。

小島――心ひそかに「千人の一人」に自分がなってやるぞみたいな気持ちも……。

岡野――ええ。うわあ、今の時期にこんなことを言ってくれる先生がいるのかという感じでね。

小島――折口先生は国学だから、かろうじてよかったんでしょうか。

岡野――いや、國學院というのはわりあい右の激しいのがいるんですよ。その翌日、弁論部の学生が各教室をまわって「昨日の折口教授の詩は惰弱である」と弾劾するんです。ですけれど、僕ら予科の教室はだれも拍手をしなかったです。だから、シラケて帰ってしまいました。「ああ、このクラス、いいなあ」と僕は思った。大学はさらに、折口先生の詩を書道家の羽田春埜先生が浄書されたものを縮写写真にして、みんなに一枚ずつくれました。あれを背嚢の底に秘め持って、戦場へ征った学生たちがたくさんいたと思います。

小島――岡野さんも何か、持って行かれたんですか。

岡野――あのころ、みんなそうなんだけど、文庫本の『万葉集』です。それに折口先生の詩の縮写写真を挟んで持っていきました。

ただ、戦争が終わってからわかったことですが、ドナルド・キーンさんの書かれたものを読んでいたら、戦争が始まって、日本へ来る軍艦の中で、「『源氏物語』を原文で読んでいた」と書いていられた。衝撃的でした。俺たちは負けるべくして負けたのだと思った。僕たちは文庫本の『万葉集』の一冊を上官に見つからぬように、隠して持ってゆくのがやっとだった。アメリカは戦争の始めから、俺たちが勝つと冷静に判断していて、勝った日のために、日本を知りつくしている若い知識人のグループを教育していた。ドナルド・キーン、サイデンステッカーなど、みなそういうすぐれた日本を知る英才です。その国の伝統文化というものに対する考え方が違ってたんですね。

マイナス面も多かったけれど、同時にまた、あのころ日本の中で奇跡のような大事な心を持っている人に触れることもできました。

気性の激しかった春洋さん

小島――そのころはまだ、岡野さんは歌人になろうということではなかったのですか。

岡野――ええ。まだそのころは。予科一年のときに「作歌」と『伊勢物語』を春洋さんに習い、二年になって『古今集』を高崎正秀先生に習いました。高崎先生が学年の始めに、「何でもいいから、古典をテーマにしてレポートを書け」と言われ、業平の東下りと、『万葉集』の大津皇子(おうじ)が伊勢の斎宮の大伯皇女(おおくのひめみこ)をたずねていったり、速総別王(はやぶさわけのおおきみ)と女鳥王(めとりのおおきみ)が伊勢へ逃れていく古代説話など、そんな話をつないで三、四十枚書き、「伊勢の国魂を求めて流離せし人々」という題をつけました。それが「面白い。みんなの前で読め」と言われて、クラスで読んだわけです。

高崎先生から「何からヒントを得てこれを書いたのか」と言われたので、「一年のときに春洋先生から『伊勢物語』を教わりました。そのことがヒントになりました。それから、私はちょうど大和と伊勢の間道の村に生まれましたから、子どものころから父親から聞かされていたことがありまして、そういうことをヒントにして書きました」と答えましたら、「藤井春洋、あんな若造に『伊勢物語』などがわかるものですか」と言われてね。僕は学生の前でひどいことを言う先生だと思った。でも、高崎先生は最後までわりあい僕にいろいろ助言したりしてくださいました。

　折口信夫が門弟を連れて旅行をするときは、全部、自分で門弟の経費を払うわけです。汽車の切符も宿の払いも全部。だから、全然、お金が残らない（笑）。亡くなるとき、預金が三十万円しかなかったわけですから。春洋さんが全部管理していた。僕がその役になったら、僕が全部、先生の貯金も何も管理するわけです。

　門弟が酒を取り寄せて遅くまで飲んでいると、春洋さんが怒るんですよ。「あんたたち、一体、いつまで飲んでいるんだ。全部、先生が払うんだよッ」と言ってね。春洋さんのほうがだいぶ後輩です。先輩からすればそういうのが恐らく憎らしかったんでしょうね。後で考えると、春洋さんという人は気性の激しい人でした。能登の人ですからね。

　春洋さんを折口先生の家で二年間育てた鈴木金太郎さんがしっかりしてたから、高崎さんや西角井正慶さんでも、鈴木金太郎さんには全然、頭が上がらなかった。ところが、春洋さんは年齢が若いわけですから、「この若造が」という気持ちが國學院の先輩にはあったのでしょう。もう一つ言っておかなければならないのは、春洋さんの講義は、実は全部折口先生が前の晩に口述したものなんです。

　春洋さんの「作歌」の時間に三人、いい歌を詠むやつがいるわけですよ。〈姫神のつくぶ島姫おはします島は寄りつく鳥多くゐぬ〉を出したのが、「鳥船」からやがて後に短歌結社の「地中海」に入った山村金三郎です。もう十年ほど前に亡くなりましたけどね。うーん、この歌、風格があるなあと思ってね。

山村金三郎、千勝三喜男、西角井正文。みんな、お父さんが教授だったり、兄さんが助手をしていたり、山村金三郎は考古学をやっている人に中学生のころからついてたんです。やっぱりできるやつがいるなあと思ってね。それから本気になって、折口先生の「鳥船」に入りたいと思い出したんです。ですけれど、僕は恥ずかしがり屋のところがあって、なかなか決心がつかなかった。

釈迢空の歌のよさがだんだんわかってくる

小島――「鳥船」へ入りたいというのは、いろいろなものを読んでも、やはり釈迢空の歌がいいというお気持ちがあったからですか。

岡野――いや。僕の若いころ、中学のころなんかはやはり啄木とか、牧水ですよ。調べのいい前田夕暮とかね。ことばがきらきらとしていた。釈迢空は、皇學館で最初、金子薫園のアンソロジーで見たときは、お坊さんみたいな渋い歌だなと思ってました。

小島――奥深いというか、ほの暗く、若者が惹かれるタイプの歌ではないですね。

岡野――そうなんです。「奥熊野」の連作とか、伊勢から志摩、熊野へ旅行した『海やまのあひだ』（大正十四年刊）の最初なんかでも、何か息苦しいような、いきずんだというか、朗々としてないんです。なじめないのですが、学問の上で不思議に引きつけられるものがある。そこにまず惹かれていったわけです。

敗戦の後、何とかして心を立て直さなくてはと思って、伊勢から志摩、熊野へ歩いていったでしょう。その翌年の春は明日香から近江まで歩きましたでしょう。その旅行ですね、先生が本当に身近に感じられるようになってきたのは。そのときは東京の夜店で買った『海やまのあひだ』の文庫本を持って歩いていました。

小島――後に作品がどんどん出てきますね。

岡野――まあ、そうですね。折口信夫だって、全集で見ればわかるように、初期の歌はなんか面白くない、ぎくしゃくした歌ですよ。それがものすごい数、あるわけです。あの歌が変わってくるのは、一つは今宮中学での教え子たち二人を連れ、伊勢・志摩・熊野を半月ほど旅した時からです。そのときに鉄幹の『相聞（あひぎこゑ）』を一冊、持って行くのです。持って行ったのはそれだけだと書いています。なるほど、あの『相聞』は鉄幹の絶頂期の歌集ですものね。

鉄幹はジェラシーの激しい人だったと思います。〈大名牟遅少那彦名のいにしへもすぐれて好きは人嫉みけり〉〈歌はわれ猶およぶべし羨むはその後より少女したがふ〉〈才高く歌もて我をおどろかす惜しき二三子あやまちをせよ〉。あのころ若い秀才が集まってきたからジェラシーの気持ちが燃え上がったんでしょうけれど、それを率直に、なかなかいい歌を詠んでいます。亡くなった山川登美子への挽歌〈君なきか若狭の登美子しら玉のあたら君さへ砕けはつるか〉〈君を泣き君を思へば粟田山そのありあけの霜白く見ゆ〉はすごくいいですね。

小島――ええ。与謝野晶子が嫉妬した歌を作ってます。

岡野――晶子より登美子のほうがこまやかで魅力的だっただろうと思うけれども。折口の歌は初めはとっつきにくかったですけれど、旅行をしながら、『海やまのあひだ』を暗唱をしていくようになったら、そのよさがだんだんわかってきたわけです。それでも、牧水や啄木や夕暮のように朗々とうたいあげられる歌じゃない。少ししんねりむっつりと心の中で反芻していくような、そんな歌です。

小島――でも、『海やまのあひだ』がなければ、岡野さんの倭健命(やまとたけるのみこと)に向かう心とか、そういうのもなかったかもしれないし、それが『バグダッド燃ゆ』や最近の震災関連の歌にまで、志みたいなものがずーっと生きているような気がするのです。

岡野――それは全くおっしゃる通りです。私は不器用なので変わらないんですね。それとともに、時代との巡り合わせが妙にぴったりしていたという感じです。

学生としての本懐

小島――そのころはどんな服装だったんですか。

岡野――学生服です。詰襟で。作業に行く時はカーキ色の作業服。でも、物資が不足してましたから、スフのよれよれの服です。

予科の一年生のころ、そんないい講義を組んでくれたんだけれど、教室で講義が聴けたのはほんの少しの間で、鐘ケ淵あたりの、戦地へ送る薬を詰め込む軍需工場へ働きに行かされ、教室でじっくりと講義を楽しみながら聴く、そしてまたそのことについて友達同士でいろいろ話し合うという時間がありませんでした。

年輩の教授とは教室以外にはあまり触れ合いがない。若手の教授で、ずっと後に大学の学長になって、僕がその下で学生部のいろいろな役割をつとめるようになる佐藤謙三先生が、いい先生でしてね。そのころはすべての物が不足していて本が買えないんです。神田へ行ったって、書店の本棚は埃が積もっている。月に二日、岩波文庫を二、三百冊売ってくれる日があるので、その日には学生が岩波書店の前の道路に並ぶわけです。そして、やっと一冊買って帰れるという状態でした。

佐藤先生は軍需工場の僕たちを見回りに来てくれるのですが、そのたびに本を何冊か持って来て、「ほら、回し読みするんだぞ」と言って、置いていってくれるんです。そんな本は帰ってきませんからね。先生の家の本棚がだんだん空になっていくんじゃないかと心配しました（笑）。

昭和十八年に國學院に入り、十九年、予科の二年になった年の六月から、愛知県豊川の海軍工廠、工員が七万人いる大工場に、予科二年全員、百名余名が移動させられ、働きました。大和とか武蔵の装備を全部そこで作ったと言われる工場です。國學院大学、京都大学、東京大学、慶應義塾大学、早稲田大学、立命館大学、同志社大学など、十いくつかの大学が二階建の長屋一棟ずつをあてがわれ、朝から晩まで兵器を作らされました。入り口のところに生産のグラフを貼り出して、成績を争わせるわけです。

小島――大学生をそんなのに使って、もったいないですね。

岡野――ええ、軍隊へ行っているよりも一層、空しかったですね。僕が配属された工場は鍛造工場といって鍛冶屋の大きくなったような工場です。溶鉱炉で真っ赤にしたインゴット（鉄塊）をスチームハンマーやエアーハンマーでダーン、ダーン、ダーンと打って砲身を作ったりする、労働のいちばん激しい工場です。真っ黒になって働きました。ふつうは三交替ですが、鍛造工場は溶鉱炉を使うから休めちゃいけない。昼夜二交替、十二時間労働です。

小島――そのときはもう戦争も末期ですね。

岡野――ええ。工場長が海軍少将です。マリアナ沖海戦で大敗北して、何より兵器を送らなければと、帰ってきて工場長になった人です。こんなことを言っていいのかしらと思うほど、「われわれは死力を尽くして前線へ兵器を送らなければ、日本は負ける」と言うんです。

小島――実感だったんでしょうね。

岡野――ええ。現実に海戦で徹底的に叩かれてきて、兵器をもっと送らなければと思って工場長に配属されたわけですからね。

そんなある日、武田祐吉博士と若い佐藤謙三先生とが東京から来て、夜に武田先生が『万葉集』の講義をしてくださった。けれど、学生は疲れ切っていて、集まった者が少なかった。講義を終わって武田先生が部屋を去られた後、佐藤先生が残って僕たちにこう言われた。

「君たちは、どんなに悪い状況におかれても、学生の誇りを失ってはいけない。『万葉集』の権威の武田先生の講義がこの戦争のさなかに聴けるのは、学生としての本懐であるはずだ。疲れた体を引きずってでも、出てきて聴くべきだ。志まで工員さんと同じに、敵に勝つことばかりしか考えない若者になってしまっては、学問に志した甲斐がないではないか。」

ああ、学徒出陣の日の折口博士の詩「学問の道」と同じ心で、佐藤先生は俺たちを叱っておられるのだと思いました。

小島――教師も学生も、切ないですね。「学生としての本懐」という言葉、ほんとうに久しぶりに聞きました。

昭和二十年一月に入隊

岡野――話は豊川へ行く少し前のことになりますが、僕は世田谷で徴兵検査を受けて、甲種合格になってました。そして陸軍特別操縦士官を志願しようと決心したわけです。十九年の三月くらいでしたか。村の役場へ戸籍謄本を取り寄せるために手紙を出したら、村長が親類なものだから、すぐにおやじに「お前の息子、戸籍謄本を取り寄せたぞ。あれはなんか考えているから、早く行って、一遍、突きとめて来い」と言ったらしい。そのころはなかなか切符を買えないんですけど、おやじがおっとり刀で駆けつけて、「何をするんだ」と聞くから、「もうわれわれはじっとしてられない。飛行機で突っ込んでいかなければ日本は守れないんだ。特別操縦士官に志願する」と言ったら、おやじがまた、「どうせお前は甲種合格で赤紙が来るに決まってるんだから、死に急ぎするな」と言うんです。僕も一遍、決心したものをそう曲げられない。明け方まで論争していて、とうとう、「どうしても行くんなら、俺はお前を勘当する」と言うわけ。

小島――跡取りですものね。

岡野――そう。僕に跡を継がそうと思うから、絶対にやらせないわけです。最後に、親不孝をしてまで死ぬってことはないかと思ってね。それで「じゃ、やめる」と言ったんです。
あのとき、志願した者の中で何人か死にました。特攻隊長になって二階級特進で陸軍大尉になったのが、僕らの同級生で軍人としていちばん階級が上です。いいやつがいち早く征って、死にました。体も健全で、決断力があって、なるほど、あいつならば特攻隊長に選ばれるだろうと思うような人でしたね。

僕は皇學館の中学部では剣道と陸上競技をやってました。陸上競技のやり投げが得意でしてね。五年生のとき、県でいちばん強かった。京都の上賀茂神社の宮司の息子さんで、学部生の矢野さんという人がコーチしてくれたら、投擲力がみるみる伸びたんです。その人もやがて特攻隊長で、亡くなりました。

そういうことがあって、豊川海軍工廠へ行って、その年の終わるまでそこで働いたんです。ただ、ちょっと得意だったのは、工場に新しく溶鉱炉を作ると祈願のお祭りをするんです。働いている工員たちは専門の鍛冶屋さんたちですから、縁起を担ぐわけです。神式できちっと迦具土神（かぐつちのかみ）などを祀って、ご祈禱しなきゃいかん。

小島――そこで岡野さんの出番がありそうですね（笑）。

岡野――外部の人に工場の中を見せたくないわけです。それで、「國學院大学の学生さんの中には、お祭りができる人がいるでしょう」と言う。僕は皇學館で完全に神主の資格はマスターしていますから、どんなお祭りでも、みな、やり方はわかっているわけです。だから、「やってあげましょう」と言って、迦具土神の祝詞（のりと）を作りました。海軍少将の工場長以下、将校が並ぶわけです。もう一人、福島の稲荷神社という大きな神社の宮司の息子さんに助手をしてもらって、ちゃんとお祭りをつとめました。

例の予科長が、「君はこんな祝詞まで作れるのか」と言うんです。「子どものときからいくらでも祝詞を暗記してましたから」と答えると、「うーん。僕は学長の式辞は作るけれども祝詞は作れんなあ」とか言って（笑）。

やがて、昭和二十年一月の六日か七日に赤紙が来て、入隊しました。

（二〇一二・二・十六　東京・如水会館）

【第3回】

終戦前後、伊勢・熊野、大和・近江の旅

敗戦の年の一月に赤紙が来る

小島――今日は終戦前後、特に終戦の年のご旅行のことを中心にお話をうかがいたいと思います。

岡野――そうですね。敗戦の年の秋の伊勢、熊野の旅行と、翌年の春から毎年つづけた大和から近江や伊勢への旅行。これは私にとって非常に重い体験でした。その旅によって私の人生観、古典観が決まっていったのです。

その前に軍隊に入る時の話をちょっといたします。前に言ったように、陸軍特別操縦士官を志願しようと思ったんだけれど親に止められた。そして、二十年一月早々に赤紙が来たんです。豊川海軍工廠から郷里へ帰って、親の家で一晩だけ寝て、大阪府布施市、現在の東大阪市にあった橘五十三部隊という新設の部隊に入りました。

帰った家には、村の親類や出入りの人が集まってきていた。でも、賑やかに送ってくれるわけではない。何となく湿っぽい雰囲気で、「しっかりやって来い」とか「命を大事にして、死ぬんじゃないぞ」とか言ってくれるわけです。父親は恐らく、「絶対に生きて帰って来い」と言いたかったでしょうけれども、人が来ていて、言う暇がないんです。母親だけは、私が風呂に入っていたら、割烹着のままそっとやって来て、背中を流してくれていたのが、急に黙ってしまった。ああ、泣いてるなと思った。一年近く、豊川海軍工廠で重労働をやっていたでしょう。鍛冶屋さんをやってハンマーなんかを振るっていたわけです。それまでは伸び伸び、スポーツをやっていたのに。だから、筋肉のつき方が全く労働者の背中になっている。母親がそれを見て、「こんな身体になって」と言うんです。

小島——母親は切ないでしょう。

岡野——そうですね。そして、「どんなことがあっても生きて帰っておいでよ」と言う。ああ、母は泣いているなと思うが、私も胸の内でそう感じるだけで何も言えなかった。もうこれが最後になるかもしれないなと思って。それが切なく印象に残ってますね。母親でさえ、風呂場で二人きりにならないと「どんなことがあっても帰って来るんだよ」ということが言えなかったのです。

翌日、村の人に送られて村境まで歩きました。戦争も早いころは「だれだれ君、出征」なんて幟を立てて、村中の歓呼の声に送られて出征していったものですが、私の出征のころはもう敗勢が歴然としてますからね。昭和二十年は完全に陸軍も海軍も再起不能の状態になっていたのです。国民はそれを知らされなかったが、みな気配で感じていました。村の駅から、寂しく出ていったわけです。

入ったのが大阪の八連隊からわかれた新設部隊です。大阪の人には悪いけれども、八連隊は日本でいちばん弱い部隊として聞こえていた。それを少しでも増強しないといかんというので、淡路の若者と伊勢の平野部の若者とが初年兵として入れられたわけです。

〈白鳥は哀しからずや〉の歌は世につれ

小島——お話を少し戻りたいのですが。学生でありながら、何となく日本が負けそうなことは感じていらっしゃった。そういうとき、赤紙が来た。どんなお気持ちだったのでしょうか。

岡野——特攻が残された唯一の起死回生の方法だろう。俺たちが肉弾になって行かなければもうこの列島は守れないだろうということは、あのころ危なくて声に出して言えないですけれど、だいたい若者たちはみんな思ってました。

豊川海軍工廠では仕事が終わると、食事と、大きな浴槽で風呂だけはゆっくりと入れた。ところが、陸軍の部隊に入ってみると、食糧は乏しく、兵舎もない。

小島――軍隊でのお食事はどんな感じでしたか。

岡野――紀元節とか天長節とかは特別でしたが、戦争末期はもう食べ物もなくて、鍋に何でもかんでも入れて雑炊にしたようなものを。運ぶのも肥料桶のようなものでねえ。

豊川海軍工廠にいた時は、有志で歌会もやっていたのです。ところが、誰だって知ってる〈白鳥は哀しからずや〉という牧水の歌を出したやつがいる。「一体、どういうつもりだ」と言って、そいつを問い詰めたら、「俺たちはこの白鳥そのものだと思わないか。〈空の青海のあをにも染まずただよふ〉、俺たちの運命そのものじゃないか」と言うんですよ。

空にいても、海にいても、飛行機や潜航艇で特攻させられて、いつ死ぬかわからない。そのころ、ハワイへ行った特攻隊よりももっともっとみじめな、ベニヤ板みたいなもので作った船に一人だけ閉じ込められて突っ込む訓練をすでに、瀬戸内海の呉の辺りでやっていました。人間魚雷です。それに乗って真っ暗な海を敵艦に突っ込んでいくなんて、絶望的でどんなに苦しいだろうと思った。俺たちが体を犠牲にして突っ込んでいかなければ。それで一月でも二月でも自分たちの親や兄弟が命を永らえれば、それでいいと思ってました。あのころ、そういうぎりぎりのところで若者たちは考えざるを得なかったのです。〈白鳥は哀しからずや空の青海のあをにも染まずただよふ〉、牧水はロマンティックにうたったけれども、これは俺たちの今の本音じゃないかと思った。だから、そいつが牧水の歌を出したのを責められないのです。

小島――逆に、あの歌の新しい解釈ですね。

岡野――そう。歌って不思議なものだと思いました。本当に「歌は世につれ」という感じです。後に折口信夫が『万葉集』などを題材にして、「歌の解釈というものは時代によって変わっていくものなんだ。一つの解釈しかないなんて考える必要はないんだ」ということを言っております。そうなんだ、心と言葉というものは柔軟な流動性を持つものなんだということが後にわかるわけです。

中学の寄宿舎より軍隊のほうが楽

小島――そのときは生きて帰れると思われなかったですか。

岡野――人間って、ぎりぎりまで「生きていられる」という希望はあるものなんですね。それから後も、鉾田飛行場の真ん中でグラマンに狙われたりしましたけど、最後まで人間って、「俺は生きるぞ」という意思を失わないものですよ。

布施の兵舎になっているのが関西の私立の樟蔭女子大の校舎です。そこに一月に入って、二月、三月、四月の初めに東京へ移動するわけですが、それまでの間、初年兵の教育を受けます。

古兵としての大阪の人の言葉が何ともいやなんですねえ。「今度の初年兵さん、ほんまにようやってくれはるわ」という調子です。それ、皮肉なんですよ。実は「グータラ怠けとる」という意味なんです（笑）。でも、こっちはちっともこたえない。ケンカしたら体力はこっちのほうが圧倒的に強いと思ってるから。

ただ、一番いやだったのは、演習が終わって班長が、下士官、伍長、あるいは軍曹ですけれど、「今日はこれで解散ッ」と言ったら、初年兵がパーッと飛んでいって、「班長殿、巻脚絆を取らせていただきます」と言って脚にまつわりついて、ゲートルを解くんです。軍隊ではゲートルと言わないんです。ふんぞりかえっている人のを解いて、きれいに巻いて渡すんです。屈辱的でね。そんなことできるものかと思って、私は絶対にやらなかった。そういうところはやらなくても、やるべきことをきちんとやっていれば、べつに文句を言われたりぶん殴られたりすることはないんです。

ですから、中学の全寮制の寄宿舎の毎週土曜日の鉄拳制裁なんかと比べると、軍隊の内務班のほうが心理的には楽でした。

酒とタバコ

岡野――ただ一遍、私の相棒が猛烈にぶん殴られたことがあります。

たまに祝日にお酒が出ます。二人で酒堡へ取りに行って、樽に入れた酒を担いで戻ります。

その二人ですが、同じ小隊にお坊さんの息子が一人いる。私は神主の息子だけれど酒は全然飲めないことは知られている。坊主の息子も酒は飲まないはずだと思ったんでしょう。「神主の息子と坊主の息子と二人で行って、酒を受け取って来い」というわけです。酒保からの道は一キロ近くあったかな。そこから二人で担いで来る。畑の中の、谷あいになったところが臨時の酒保です。

私は前を担ぎました。後ろのそいつが「ちょっと待ってくれ」と言って、大きな樽の蓋を開けて盗み飲みしている。少々ならと思って、私は黙ってたんです。でも、ああいうときって、早く酔いが出て来るものなんですね。そいつは強いはずなんでしょう、だから飲んだんだろうけれど、ポッポッと赤くなってきた。

帰ってから、「お前はそれを黙って見とったんか、見逃したんか」と言われたから、「いえ、前を担いでおりました。重くて振り向けません。前ばかり見て、一生懸命、担いで参りましたから、気づきませんでした」と。「こいつ、うーん。ま、そうじゃろッ」と言って、許してくれた。後ろで飲んでいるのに気づかないわけがないんだけど（笑）。

そのときは、そいつ、ひどく殴られて、三日ぐらい、唇が紫色に腫れて、ものが言えなかった。

小島——よほど飲みたかったのですね。

岡野——やはり酒とタバコはねえ。私は軍隊に行くまでタバコも吸わなかったんです。ところが、下士官や上等兵がみんな、「岡野、タバコを喫まんだろう。寄越せ」と言うから、「こいつらに取られるのはいやだ」と思って、タバコを喫むようになったんです。そして、だんだんヘビースモーカーになっていった。四十歳のときにまたやめましたけどね。

いや、二遍やめたんです。一遍は深夜に折口先生の口述筆記をするようになって、早朝から起きているでしょう。先生は年寄りだから睡眠時間が短くてもいいんですよ。でも、一時、二時くらいまで口述筆記させられるとこっちは朦朧となってくるわけです。鉛筆で太ももをちくちく刺したりするんだけれど、体中、熱ーくなって、ぼーっと綿みたいになってくる。すると先生は、そのころは珍しい、どこかで買ってきた大きな飴玉を、「岡野。またミミズになってるよ」って。

小島――ミミズ、ですか。

岡野――「ミミズを書いているよ」と言うんです。そして、ごろーんと飴玉を転がしてくれる。「岡野、タバコをやめたら少し眠くなくなるんじゃないか」と言われる。ああ、先生、遠慮しながら言っているな、申し訳ないと涙のこぼれるような気がしてね。「やめます」と言って、やめたんです。

小島――折口先生はタバコはお吸いにならないんですか。

岡野――タバコは全く吸いません。ただ、私の行ったころはやめてましたが、いちばんシャープな論文を書いたころはずーっとコカインを使ってたんです。それを鈴木金太郎さんと藤井春洋さんが時に畳の上にねじ伏せたり。先生が買う薬屋を全部当たって、売らせないようにしてました。それでも、先生は慶應から國學院まで歩いて来る途中で……あの人は歩くのが好きでしたからね、元気なころは。そして、「この薬屋も僕の色紙、短冊、だいぶ持ってるよ。金（鈴木）も春洋もここは知らなかったよ」とか言っていたから、そういう薬屋がいくつかあったんですね。そんな経緯がありましたから、私のタバコには先生は寛容だったんだけれど、私のほうが申し訳ないと思ってやめたんです。

先生が亡くなって、もうやめる必要がないので吸いだしたら倍も吸うようになった。でも、大学紛争のときにまたやめました。幾晩も徹夜で彼らと団交しなきゃならないでしょう。こんな連中の言うことにたじろぐわけはないんだが体が参ってくると思って、それからもう吸わないんです。

大阪が、東京が、空襲にやられる

岡野――わりあい軍隊生活は楽でしたけれど、つらかったのは廊下を毎日、雑巾がけすること。女学校の校舎を使っているのだからきれいにしておかなきゃいけない。寒中にも毎日水で雑巾を洗ったり絞ったりするでしょう。私は皮膚が弱いので霜焼けになって、医務班へ行って軟膏を塗ってもらうのですが、手の甲の皮膚がズルッと剝けてしまう。すると班長から「シャバで楽をしてきた罰じゃ」とか言われる。コンチクショーと思って。それだけがちょっといやでしたね。

記憶に残っているのは、大阪が初めて空襲を受けたとき、大阪まで背嚢（はいのう）と鉄砲を担いで行軍しました。消火作業をやったわけではないのですが、警備の役をしました。あのころ、朝鮮人という言葉で言ったんだけれど、そういう人たちばかりの住んでいる場所があるわけです。そこを通ると子どもたちが後ろからついてきて、「またも、負けた、ハチレンターイ」と歌って、囃されるんです。八連隊は弱いってことで聞こえてましたからね。それがいやでねえ。

二晩目には雨が降ってきて、その中を歩き通した。なんであんなに歩いたんかなあ。大阪城をずっと回って、また布施へ帰ってきました。そのときはいくらか体が苦しかった。私は徹夜なんかで歩いていると胃が痛くなってくるんですよ。

小島——ストレスですね。

岡野——体の中でいちばん弱いところがいちばん早く弱ってくるんですね。でも、外地へ行った人たちのような苛酷な体験はほとんどしなかったです。

いよいよ四月。九日に出発して、東京へ十日に来たのかな。そこで軍用列車が焼かれたときが軍隊で初めての厳しい体験でした。そのころはもうほとんどB29の思うままなんです。いくら高射砲を撃ったって届かないし、日本の戦闘機もほとんどなくなっていました。たまに敵機の白い巨体をサーチライト、探照灯で捉えるわけです。逃がさないでずーっと追っていくのですが、そこまで高射砲は全然届かない。小さい日本の戦闘機の勇敢な姿がキラーッ、キラーッとまつわりついていくのがわかる。ああ、やってるなあと思うけど、結局、パーッと火がついて落ちるのは戦闘機のほうです。

B29の攻撃は本当に正確でした。地上を走っている軍用列車にブスブスブスッと油脂焼夷弾が列になって突き刺さる。たちまち車内は火の海になる。あんな高度から正確に照準を合わせて悠々と空襲をしていた。関東大震災のとき、被服廠には火の玉のようなものが飛んできたと言うけれど、本当にそうなるんです。周りが熱気で、桜なんか咲いたまま火がついて燃えていくでしょう。トタン板が飛んでくるし、ドラム缶が火を噴きながら飛んでくるし。そんなところでは自分の身を守るのが精一杯です。巣鴨と大塚の間の線路沿いの溝が細く通っている、あの溝に入り込んでやっと命拾いをしたんだと思うと今でもゾッとします。

翌朝、気がついたら、大隊長が防毒マスクを忘れてきて、目の縁が真っ赤に焼けただれて、目を開けてられない。睫が焦げている。私は幸い防毒マスクをつけていたから大丈夫だった。べつに「ガスマスクをつけろ」という命令は下らなかったけれど、これはもうガスマスクをつけなきゃと思って。内地に居ても戦場と同じなんだということを痛感したのは、四月十日のその空襲のときです。

偶然ですけれども、家内はそのとき青山で空襲に遭い、右往左往して明治神宮に逃れていったのに、中に入れてもらえなくて、追い返されたと後に話してました。

私は東京の地理を幾らか知っているというので残されて、兵や市民の死体の片付けや焼却、軍馬の死体や焼けて赤茶けている大隊砲などを片付けていました。そして、一週間ほどして大隊本部のある茨城県の鉾田中学へ帰隊しました。

そのときです。冬の軍服ですから、ラシャの厚い軍服に、死体の脂が染みている。そこへ鉾田中学の校庭の桜がはらはらと散りかかってきて、〈すさまじくひと木の桜ふぶくゆゑ身はひえびえとなりて立ちをり〉（『滄浪歌』）と。そのときは作れないですよ。後になってそのときの思いを歌にしたものです。それは切実な、痛烈な思いでしたから、歌にするまでに十年近くかかっています。

霞ケ浦周辺の村を転々と移動して、過ごしました。海岸の松林に壕を掘って、そこで夜は過ごし、昼間は蛸壺壕といって、小さな、体一つ入れる壕を海岸の砂に掘って、あの辺りから九十九里にかけてがアメリカが上陸してくる可能性の一番高いところと思われてましたから、敵の戦車のキャタピラに爆薬を抱いて飛び込む……。本当にみすぼらしい自爆ですけどね。その訓練ばかりさせられていたのです。

一小隊単位、六十人くらいで分散して宿営してました。竹やぶの中へ裸電線を引っ張って。夜、斥候に行かされると、その裸電線によく引っ掛かって、パシッパシッと火花が散る。夜の斥候というと必ず私なんです。普通の人より、夜、目が見えるから（笑）。

そのうちに、幹部候補生の教育が始まりました。甲種は一年の教育で将校になれる。乙種は下士官止まりです。それにふるいわけられて、教育を受けるのです。甲種幹部候補生の教育隊長が、われわれと同じ年齢で上官学校出の、キリーッと締まった青年で、気持ちのいい人でした。考え方も、折り目切り目はきちっとしているけれど、柔らかいんです。「栄養が大事だから、今日は一日、潮干狩だ」と言って、潮干狩りをさせてくれたりした。

ただ、これで本土決戦になったら一体、日本は、そして日本人はどうなるんだろうという不安だけはじわじわと重くなっていましたね。

竹やぶの中、ラジオで聞いた終戦の詔勅

小島――終戦はラジオで聞かれたのですか。
岡野――ええ。暑い夏でしたね。八月十五日の朝も蒸し暑くて海岸は湿気がひどいですから、松山の塹壕に入らないで、海岸の松の木の下で毛布一枚を被っただけで、みんな寝てたんです。野宿をしても、上に何も覆うもののないところで寝ると、起きた後が何とも体がだるいんです。

寝ている間に夜露が降りるようなところだと、ぐたーっとなってしまう。上に木の枝が伸びていたり、あるいは軒の下でも縁の下でも、上に覆いがあるところで寝ると、そうならないんです。

だからわれわれは松林の中で寝ていました。朝早く霧が深いと日中、いい天気になるんです。あの日も霧が深くて、ああ、今日も暑い日になるなと思っていたら、何となく予感があって、たまらなく憂鬱になってきました。ああ、今日は何かあるなと思っていたら、「昼、重大放送があるから竹やぶに集合」という知らせが来た。

それで、竹やぶの中に裸電線を引いてきてラジオを聞いたのですが、雑音が入って、天皇も言葉に慣れておられないし、われわれも聞くのは初めてですから、細かい意味はわからないのです。「耐え難きを耐え」とか言われているけれども、何のことかわからない。

みんなアッケにとられたような顔をしていたら、本部から「終戦の詔勅だ」と。でも、激情的な反応を示す兵隊はいなかったですね。

ただ、それから三日くらい経ってから、連隊本部へ使いに出されて、行ったら、連隊本部でわれわれの幹部候補生隊の隊長だった士官学校出の中尉に会ったんです。顔の相が変わっている。キリーッとしていた顔が、悲痛な、陰鬱な顔になって、ああ、この人の受けたショックは深いんだなと思った。

関東軍から引き揚げてきた古兵たちが、どうも連隊本部が銃を引き揚げて焼いてしまうらしいという情報を聞いてきて、「その前にせめて俺たちで菊の御紋だけは潰しておこう」ということになった。鉾田の郊外にある鎌田小学校がわれわれの宿舎になっていて、その小学校の隣がお寺です。声が大きくて、朗々とお経を読むお坊さんのいるお寺の庭に大きな百日紅の木が二、三本ありました。その木の下で歩兵銃についている菊の御紋を鏨（たがね）で潰していったのです。

そうしたら、日露戦争の勇士だったというそのお坊さんが小学生の男の孫を二人、両脇にかかえるようにして、地べたに座ってチンチンやっているわれわれを、じーっと見おろしている。「お前たち、よく見ておけ。兵隊さんたちは今、戦争に負けて、この三八式歩兵銃の菊の御紋を潰しとるんじゃ。よう見ておけ」と言うんですよ。「このクソ坊主」と思うんだけれど、顔が上げられない。

私は七、八年の後にまたそこへ行って、再びその寺を訪ねてみましたけれど。そのときのことを思い出して、つらかったですね。心に残ってます。

小島――そのとき、これからどうなるんだろうという感じだったのですか。

岡野――そのころ、われわれの考えていたのは、まず天皇は真っ先に犯罪者にされるだろうし俺たちが肉弾になってでも突っ込んでいって守ろうと思った親や兄弟、あるいは恋人が、アメリカ兵にむちゃくちゃにされるだろうという思いが、現実になったんだという感じでした。けれども、茨城県にいる間に、いや、自分の村に帰ってからかな、ジープが村の道を走るようになったのは。進駐兵たちはわりあいに穏やかなんです。そして、服装もきちっと身についた鮮やかなグリーンの軍服を着ている。とにかく最初に進駐してきたアメリカの兵隊さんたちは規律がしっかりしていました。

北海道、樺太なんかでソ連の兵隊にひどい目に遭ったという話はずっと後に、大学へ戻ったときいろいろ聞きました。ひどい目に遭った体験を持っている学生たちもいましたけど、アメリカの兵隊はわりあいにやさしかったですね。しかし、それがわかったのはもう少し後です。

着の身着のまま、まず伊勢神宮へ

岡野――家に帰ってきたら、大人たちはすっかり新しい民主主義の考え方に切り替わっているような感じがして。

小島――たった一月で変わるものなんですねえ。

岡野――ええ。「こいつら、何たる無節操な」と腹が立ってね。どうにも気持ちのやりどころがないわけです。われわれは小学校の一年生のときから軍国少年の教育を受けましたからね。家へ帰ってきても、家の雰囲気もなじまない。神社にはたくさんの刀があって、そんなのを全部、父親は出入りの男衆たちにハンマーで折って、埋めさせてしまっていた。そういうものを持っていると厳しく処分せられるというデマがありましたから。

小島——今で言う「風評」みたいなものですね。

岡野——そう。だから、そんなものをいち早く敏感に片付けるわけです。実はそんなに厳しくなかったんですけどね。

着の身着のままで、まず伊勢神宮に行ったのです。

小島——おうちにはお帰りにならなかったのですか。

岡野——一晩だけ。

小島——それも信じられないような。

岡野——体はそんなに健康のバランスは崩してなかったんですけど、湿気の多い不潔な生活を強いられてましたから虱(しらみ)がいっぱい涌いていて、それで疥癬(かいせん)に罹(かか)ってました。風呂なんかほとんど入れなかったから、リンパ腺がやられてて。肌着の虱だけは熱湯で煮て殺してもらって。伊勢、熊野の旅に出ました。

小島——それは気持ちを鎮めるためですか。

岡野——やはりこういうときには伊勢神宮へ行く。中学校のころから伊勢神宮は特別の関係がありましたからね。伊勢神宮が自分の心の支えになってくれるという気持ちがして、行ってみたら、今まであそこを警備していた兵隊たちがそのまま、剣や銃や階級章は外していましたけれど、軍服だけは着て、守ってたのです。内宮の御門の前に跪いて祈っていました。人がたくさん来ているわけではなくて、ガラーンとしている。敗戦直後は世の中は神社に対して手のひらを返したみたいでしたね。神社は戦争責任の一番重いものという雰囲気が何となくありましたから、誰も来ない。大きな賽銭箱のそばに跪いていたら、胡散臭いやつと思われたんでしょうね、警備の兵が「早く帰れ。立ち去れ」と言う。

こっちはまた全然、そんな気持ちと違って、何か心の安定が得られるだろうと思ってやってきたのに、戦争中も、そして負けた今も、伊勢神宮は全然変わりなくて、ただ清浄で、しーんとしている。「神風が吹く、神風が吹く」とわれわれは合言葉のようにしていたが、神様は全然お変わりなく静かなんだ、ここではあまり心に響くものがないという感じがして、それからずーっと志摩の村々を回りました。

小島――そのまま行かれたのですか。

岡野――ええ。そのまま歩いていったのです。着の身着のままで歩くのは慣れてますからね。母親がそば粉を一袋くれた、それだけがいくらか頼みになっていたと思います。

小島――お母さまには何か予感があったんでしょうね。

岡野――この子はこのまま居着かないだろうという感じはしたんですね。そして、二日三日と歩き続けた。そのとき、折口信夫が國學院を卒業して、すぐに就職し、今宮中学の教師となった夏に伊勢志摩、熊野まで歩いた、その旅が一つ、心にあったわけです。

先生は大王崎の突端に立って、海の彼方からの来訪神、「まれびと」を実感します。「妣が国」、「常世」の発見です。その旅の中で得た歌が〈たびごゝころもろくなり来ぬ。志摩のはて安乗の崎に、燈の明り見ゆ〉（『海やまのあひだ』）、中学のころから覚えている歌です。ああ、ここなんだと思いました。

小島――（移動は）どうされたのですか。海岸線を歩いて行かれたのですか。

岡野――そうです。地図を見ながら。父が地図を読むのが好きで、参謀本部の地図の読み方を子どものころから教えてくれました。もちろん軍隊でもその点はしっかり鍛えられました。

熊野の湯と神には起死回生の力が

小島――志摩から熊野への旅は岡野さんにとっては初めてですか。

岡野――いいえ。中学のときに同じコースを、隣村の、皇學館の二級上の人と一緒に歩いているんです。志摩から熊野の海岸をずーっと南へ那智から熊野本宮まで。

小島――ずいぶんの距離ではないですか。

岡野――ええ。かなりの距離です。戦後の旅行は泊めてくれるところなんかありませんから、神社の縁の下で寝ていると、村の人が来て、「このあたりは今ちょうど秋祭りだ。秋の祭りには村に来た人にものを食べさせたり泊めてあげたりするのが習慣だから」と、手こね鮨などを出してくれました。

小島——それこそ、「まれびと」ですね。

岡野——そう。全く「まれびと」なんですよ。どの村でもそんなにしてくれたわけじゃないんですけど。

小島——では、道中は何を召し上がっていたのですか。

岡野——母親が持たせてくれたそば粉を海水で練ったりして食べていました。そういう耐乏生活は軍隊で身についてましたから。三晩目くらいに泊った村で手こね鮨を食べさせてもらったら、もう勇気百倍ですよ（笑）。そして、言葉は荒いんだけど、その土地の伝説などをいろいろ聞かせてくれました。私は小学校のころから民俗学的なものに興味を持ってましたから。そんなのを聞いて、ずーっと歩いてゆきました。

新宮の熊野川の河原で寝ていたとき、「奥のほうで大雨が降ったから、大水が出てくる。こんなところで寝てたら流されちまうぞ。今晩、うちへ来い」と言われて、行ってみたら、障子なんか破れてびりびりなんです。子どもが三人だか四人だかいて、しかも、おかみさんが亡くなったらしくて、父親だけなんです。私が行ったら、子どもの掛けている夏布団をひっぺがして私に着せてくれるわけです。朝になったら、ちゃんとみそ汁を作ってくれてて、いい匂いがしてくるんです。子どもは庭で生の茄子を齧っている。あの辺りの人は言葉は荒いけれど、本当に親切なんです。そういう温かい心に触れて、だんだんと私の心もなごみ、鎮まっていった。

熊野というところは関西では聖地なんです。どんな病に罹っても熊野の湯と熊野の神に願いをかけたら治してくださるという不思議な信仰があるんです。中世の説教節の語りのように、土車を引く者にも起死回生の力をもらうわけです。熊野の本宮の湯に浸かると骸（むくろ）のようになっていたのが復活できるという、不思議な起死回生の信仰がありまして、そういう伝承が敗戦の若者の心に不思議な影響を与えるわけです。

迢空の『海やまのあひだ』の初期の作品が、しみじみと感じられてきて、蘇ったような気持で家へまた帰って来たのです。

小島――熊野の旅は何日くらいですか。

岡野――十二、三日だったと思います。紀勢本線がまだ開通してなくて、途中、矢ノ川峠（こ）は鉄道バスで連絡しているんですが。帰りは乗れるところは乗り物を使いました。

初めて短歌会へ出席

小島――岡野さんはその旅の間に歌を作られたのですか。

岡野――いいえ。短歌的抒情にまみれていましたけれど、まだ。実際にまとまった歌を詠み出す力はありませんでした。でも手帳には歌らしいものを、記しつづけていました。後に、そのときの記憶が作品になってくるわけですが、あるところまで、自分の表現に対する自信が出て来ないと、持続した作品のまとまりにはなりません。先輩の、いいなと思う歌を多少読み込んでますから。結局、先生のところに行って、自信がついてきたころから本格的に作り出したんです。ただ、軍隊へ入る前に作った三百首くらいは清書して遺書のように、母に残していきました。

それから、疥癬を治して、十一月、もう寒くなってから東京へ行ったんです。折口先生や武田先生の講義が復活していました。ただ、國學院も焼夷弾など爆弾をいくつか落とされて、屋上にはあちこち鋳が入ったり、窓ガラスが割れて寒い風が吹き込んでくるような教室でした。そのときから私は「鳥船（とりふね）」という、釈迢空の主宰する短歌結社に入ることになった。予科のときに入りたかったんだけれど、引っ込み思案なところがあって、同級生たち何人か、お兄さんが助手をしている人だとか、父親が先生の弟子で教授をしている人とかは入ってましたが、私は敗戦後の秋にならないと入る勇気がなかったんです。

昭和二十年の秋、折口先生の「鳥船」短歌会に初めて出席しました。講義とはまたちょっと違った雰囲気で、ずーっと戦争にも行かないで残っていた数少ない先輩が先生の脇に並んでいました。でも、藤井春洋さんは硫黄島で戦死していたし、一番先輩の藤井貞文さん（藤井貞和さん常世さんのお父さん）、そして伊馬春部さん、慶應出身の池田彌三郎さんなどはまだ帰ってないのです。藤井さんは司政官になって南方に行っている。伊馬さんは中国へ行っている。池田さんは沖縄の離島へやられている。そんなことをまず聞かされた。そういう人たちが帰ってくればまた、この会も活況を取り戻すだろうけれどもと。

小島――すごい面々ですね。

岡野――戸板康二さん、米津千之さんなど、戦争へ行かなかった数人と、軍隊からいち早く解放せられてきた若い者、あるいは体が弱くて豊川海軍工廠へも行けなかった人たち。学校に残って、たまに講義を聴きながら学校を守っていて、焼夷弾が落ちたとき、一生懸命に消したのはそういう学生です。暗い裸電球の下で、割れた窓ガラスから冷たい風が吹き込んで来るんです。そういう教室で折口先生の批評、あるいは講義を聴きました。

終わって、出て行かれる先生がザーッザッと靴のかかとを引きずっておられる。足が上がらない。栄養失調で体が弱っているんです。ああ、先生もあんなに弱っていられるんだと思ったのが記憶に残っています。「お前たち、千人のうち一人でも帰って来い」と言ってくれた先生が、今、こんなに心潰え体も弱っていられるんだなあと思いました。でも、それからだんだんと帰って来る人もふえてきたし、先生も元気になっていかれたのです。

岡野——その翌年の春休みに家に帰って、また大和から近江までの旅に出ました。室生寺、長谷寺をたずねて飛鳥へ行った。飛鳥で特に印象の残っているのは甘樫丘。今、万葉展望台のあるところです。

小島——その旅はどういうお気持ちでいらしたのですか。

岡野——熊野へ行って、いくらか気持ちが静まったんだけれども、でも、まだ納得しないんです。だから……。

その旅もほとんど歩きました。一月近くかかったと思います。ことに飛鳥はわりあい丹念に歩きました。なかでも甘樫丘は允恭天皇の御代に甘樫丘坐神社（あまかしのおかにいます）があって、四柱の神が祀ってある。これは恐ろしい神です。大直毘神（おおなおびの）と神直毘神（かみなおびの）、それから大禍津日神（おおまがつひの）と八十禍津日神（やそまがつひの）。大直毘、神直毘は「直ぶ」、今でも「直れ」と言いますね。真っすぐにしてくださる、正しくしてくださる。禍津日は俗に言うと「曲がれ」ということになるんだけれど、「魔があれ」ということです。「災いを与えられよ」ということ。

そのころ（允恭天皇の御代）、家の伝承が乱れていた、系図を勝手な伝え方をしていたというので、それを正すために社の前に大きな釜を据えて、湯をたぎらせ、盟神探湯（くがたち）を行います。

神に誓いを立てて、熱湯を手で探る。そのとき、偽りの系図を名乗った者は手が焼け爛れる。正しい系図を言った者は何の災いも起こらないという神の裁判です。そういう記述が「允恭紀訓註」にあります。それが行われたのが甘樫丘坐神社です。

その四柱の神をそのころは甘樫丘の上の社に祀ってありましたが、今はあの丘に神社はありません。

私がその山頂に行ったとき、甘樫丘はまだ鬱蒼と杉に覆われた暗い森でした。めったに人の来ない道なき道を攀じ登って行ったんです。だれも登る人なんてなかったですね。上がちょっと平らになっている。そこが恐らく昔、お社があったところだろうと思うのです。そこにたった一人で立ったとき、古代の日本人の罪の意識がまざまざとよみがえってきた。つまり、人を殺すことばかりに専念してきた若者としての罪の意識というものを深く感じました。身の震えるような恐ろしい感じがしました。

その後、何年かたって行ってみたら、大きな杉が全部伐られてました。更に後に昭和天皇がそこで飛鳥を展望なさるために車で行けるように道がついて、今は楽々と登っていけます。飛鳥を眺めるのには一番いいところです。一般には車では行かせませんけれど。

そこを降りてきて、後ろの豊浦という村の神社の境内をずっと歩いてみたら、小さな祠がある。あの辺りは主なる祭神のお社の周りにいくつもいくつも末社のお社があるんです。出雲系の信仰の特色です。その小さな祠の一つに甘樫丘坐神社と書いてあるんです。ああ、ここにあの山上の神がいらした、この神は怖い神だぞと思った。そのときの印象が非常にはっきり残っています。

さざ波や滋賀の都は荒れにしを

岡野——飛鳥を丹念に歩いて、山城へ歌峠を越えました。額田王が三輪山に決別を告げたときに通った峠です。旧大和豪族の間に「近江へなんか行きたくない」という気持ちで動揺が起こったときの鎮めの歌（『万葉集』巻1・一七、一八）が額田王によって朗々と歌われた。非常に強い歌です。あの歌の力で、近江へ行かなきゃならないという貴族たちの心が定まって、中大兄皇子と藤原鎌足がほっとしたと思うのです。

そこから山城を突き抜けました。近江へ行きたかったのです。近江へ行けば……、つまり、日本の歴史の中でいちばん悲劇的な歴史事実は壬申の乱ですからね。敗戦後、歴史家たちも壬申の乱の問題は一生懸命で追求したんです。自分たちの過去の体験の中で王権が大きな動揺を体験した争いの時期という思いがあったから。

何といっても『万葉集』に残っているあの事件に関する人麻呂の歌、黒人の歌、額田王の歌もそうですが、読んでいると重いですからね。

人麻呂の二九番の歌は『万葉集』の長歌の中では格段に優れたものです。
　折口信夫が『口語訳万葉集』で「この長歌は絶大な感動を伝えてくれる。反歌はちょっと違う。宮廷文化におもねったところがある」という言い方をしています。ちなみにその反歌は〈ささ波の滋賀の辛崎幸くあれど大宮人の船待ちかねつ〉と〈ささ波の滋賀の大わだ淀むとも昔の人にまたも逢はめやも〉です。そして、巻3の二六六番、〈淡海の海夕波千鳥汝が鳴けば情もしのに古(いにしへ)思ほゆ〉のほうは「秀逸」と褒めています。むしろこの歌が反歌であってほしいと折口は思ったんじゃないかな。
　そんなことを思い辿りながら、私は逢坂峠から山道を三井寺のほうへ歩きました。逢坂峠も今は荒廃した感じです。泉も涸れてしまったし。ただ細々とした山道がずーっと三井寺のほうへ続いてまして、あの道がなかなかいいんです
　その道の途中にちょっとした公園がありまして、そこに大きな碑が立っています。大正年間に建てた碑らしいです。薩摩守忠度、平忠度の〈さざ波や滋賀の都は荒れにしを昔ながらの山桜かな〉の歌が刻んである。彼はいちはやく一谷で岡部六弥太に首を掻き斬られて戦死します。『平家物語』では〈行き暮れて木の下かげを宿とせば花や今宵のあるじならまし〉が箙(えびら)に秘めていた短冊に書いてあったということになっています。〈滋賀の都は荒れにしを昔ながらの山桜かな〉は壬申の乱を悲しんでいるわけです。みずからも都にいられなくなって、西海へ落ち

ていく忠度の歎きがじーんとわが胸にくるのです。

それから三井寺のほうへずーっと行きました。三井寺には天智天皇の名残のものがいろいろあります。水屋があって、そこに龍の彫刻が施されてある。その龍が夜な夜な琵琶湖へ水を飲みに行く。その古い泉が天智天皇の産湯の泉だという伝説がある。歴史的な事実ではないでしょうけれど。

そういう昔の人々の思いのほどを考えていると、あの壬申の乱が、兄弟同士の王権の争いですけれども、同時にその周辺の人たちの心、その後の世の人の心に残した大きく深い傷について、つくづくと考えさせられるのです。忠度もそういう思いに心惹かれて、不思議な悲劇的な末路を辿っていった一人です。

近江の春

岡野――もう一人は芭蕉です。〈行く春を近江の人と惜しみける〉。有名な話ですが、『去来抄』にはっきり書いてあるように、近江の尚白という芭蕉の弟子が、いくら芭蕉先生の句でも今度の句はどうも納得できない、あれならば「行く年を丹波の人と惜しみける」と言ったたって同じじゃないかと言うわけです。芭蕉は「古人もこの国の春を惜しむことおさおさ都の春に劣らざりしものを」と。治乱攻防、戦ばかり繰り返していた、その都の悲劇と比べても、近江の国の春の持っている悲しみというものはおさおさ劣ることのないものなんだという、あの一言は、芭蕉は卓抜した文学者だということを感じさせる言葉だと思うのですね。

その時の私にそんなことがそんなにはっきりわかったわけではないけれど、何となく〈行く春を近江の人と惜しみける〉は、深い日本の王権にからまる悲劇と響きあっているんだなという感じは持ったわけです。

そして、三井寺の舞台から琵琶湖を見下ろしていると、『源氏物語』は石山寺で書かれたと言うんですが、近江の国にからまる古典的な奥深い感動が伝わってくるのです。

戦って国が敗れるという苦しみや悲しみも、過去の日本人の心の中では決して無かったことではないんだという思いがあって、私の鎮まらなかった心が、いくらか鎮まる思いがした。それが後々、学生たちを連れて、毎年、万葉旅行を繰り返すようになったいちばんの心の動機です。大和や近江や伊勢へ連れて来て、祖先の歴史を、あるいは文学を、実際に歩きながら、体で感じさせなければならないと思ったのです。

結局、私は近江から気持ちがなごんだ感じで家へ、また東京へ戻りました。

（二〇一二・三・一四　東京・如水会館）

【第4回】

未生以前の縁、折口先生のお宅へ

未生以前の話

小島――前回のお話では、敗戦後、先生は復学をされて、折口先生の鳥船社に入られます。そのあたりから本格的に先生とのご縁が深まったと思います。

岡野――そのころはよく、初夏になるとケヤキの花が地面を緑の色に染めている。それを先生は、「これ、よく見ておくんだよ。歌を作るのは蔵の陰で蟇がムツーッとして何時間でも座っているようなもんだ。虫が飛んできたらパッと捕らえなければだめだよ」とか言うんですよ。ああ、そうかと思ってね。根が非常に素直なものですから、先生の言うことはいちいちそんなふうに聞いてたんですね。

もう一つ。夏になると箱根の別荘へ行きます。伊馬春部さんとか池田彌三郎さんたちと一緒に元箱根のところを歩いていて、茶店に寄って甘酒を飲んだのです。伊馬春部さんが「ああ、暑いときだから甘酒もぬるくしてあって、ちょうどいい」と言ったら、先生が「バカなお世辞を言うもんじゃない」と怒るんです。「甘酒は真夏でも熱くするものだ。生ぬるい甘酒をほめるなんて」。そういうのを鈍感だと言うんだな、と思う。鈍感なことを言うと怒られましたが、そうでなければ本当に楽しい人です。

小島――岡野さんほど、私たちが知らない迢空の生のお姿を知っていらっしゃる方がいないので、存分にお話しいただきたいと思います。

岡野――折口式の言い方でいうと「未生以前」と言うべきなのですが、生まれる以前からのかすかな因縁が先生と私の祖父の間にあったことが、ほんの最近、安藤礼二さんの熱心な調べによって発見せられました。

先生が亡くなってその全集を編纂することになって、まず年譜を整えなければならなくなりました。でも、先生の年譜の中で全くわからない時期があるんです。國學院大学へ入った学生のころです。折口信夫がある若いお坊さんと同棲していた。お坊さんの下宿へ一緒に住んでいたのですが、その詳細。

それから、神風会という神道研究の民間の会のことです。宮井鐘次郎という人が中心で、本荘幽蘭という不思議な女性の霊能者みたいな人も出てくるのですが、そういう人たちを全国の神社の神主の中の限られた有志が支持して、神道の教義や神道の古典研究をやる会が神風会という名称で組織されていた。そのことがちらっと自撰年譜に出てくるのですが、詳細がわからない。

全集の年譜を作っているころ、誘われて一緒に神風会に出た人を訪ねて、ちょっと聞き書きを取ったりしたことがあるんです。後に全集が出て月報に書いてもらったこともあります。例えば和歌山県の田端憲之助さんという仲がよかった文学青年の友人ですが、「誘われて神風会に出たけれども、あの時期の折口さんは私にはどうも理解できませんでした。激しすぎて、文学青年の私にはちょっと異質な感じがして」と言われたりしたのです。その程度しかわからない。しかし、折口信夫の伝記の上ではそれは非常に大事な問題だと思ってはいたのです。

安藤礼二さんは非常に熱心な人で、関西の図書館で調べ、その神風会の月に一回くらい出している会報の一部を実際に探し出して、それをコピーしてこられたんです。その中には折口信夫のあるときの講演の要旨が要約して書いてあります。

『古事記』の、天照大神と素戔嗚神が誓約（うけい）をやります。それについて折口は、「『古事記』の書き方はどうも理解できないところがある。あそこで素戔嗚神が誓約をして、自分の心の潔白を証明するのはわかるけれど、それと同列に、天照大神が同じ条件で誓約するのはどうにもわからないではないか」という。

あるいは「出雲国譲りについて、『古事記』ではわりあいに穏やかなかたちで、出雲の神々が譲ったように書いているけれど、『古事記』の断片的な記述を見ても多少感じられるように、そんなに穏やかに出雲が譲られたわけではない。怨念は深く残ったはずだ」ということなど、そのころの古典解釈の上ではあまり人が言わないような、あるいはうっかりすると危険だと思われるようなことを大学二年の学生が発表しています。当時、それはとても新鮮だったと思うのです。

その講演記録のスペースに、会を主宰している宮井鐘次郎が「折口信夫という学生は非常に熱心で、毎回来て、大変内容のある話をしてくれる。試験で他の学生が出られないときでも出て来てくれる」と書いてあるのです。

ふっと一番上の欄を見たら、その会に寄付をしている神主たちの名前が数十名列記されている。そこに「三重、岡野弘賢(ひろかた)」とあるのです。安藤さんに「これ、関係のある方ですか」と聞かれて、思わず「僕のじいさんだ」と叫びました。祖父の亡き後、父が養子に入って弘賢という名前を継いだから、岡野弘賢が二代続くのですが、このときは折口先生が二十歳、そうすると僕のじいさんは四十代前半くらいだと思うのです。その上のところがちょっと欠けていて、正確に何円寄付したのかよくわからない。しかし、少なくとも何円かの寄付をしているわけですよ。折口信夫の話を聞いたりしたことはないだろうけれど、この会報は熱心に読んで、折口青年の熱い講演にも共感していたに違いない。不思議な縁がつながっているなと思った。

不思議な縁

岡野――江戸時代は仏教が国教みたいなかたちだったけれども、明治維新以降、中央官庁はそれを古代に復元して、橿原の御代のかたちに返すという趣旨で神道国家にするわけです。神道を国家の宗教というかたちにして、それを制度の上でも整えてゆく。官幣社、国幣社というかたちで国家の内務省管轄の神社にした。それは村々の村社、郷社よりも歴然と格が上です。その下に無格社、そして村人たちが一番身近に恩恵を受けているもっと小さい祠(ほこら)の神や、石や木に宿る神は淫祠、邪教の扱いを受け、官憲によって禁止されるようになります。南方熊楠が猛烈に怒って反対するわけです。

地方で広く民間の信仰を得ている古い神社で、管制と矛盾する問題がいっぱい出てきます。そういう神社の世襲の神主たちは憤懣やる方ない思いがするのです。宗教が政治のコントロールを受けるというのは本来あるべきかたちではないわけです。国家神道とはそういうもので、敗戦までそれが続いたのです。

例えば藤村の『夜明け前』でも、藤村の父親が国家神道の流れにうまく乗ることができなくて、憤懣やる方なくて、ついに気が違って座敷牢へ監禁される。平田篤胤の学派の一人だと思いますが、矢野玄道という人は〈橿原の御代に帰ると思ひしはあらぬ夢にてありけるものを〉

という歌を詠んでいます。「明治のご一新があって、古代の橿原の御代の有り方に帰ると思ったけれど、それは実はあらぬ夢であった」と。そして、暗い、暗いと言って真っ昼間も提灯をつけて歩いていたという。昭和十八年、平田篤胤の話を折口信夫がしたときに、この歌を話の中で二度引くんです。「真っ昼間に提灯をつけて歩いたりするのは、いかにも愚かだけれど、しかし、その志は哀れである」という話は、僕は予科の一年生でしたが、非常に印象に残っています。

そんなことを考えると、どうも神風会は国家神道の食い違ってしまっているところを正そうとするような、かなり激しい同志の集まりだったんだろう。その主旨に賛同した折口が毎月出ていって、激しい講演をしていたのです。そして、二十歳の折口の日本の神に対する考え方はそのころから一貫して続いていると言ってもいいわけです。

その会に私の家のじいさんがやはり参加していた。私の家の神社は明治になって無格社という全く格のない神社というふうに扱われるのです。北畠氏・藤堂氏の守護神で、伊勢・伊賀にわたって旧藤堂領の人たちの信仰が厚く、御師（おんし）のような役をうちでしていた。峠を越えた向こうに北畠神社があって、そこは、北畠親房を祀ってあるから別格官幣社になるわけです。そういうことに対するじいさんの憤りみたいなものがあって、この神風会を援助するのに、田舎神主にはちょっと分不相応な寄付などをしたんだと思うんです。

小島——人間の縁というものは本当に不思議ですねえ。それは折口先生もお気づきになっておられなかったのですか。

岡野——気づいてないと思うんです。先生も気がつかない。もちろん僕も気がつかないでいた、そんな未生以前の縁もあったのです。

暇があると先生のところへ

岡野——昭和二十年に「鳥船」に入って、それから毎月の歌会や日本紀・万葉の研究会にももちろん出たし、土曜日とか日曜日とか暇があると先生のところへ行って庭の掃除をしてあげた。あの人が住むとそこはお化け屋敷みたいになると言われるほど手入れをしないんです。百八十坪くらいの土地で、大きな椎の木が何本かありました。前にも裏にも庭がありましたが、誰も手入れをしないから、すっかり荒れていました。

椎の木の枝をおろさなきゃと思って、隣の家主さんに「ちょっと僕も心得がありますから目茶目茶には伐りませんから」と挨拶をしてから、何しろ軍隊から解放せられて、食べるものは乏しいけれどもエネルギーは余っているわけです。鋸や鉈を持って木に登った。木登りは上手なんです。大きな椎の木の枝などをゴシゴシ引いて、薪にして、生木ですからすぐは燃えないですけれど、井桁に組んで乾燥させておくわけです。

二十一年二月十一日、紀元節の日、先生の誕生日です。一日中、千勝三喜男君という、僕よりも先に「鳥船」に入っていて、兄さんが助手をしていられる人ですが、彼と二人で先生の家に行って労働した。帰る際になって、先生に挨拶をしたら、短冊を書いてくださった。〈けふひと日　庭にひゞきし斧の音―。しづかになりて　夕いたれり〉(『倭をぐな』)と〈紀元節にたのしげもなく家居りて、おきなはびとに見せむ書　かく〉(『倭をぐな』)。

小島――オキナワビト、ですか。

岡野――ええ。戦争の末期、沖縄へアメリカ軍が上陸してくるというころから、沖縄の地理や人々の生活は誰よりもよく知っているから、折口は沖縄に対してじっとしておれない焦燥を感じていたのです。昭和二十年七月、情報局の会議の席上、海軍報道部の少将に対して、折口が「あなた方は国土決戦だ、今こそ命を賭してこの国土を守るべきだ、ということを言うけれども、そのためには今、状況がどうなっているかということを国民にまず知らせるべきだ。私は沖縄へは何度も行って隅から隅まで知っている。今、沖縄の状況がどうなっているかというふうなことは普通の人よりは想像がつくが、一切そのことについて具体的な報道がない。こんなことで本土決戦、一億一心などということが実現すると思いますか」と決めつけるわけです。すると右翼の編集長みたいなのがその会議にいて、「そういうことは非国民の言うことだ」と言う。折口は「自分を正しく見せようと思って人を誹謗することは許せません」と言って、それをまた叱り付ける。報道将校は黙って何も言えなくなっている。そのことはその席にいた報道誌の人が書いています。

例の現人神事件でも、久米正雄が「白蘭の装い高くたたせ給う現人神満州国皇帝陛下」と新聞に書くわけです。そうすると、右翼が「現人神という、神御一人にしか申し上げられない言葉を、現人神満州国皇帝陛下とは何事だ」と言って糾弾する。久米正雄は文学報国会の理事長でした。友人の菊池寛が一生懸命弁護するけれど全然聞き入れない。どうにもならなくなったとき、折口が静かに立って、「私どもの学問の上では現人神という言葉は上御一人に関してだけ申し上げることではございません。万葉集などにも「住吉の現人神　船の舳にうしはき給ひ」というふうに使っております」と言ったものだから、その一言で決着がついた。「折口さん、もっと早くそれをおっしゃってくだされば」とか言う人がいたらしいけれども（笑）。

折口は晩酌の後などにいろいろな話をぽつぽつしてくれるんですけど、自分がいかにも正しくて、人をやりこめたり、間違っているものをきちっと正したりしたことを言わない人でした。

そんなことで、戦中から戦後、沖縄を非常に心配していたんです。それで〈おきなはびとに見せむ書　かく〉という、恐らく沖縄の新聞か何かに発表しようと思った文章だと思うのですけれどね。歌はこっちのほうが広がりがあっていいんですけど、千勝君より僕のほうが頑健で労働力がありましたから、もっぱら薪をたくさん割ったわけです。それで千勝君が「この歌

〈けふひと日〉は君がもらっておいたほうがいいんじゃないか」と言って譲ってくれたんです。初めて先生からもらった歌です。今でもそれは持ってます。

昭和二十二年春、先生の家に入る

岡野――昭和二十二年、僕が学部二年になるときの春休みの前です。先生のところへ行ったら、「岡野、うちへ来ないかい」と言われた。たくさん先輩も、あるいは國學院にも慶應にも弟子がいるわけですから、思いもかけなかったけれども、でも、先生のところへ行けるというのは非常にうれしかったですから、「はい」と答えたら、「今度、休みに帰ったらお父さんに相談しておいで」と言われました。父親に言ったら、父親もそんなに長くなるとは思わなかったわけですよね。二、三年のことだと思ったんでしょう。で、「兄貴のところへ言って、一遍、話しておいで」と言うので、もう気多神社の宮司を辞めて自分の家に引っ込んでいた伯父のところへ相談に行きました。伯父も大賛成でした。

先生の家の書生になるんだからといって、久留米絣の着物を新しく母が縫ってくれました。僕より一月前から矢野花子さんも来て、居てくれるようになった。後から考えればそこで先生の戦後の家が、初めて落ち着くのです。

戦争の末期から戦後にかけて、折口の家に住みこんで先生の生活を見る人は長く続かないで、入れ替わりが激しかった。先生の生活律を身につけるのが大変だったようです。私の前に居た田村秀子さんという、ふっくらした色白の女性なども、三か月ほどで居なくなりました。田村さんの居た部屋には、「でこよ、でりかしいをたもて」という自筆の言葉が紙に書いて貼ってありました。先生の、ちょっと特殊な、個性の強い生活律というものに馴染めなかったんでしょうね。先生のところに入る前に千勝君と交替で先生のところへ泊まりに行ったりすることもあったんです。

小島――では、十分にその下地がおありだったんですね。

岡野――まあ、そうです。それからずっと居るようになったわけです。

小島――それは家事一切をなさるわけですか。

岡野――炊事のほうは矢野花子さんがしてくださった。京都大学の沢瀉(おもだか)久孝先生のところで助手のようなことをしてらした人で、古典の教養は十分あるし、年齢は私の母より一つ上だったかな。しっとりとした穏やかな方です。歌も字も絵もうまい。その矢野さんが、(先生の)家へ来てちょうど一月くらい、僕が行ったころはひどい風邪で、気管支を痛めてずっと寝てました。ですから、矢野さんの寝ているあいだは炊事をしたのかな。もともと炊事はできるほうでしたからね。初めはそう複雑なものは作れないけれども。

先生は鍼もお灸も嫌いだったから、指圧を習いました。先生にする前に矢野さんを練習台にして（笑）。そして、三人の生活なんです。週に一遍や二遍は伊馬さんが必ず寄ってくれる。時に僕と布団を並べて寝ていかれることもありました。

ハンチングを取ってピョコンとお辞儀

岡野——先生の家の玄関は二畳の上がりがあって、その正面に神棚さんがあって、屋敷の守り神の夫婦の河童さんの像が祀られています。その河童さんが実に威厳がある。雄河童は黒い漆で塗ってあって、金色の牙がグワッと光っている。雌河童さんのほうは朱塗りで、セクシーです。これは津軽の、太宰の生まれた金木町のその隣村の辻に祀られている「お水虎（すいこ）」、あのあたりでは「おしっこさん」と言うんですけど、水の精霊です。

折口信夫は河童の論文をいくつか書いています。河童は広く日本に分布している水の神様で、たんぼに水のある間は河童の姿でたんぼに宿って収穫を守ってくれます。収穫が終わってたんぼの水がなくなると、たんぼから上がって、感謝祭などを家ごとにやるわけですが、今度は山の神、サルの姿になる。河童の姿とサルの姿と、一年を半分にして循環しているわけです。その河童さんがでんと神棚さんに夫婦で並んでいる。それが折口の家の守り神です。

そのころ、新聞社から出している雑誌に折口がその像を持っている写真が出たりして、ちょっとオカルティズムのような感じで皆さん、受け止めておられたけれど、折口にとっては日本の古代の神の原型の一つなんです。

小島——民俗学と直結していきますね。

岡野——そうなんです。初めはそれがなかなかわからなくて。僕は神社の神主の家に育っているでしょう。「河童さんって、こんなへんてこりんな神様が」と思っていたわけだけれど、それがだんだんわかっていくわけです。

折口信夫という人は霊的なものを祀ってあるお社の、建物が大きいとか境内が広いとか参拝者が多いとか、あるいは小さな村の辻に立っているお地蔵様とか河童様とか堅牢地神、庚申様、そういう、人の信じる霊的なものに対して、全然、差別しない人なんです。霊的なものに対して格差をつけない人です。それがわかったのは、後について歩くようになってから。

大森の駅まで歩いて、その途中にお地蔵さん、庚申さん、いくつかあるわけですが、その小さい祠の前でハンチングを取ってピョコッとお辞儀をする。ときどき忘れるわけです。考え事をしていたり二人で夢中になって話をしていたりすると。そうすると、ずーっと向こうへ行ってから、振り返ってピョコッとお辞儀しているんです。「忘れてたら言うておくれよ」と言うわけです。それからは、ああ、そうか言わなきゃって。「先生、お地蔵さん」って号令かけるわけです。

國學院へ来ると、國學院の神社があって必ずそこでもピョコッとハンチングを取ってお辞儀をするんです。靖国神社の前を通ってもピョコッと。招かれて、正式参拝するときはちゃんと型にかなったお辞儀をするわけですけれど、ふだんはそういうかたちです。

それを見ているうちに、ああ、この人は霊的なものに格差をつけない人だ。日本だってかなり古くから正一位何とか大明神って神様に宮廷が格差をつける位を贈ったりしたし、国家神道では国幣社、官幣社というふうになっているけれど、ああいうことは間違っていることなんだということが、言わないけれどわかるわけです。一緒にいるとね。

小島――私は河童が大好きで調べたことがあるのですが、各地にいろいろ、ちょっとずつスタイルを変えて河童の伝説があるんですね。お皿も六角形だったり丸だったり八角形だったり。相撲が好きというのとか、性格もいろいろあるけれど、共通しているのが「義理堅い」こと。

岡野――あの河童のお皿がないと困るんです。河童が「相撲をとろう、相撲をとろう」と夜、出てくるわけですが、河童の体はぬめぬめですから、いくら力持ちでもダメなんです。これはダメだと思ったら、あの河童の皿をひっぺがして、中の水をこぼすとフニャフニャになる。

小島――ええ。本当に面白いです、河童って。

岡野――ですから、河童というもの、いわゆる僕らが童話などで見ていた妖怪変化でしょう。それをあんなふうにきちっと「霊格をそなえたもの」として扱う人は、触れ始めたときは本当に不思議でした。

大学の夏休み前の河童祭

岡野――河童の話は折口にとって大事なことだから言いますが、毎年、夏になると、大学の夏休み前に河童祭をするんです。講堂に祭壇を作って、河童を祀る。あの人は「大阪にわか」を小さいころから見ているものだから、河童祭の戯曲を書くのが速いんです。ドラマを書いて、学生たち、ときには國學院の教授の西角井正慶さん、高崎正秀さん、あるいは慶應の池田彌三郎さんや戸板康二さんも飛び入りで出られて、河童祭の芝居をやるわけです。そのなかに日本の歴史を織り込んだりして。

あるとき、僕は神野(じんの)悪五郎という公家悪の、黒い袍(ほう)を着て、冠をかぶり、「どおぉれぇ」と言って出てくる役をさせられました。いい役をつけられたんだけれど、「堂々としてなきゃいかん。君に大役をやらせるんだから」と言って、上野の西郷さんの銅像の前に連れて行かれて、戯曲家の伊馬春部さんも呼び出されて、「ここで岡野に神野悪五郎の台詞を言わせろ」と。たちまち人が集まってくるわけです。「声が通らないッ」と言って、やり直しをさせられたり。やっているうちに度胸がついてきて、役者になった気持ちになってくる。「それ、それ、その調子を忘れないで」ということになる。学生たちは大学の隣のお寺の八つ手の葉っぱをそーっともらいに行って、頭に載せて河童になったりして（笑）。そんなことを河童祭でやりました。

そういうかたちで、学生たちに日本人が信じる霊的な対象を、従来の神社神道あるいは国家神道の枠に束縛されないかたちで教えて、実感させてくださった。
そのころ折口は、若い者の心を対象にした詩を作って、しきりに雑誌に発表するんです。

昭和19年1月　國學院大学予科1年。實践女子専門学校前。
左より、弘彦、千勝三喜男、松本哲。

青年の神経は　蝙蝠のやうにうら枯れ
青年の容貌は　穿山甲の如く這ふ
　生き難い島の日を　生き戻り
青年の血液は、唯一疋のおほ蜥蜴だ――。
悲しむにも　怒りを以て表情する――。
（「日本の恋」より）

そういう先生ですから、家の中の生活もあの人のそういう心の微妙な規律、それを感じ取って行動していればそう堅苦しくもない。だから、先生のところに行くとき、先輩から「岡野、それは大変だぞ。あんな先生のところに行ったら、三月と持たないぞ」とか言われて脅されたりしたけれど、行ってみたら楽しい人なんですよ。
ただ、この人は何を感じ、何を自分の心の掟に据えていられるのかをうまく感じてないといけないんだけれど、僕はわりあいに躾の厳しいところで育ってきたものですから、それはちっとも窮屈だと思わないんです。

小島――心の波長みたいなものもありますね。

岡野――ええ。やはり相性というのがあるんですねえ。それで、けっこう、先生のほうで気を遣ってるんです。

先生の一日

岡野――大井出石(いずるし)の先生の家の構造は設計もよかった。これは建築家の鈴木金太郎さんが選んだもので、「木口がいい」と鈴木さんはよく言ってました。いい材木を使ってあると言うんです。貫禄のある門がありまして、門の両方の柱に、片方には「折口信夫」、片方には「折口春洋」という表札が、これは最後まで掛けてありました。戦死したけれど表札は外さないで。脇に潜り戸があって、その潜り戸を普通、出入りしていました。扉のある門は（先生の）お葬式のときが唯一、あの門が開いたときだったと思います。客もみんな潜り戸から出入りします。そして、鬱蒼と椎の木がかぶさってきているわけです。

小島――岡野さんがお手入れなさっていた椎の木ですね。

岡野――そうです。玄関から上がるとまず、廊下を隔てて、書庫です。そこから左へ入ると、僕の六畳の部屋があって、先生の八畳の間があって、そこにコタツが置いてある。夏でもコタツを、布団はかけませんけど机代わりにして、そこで仕事もするし原稿も書くし食事もするんです。僕は先生が座っている左脇のところに座って、一緒にお茶を飲んだり、ご飯を食べたり、口述筆記をしたりするんです。

先生はだいたい六時から六時半くらいに二階から降りてくるんです。二階に六畳と八畳があって、その六畳の間に先生は寝て、その下の六畳に僕は寝ているわけです。少なくとも先生より三十分から一時間前には起きて、手早く掃除をします。あの人は神経質なところがあって、埃が静まってないといやなんです。

小島――掃除をした直後は埃がまだ静まってませんね。

岡野――そうなんです。だから、寒い日でも窓を全部明けて掃き出して、埃が静まったころ、先生が降りてきます。

まず、お手洗いへ行きます。そのときに僕の部屋の前を通って、昨夜、寝所で読んだ雑誌とか単行本を「読んでみろ」という感じで、ガサッと僕の机の上に置いていってくれるんです。それが先生の推薦図書です。そして、必ず何冊かの本を抱えて便所へ入って、三十分くらい、実は、あの先生は痔が持病だったのです。だから、椅子式の便座がありまして、そこで本を読みながら少しゆっくりする。その間に風呂を沸かしておきます。そのころ、ガスは風呂に使うほど出ないので、薪です。だから、起きたらすぐに火をつけておかないと間に合わない。

小島――それはお忙しい主夫ですねえ（笑）。

岡野――僕は料理をしなかったけれど、けっこう忙しいんです（笑）。先生はわりあいゆっくり風呂に入って、出てくるころにはコタツの上にお茶の道具を載せておきます。お茶をよく飲む人でしてね。野菜とか果物はあまり好きじゃないんです。その代わり、朝食のとき、急須のお茶の葉を全部食べてしまう。それがあの人のビタミン補給になっていたと思います。

最初に春洋さんの位牌と写真に、硫黄島は水が悪くて、みんな喉を渇かせていたというから、お茶を入れた大きな湯飲みを供えます。それから、先生と僕の湯飲みにお茶を入れます。ときに先生はひょいと立って春洋さんのところのお茶を全部飲んじゃったりするわけです。

食事が済んで、講義の日は國學院なり慶應へ行くんです。僕は両方へついて行きます。地方へ講演に行くときも必ず。だから、年がら年中、先生と一緒にいるわけです。それはちょっと大変でもあるんだけれど、でも、先生の後について歩くのは楽しかったですね。

小島――周りのジェラシーとかはなかったですか。

岡野――それは別に。だいたい、あんな怖い先生のところで務まるもんかとみんな思っているから。歌を批評してもらうとか、新しく書いた論文を先生に見てもらうとか、そういうときは喜んで来られますが、近くで生活するのは大変だと思っていたと思うんです。

「ワン」と言わなかった矢野花子さん

岡野――三月くらいすると、「岡野、このごろどうだね。もうそろそろ、たまんないと思ってんじゃない?」と言うんです。

小島――おやさしいですねえ。

岡野――本当にそうなんです。へえ、先生はそんなことを思ってるのかと思うわけです。「いえ、ちっとも思いませんよ」「いやあ、春洋だってはじめのころ、三遍ほど、布団を担いで逃げ出したんだよ。大森駅まで金(きん)(鈴木金太郎氏)が追っかけてって、そしてまた連れ戻したんだ」と言うんです。あ、そうか、けっこう僕は楽しんでいるなあと思って、ちょっと反省したりして(笑)。

講義や旅行で外へ出るときはいいですけど、外へ出ないときは一日中、先生と顔をつきあわせているわけでしょう。時に、息が詰まってくることがあるわけですよ。そういうときは庭の木に登って、枝をごしごし伐って、木の上で時間をつぶしたりしていたんです。そうすると気配を感じて、「なんか岡野は心が……」って、二階からお菓子の紙袋に長い紐をつけ、手すりから吊り下ろして、魚を釣るように、「ほら、岡野、もう降りておいで」と笑いながら言うんです。父親よりずっとやさしいんです。僕も素直にならんといかんと思って、降りていって、「お茶を入れます」とか言ってね。

小島――岡野さんが木に登れるような人だったからよかったんじゃないですか。縁の下に入ったり、しゃがんでいる人だったら、ちょっと大変ですよ。

岡野――全く、そうですねえ。転換のタイミングを自分でわりあい考えてたと思うんです。

それから、慶應を出た人で、実家が佐賀県の小城（おぎ）というところの古くからの大きな羊羹屋で、お父さんが商売をしておられて、その人も後に跡継ぎになるんですが、そこから年に二回くらい、大きな羊羹の折を送ってこられる。赤と青の鮮やかに色分けした羊羹です。それを切って、僕と矢野さんと、時に伊馬さんが来ていると伊馬さんもそこへ並んで、「羊羹上げるよ」って。そのころ、甘いものは貴重なんです。「ほら、羊羹上げるよ。ワンと言いな。ワン、ワン」。伊馬さんや僕は「ワンッ」と素直にすぐに言えるわけです。「あ、よろしい。上げましょう」と。でも、矢野花子さんは絶対、ワンと言わない。「ワンと言わないと上げないよ」「要りまへん」。そのやりとりを聞いて、伊馬さんと二人で、「矢野さんはしっかりしているなあ」とか言ってね（笑）。

小島――なかなか楽しい生活ですね。私もワンと言えます、すぐに（笑）。

岡野——言えるでしょう。「矢野さんは頑固やなあ」と先生は言うんです。最後は上げるわけですけどね。ワンと言わないで羊羹をもらうなんてずるいと思うんですけどね（笑）。

小島——折口先生のお宅にいらしたころはお友達とどこかへ行ったり、デートしたりはなかったのですか。

岡野——そういうのは全くなかったですね。

先生の家に入る前は、自由が丘の下宿に住んでいました。隣の部屋にパンパンと呼ばれていた人たちが住んでいました。地方の高等女学校を出て、曲りなりに英語の話せる教養のある女性です。戦争に負けた僕たち学生と、人々から白い眼で見られている彼女らと、共感しあえる悲しみがあるんです。

先生の家に僕が入って、夜の会合で帰りが遅い先生を大森駅で待っている。当時は戦後の物のないころで物騒でしたからね。すると、大森海岸のダンスホールでのノルマを終わった顔見知りの彼女たちと出合うんです。「あら、岡野さん」って声を掛けられて。こんなところ先生に見つかったら大変だと思ってね。はやく行ってくれって思いました。

小島——先生には見つからなかったんですか。

岡野——大丈夫でした（笑）。

してあるんです。

岡野——僕もだんだんと先生の家の生活に慣れていきます。入学試験、卒業試験が近づいてくると来客が多くなります。先生が留守のときは一切、ものをもらってはいけないということにしてあるんです。

確か二十三年のお雛様の日です。室生犀星さんのお嬢さんがお赤飯を持って来られた。そのとき、僕は先生について國學院か慶應へ行っていましたから、矢野さんがいつものごとく断った。僕がいたらもらっていたでしょうけれど、「とにかく一切、判断を自分でしないで断りなさい」と矢野さんには言われてたから。

帰ってきて、先生はすぐに室生さんに電話をかけて謝ってたけれど、僕に「謝りに行っておいで」と言って、そのときが室生さんのところに行った最初です。

小島——いろいろなご縁の始まりがあるんですね。

岡野——室生さんのところに最初に行ったときはびっくりしました。全く対照的なんです、折口信夫の家と。茫々たる古屋敷とは全く反対で、洒落た枝折戸があって、そこを開けると、ちょうど足一つが乗るくらいの飛び石がきれいに配置してあって、その周りの土が乙女の肌という感じでつやつやしている。そういえば若い女の子がいつでも二人くらいいて、手入れをしているんです。踵がちょっとはみ出して土に跡がついたら、きっと室生さんが目を吊り上げて、「岡野がこんな跡をつけていった」と怒るだろうと思って、そうっと歩くんです。そうするとガラス障子を通して室生さんの書斎が見えるけれど、覗かないようにして、入るんです。

書斎の隣の居間へ案内される。四角な箱火鉢があって、室生さんも朝子さんもタバコを吸うんです。当時の僕はヘビースモーカーです。灰皿が置いてない。角火鉢の灰はきれいに筋目を立てて、兜のようになっている。タバコの灰はどうするんだろうとためらっていると、朝子さんがチョンとその兜へ突き立てるんです。あ、こうすりゃいいんだと思って、僕もチョンと。だから、朝子さんがいると助かりましたね。

室生さんって、ちょっと難しいような顔をしてるし、初めての者にはとっつきの悪い人なんです。口数も少ない。でも、話をしていると、噛み締めると味のある楽しい人でした。

小島──詩を拝見するとそんなに難しい感じはしないですが。

岡野──女の人が好きだから。女の人が来ると機嫌がいいんです（笑）。

晩年の数年間は異常に作品ができたでしょう。小さなかちっとした字を書かれます。

それから室生さんのところへはよくうかがうようになりました。

その室生さんの家から帰ってくると、なんと、先生の家はやっぱりこれはもうお化け屋敷だなあという感じがしてね。家の裏庭に大きな欅の木が二本あるんです。その木の梢を見ていたら、キラーッ、キラーッと光るものがある。欅の若葉を玉虫が食べに来るわけです。僕は子どものころから玉虫に惹かれていて、すぐ捕りたくなる。

小島――そんな高いところに玉虫が登れるんですか。

岡野――ええ。梢の高いところにしか来ないんです。玉虫は榎の木がいちばんいいんですけど、欅の若葉も食べます。木に登るのは僕は得意なので、上のほうの梢に近いところへ。網なんかありませんから、手で捕まえるんです。じーっと待ってないとなかなか手のとどくところへ来てくれない。矢野さんがそれを見つけて、「岡野さん、そんなん危のうおます。はよう降りておいなはれ」としきりに言うんです。木に登っている人に大声をかけたりしないほうがいいんですけどね。「先生、岡野さんが降りてきはらしまへん」と言う。すると先生が「黙って見ておやり」と言ってくれます。一時間くらい粘っていたかな。玉虫にもきれいに光るのとそれほどでないのとあるんです。全然、きれいでない玉虫もあります。一番きれいなのを捕って降りていったんです。

室生さんのところへ、最初だったか二度目だったか、行ったときに、きれいな塗りのお椀に真綿が敷いてあって、ぽつんと小さな春蟬の抜け殻を真ん中に置いて、室生さんが「岡野くん、可愛いでしょう」と言うんです。ああ、そうか、蟬の抜け殻もこんなふうにすると見事な骨董品みたいになるなあと思ってね。僕も玉虫をそんなふうに、お椀に綿を敷いた中へ入れてみた。

小島――動かないんですか。

岡野――動きますけど、ちょっと胸のところを押さえてやるとだいたい静かになるんです。昏睡するんでしょう。それを見て、「岡野、明日は柳田先生のところへこれを持っていってあげよう」と言うんです。僕は先生のために捕ったのにと思ってね。先生は何でも「柳田先生」なんです。

しだいに先生の生活も落ち着かれる

岡野――いちばん困るのは、先生の実家は大阪の、言ってみれば商家です。お医者さんだけれど、同時に生薬屋さんですから、会計なんかにはきっちりしている。月の初めに「これだけの生活費」と言って、お米代がいくら、副食費がいくらと、けっこう細かく仕分けして矢野さんに渡すわけです。月末になるとどうしても足りなくなる。あのころは物価が安定してませんでしたから。すると僕が、矢野さんにお説教をしなければならないんです。それも先生の前で。二十分くらい言うと、もう言うことがなくなってしまう。僕も足りなくなるのは無理ないなと思うんだけれど。

その後で先生は「だめだ。岡野、きみは言い方がまだ足りない。もっとしっかり言わなきゃ、女ってどうしたってだんだんずるずると膨らんでいくものなんだ。それをきちっと言わなければばダメだ」と。それで、その次の月はちょっと工夫してもうちょっと長く言うわけです。でも先生は「まだダメだ」とか言う。時に矢野さんも我慢できなくなるんです。そうすると、ご飯とおつゆだけは作るんだけど、おかずが全然出てこない。

小島――食料制裁ですか。

岡野――そう、ストライキをやるわけです（笑）。二、三日すると、先生が「おばさん、君にももの言わんか」「言いません。今度は、だいぶん怒ってますわ」「しょうないなあ」とか言って、帰り道に、大井町のバラックの闇市でウナギを買ったり、ドジョウを買ったりして。僕はドジョウを割けるんです。矢野さんはドジョウを触るのをいやがるんだけれど。

　ドジョウを買うとドジョウ屋がドジョウを開いてくれる。そのドジョウ、卵を持っているんです。でも、それはアラのほうへ行ってしまう。それを先生が見ていて、「そのドジョウの卵、それも一緒に買ったんだ。目方の中に入っているんだ。こっちへ寄越しなさい」って。普通の人はなかなか言えないですよ。先生はこういうところまで言うのかと思ってね。大阪の黒門横丁なんかでしょっちゅう買い物をしていたと言うんだけれど。そういう買い方をしないとダメなんですね。そういうのはだんだん覚えていくわけです。大森の鳥屋でトリが毛を抜かれてぶら下がっているのを見て、「あれ買っといで」と言うんです。「あれは黄肌のトリだ」と。黄肌のトリは脂が乗っていておいしいんです。そんなのが一目でわかるんです。

小島――なかなかたくましいですね。

岡野――ええ。いちばん感心したのはずっと後のことですけど、軽井沢へ行ったとき、かなり疲れているんだけれど、時に散歩して、軽井沢の町を歩くことがあったんです。

小島――亡くなられる前年ですか。

岡野――そうです。ケテルとかローマイヤが出ている。ローマイヤの前を通ったら、ハムやソーセージの切り屑を大きなボールに入れてある。ちらっとそれを見て、ちょっとそこを通り過ぎてから、「岡野、あのボール、全部買っといで」と言うんです。それと、軽井沢は夏の野菜がおいしいんです。キャベツにしてもトウモロコシにしても。「それでシチューを作りなさい」と言われる。こっちも考えて、これだけあるんだから、はじめは塩味でその次の日は醤油味、三日目はトマト味でと、そんなにして三日くらい食べられるわけです。いろいろなハム、ソーセージをとりまぜてぜいたくに入れて、トウモロコシを削って入れたりすると、すばらしい味になる。

小島――今でもおいしそうですねえ。

岡野――もう少し早い時期に箱根へ行きますと、川にある小さい黒い巻き貝、「あれを捕っておいで」と言うんです。芦ノ湖の早川という小田原へ流れ出る川の河口なんかにいっぱい川蜷（かわにな）がいるんです。それを捕って、一晩、水にさらしておいて塩茹でにするとけっこうおいしい。

川蜷は古典に出てきます。食べるものです。ザリガニも一晩、水に打たせておいて塩茹でにする。そういう生活が楽しい人なんです。

そんなふうに、先生のうちへ、だんだん、落ち着いたかたちで居られるようになったのです。春洋さんが亡くなって、戦後になって初めて先生の生活が落ち着くようになったと兄弟子たちもみんな安心してくれ、喜んでくれました。

室生さんの『我が愛する詩人の伝記』には、室生さんが届けてくださった赤飯を矢野さんが断った話も書いてある。僕は軽井沢で室生さんを歓迎するつもりで精いっぱい、小城の羊羹を溶かして即席のお汁粉を作ったんです。白玉粉を落としたりして。そのことは「岡野も自分の作ったまずい汁粉を啜っていた」とか書いてある（笑）。

その文章の中で矢野さんのことを、先生の亡くなった後、「しずかに涙をこぼしていた」と書いてあります。室生さんの晩年の文章はうまいですねえ。

小島――矢野さんは折口先生を心底敬愛しておられたんですね。私もその本を読んでみたくなりました。

（二〇一二・四・一三　東京・如水会館）

【第5回】

折口先生の不思議な予言力

即興の歌の伝統

岡野――今日は、折口信夫が指導する「鳥船」という結社の歌の指導の方法からお話ししましょう。

「鳥船」は大正十四年、國學院大学予科生たちが折口信夫を中心に作ったのです。予科から大学という、その課程の者でないと入れないんです。専門部は入れてもらえない。後に慶應の予科、学部、その卒業生も入れるようになります。

そして、「鳥船」に入るには試験があったんですよ。

小島――エッ、試験があるんですか。

岡野――「試験はものすごく厳しいぞ」といううわさで、僕はそれで敬遠して予科生の間は入らなかった。

小島――どういう試験だったのですか。

岡野――どういう試験なのか、受けなかったからわからない。僕は戦後、軍隊から大学に帰ってきて、同級生たち、教授の息子とか研究室の助手をしている人の弟とかが入っているから、「俺も入りたい」と言ったら、「うん、それはいい」と言って、入れてくれたので試験は受けなかった。ずるして入ったんです（笑）。

小島――試験は古典和歌とか何かでしょうか。

岡野――いや。文学への感性を面接のようなかたちで調べるだけじゃなかったでしょうか。本来、予科の正課の授業には「作歌」の時間があって、毎週藤井春洋教授の指導で歌を作っていました。「鳥船」同人の藤井さんの弟子だったわけですから、まあいいだろうということでした。入っている者はみんな真剣でした。会員は百人余りくらい。

小島――近代の後半から現代にかけての結社のあり方とはまた全然違う感じですね。

岡野――ちょっと違いますね。でも、歌会のやり方は、折口先生が「アララギ」で育ってますから「アララギ」的な雰囲気が濃かった。それに折口式の工夫がいろいろ加わる。

小島――わくわくします。時代的には昭和二十年代の半ばくらいですね。

岡野――ええ、そうです。そんなふうに、軍隊から帰ってきて、敗戦の年の秋、第一回歌会に出たのですが、その後だんだんと戦場から帰ってくる人が多くなった。いちばん先輩の藤井貞文さんが南方の司政官で行っておられたが、帰って来られ、伊馬春部さんも中国の部隊にいたが帰って来られた。

日本の文学、ことに短詩型の文学は古代からそうですが、特に平安朝あたりの勅撰和歌集になると、様々な社交的な歌が大事なんです。そういう伝統があって、江戸時代の俳諧になると、更に即興的な挨拶、応答の文学が重んじられる。近代でも虚子が、教え子が結婚するときとか、亡くなったときとか、いわゆる即興の贈答句がじつにうまいんです。

小島――漱石の猫が死んだときも〈ワガハイノカイミヨウモナキススキカナ〉（明治41・9）と詠んでいますね。

岡野――そうです、そうです。そういう伝統があるので折口も、弟子が戦場から帰って来るとか、親が亡くなったとかの不幸があると、その折々に即興の歌を色紙なり短冊なりにさらさらっと書いてくれるんです。短詩型文学にはそういう、生活の中の生きた特色があるのです。

小島――それぞれ違う歌ですか。

岡野――ええ。帰って来て、報告に来た人の話をじっと聞いているでしょう。すぐ心が反応して歌ができちゃうんでしょうね。帰るときにさらさらーっと書いて、「はい、上げるよ」と。宮古島に配属せられていた池田彌三郎さんが復員してきた時には〈張水の御嶽の空に　ゐる雲の、あはれ　ゆくりなし。わがかへりしは〉。張水（はりみず）の御嶽（うたけ）は池田さんの居た宮古島の聖地なんですね。ああ、そうか。「張水の御嶽の空に　ゐる雲の、」、一体これが下の句でどうまとまるのかと見ていたら、「あはれ　ゆくりなし。わがかへりしは」で、池田さんの感慨にすーっと入っている。

小島――リズムもいいですねえ。

岡野――いいですよね。戦争で苦しんでも、帰って来て、こんな歌をもらえたらいいなあと（笑）。僕のは〈けふひと日　庭にひゞきし斧の音――。しづかになりて　夕(ユフベ)いたれり〉です。

春洋さんのところへは、裏が色紙のようになっているはがきがあって、春洋さんが休みで家に帰ったとき、最初に軍隊に召集されて、教育を受けていたその途中で肋膜炎になって病院に入っているときなど、先生はそういうはがきを何枚も出しているんです。全部、春洋さんがとってあったのを後に僕はもらっているんです。先生が亡くなって家を整理していたとき、鈴木金太郎さんに「これ、僕、いただきます」と言ったら、「ああ、いいよ」と言って。即興的に詠んだ歌が多いのです。

小島――まるで平安時代の歌人のような感じですね。

岡野――ええ。それがとても自然で、日常的なんです。その気分を僕たちにも身につけさそうと思っているんです。

鳥船社独特の歌会

岡野——歌会の出席者は五十人から六十人くらいでした。いつも即題です。前から題を出すなんてことはしない。その日、みなが先生の家に揃ったら、連歌や俳諧では執筆と言いますが、司会・進行の役を伊馬春部さんがやるんです。ユーモア作家ですから、司会が軽妙で間合がいいんですよ。題が出て、二、三十分で二、三首作るんです。

小島——緊張感に満ち満ちてますね。

岡野——僕は書生ですから、電話がかかってきたら、受けなきゃいけないし、玄関には来客が来るが断らなきゃならないしで、走り回っている。みんなは座って苦吟しているんですが、僕はそんな時間は全くない。歌を考えたり、推敲したりしながら電話を受けたり、お客の応対をしたりしている。でも、それがずいぶん力をつけることになりました。畳に座って二、三十分で考えるよりも、「羨ましいなあ」と思いながら走り回って考えている。短歌は短距離競走の集中力みたいなものですからね。

しかも、季節の、やさしい、詠みやすい題詠なんかじゃないんです。折口家に関羽と張飛が向かい合っている絵がある。それは、江戸後期の伊勢の月僊という有名な絵かきさんが描いたものです。その人は画料を高く取ったので乞食月僊と言われたけれど、そのお金は全部、伊勢神宮の造営に寄付しています。そのころ、神宮は疲弊していますからね。その関羽と張飛の対の絵です。関羽は髭が長く伸びていて、なるほど、関帝廟といって中国では神様として祀られている人だという感じです。その絵を掛けて、「これで作りなさい」と言う。

小島――えーっ、そんな難しいことを。

岡野――僕は〈あらあらとまなじりさきて怒れども汝(ナレ)が憂ひは思ひみがたし〉と詠みましたら、先輩から「おっ、関羽と肩を並べるような歌を作ったな」とか言われました。

小島――短時間でよくそれだけのものをお作りになりましたねえ。

岡野――ときどきはまた、「〈ガレージへトラック一つ入らむとす〉に下の句をつけなさい」とか言われる。あるいは下の句を出して、上の句をつけたり。その季節の題が出ることもある。そういうときはわりあい作りやすい。それで作らせて、石上堅さんという、お父さんが書家だった人で、字のうまい人がみんなの歌を半紙に清書して、通し番号をつけて貼り出し、点を入れます。

小島――句会のようですね。

岡野――ええ。句会のかたちですが、「アララギ」はそういうかたちの歌会が多かったらしい。そして、一首、一首、順番に批評していく。あるところまで終わると、司会の伊馬春部さんが、「それまで。次の歌に移ります」と言う。先輩たちの批評に僕ら新米の者は簡単には口出しできないのですが、それでもけっこう厳しいことを言ったりするわけです。見当はずれのことを言うと、先輩でも若い者でも、ぴしりと先生の叱責がとんでくるから、真剣なんです。

そんなふうにして全部の批評を一遍やって、休憩が入って、今度は偶数組と奇数組にパッと切り替わって、同じ歌を歌合わせ式に組み合わせるのです。その組み合わせは伊馬春部さんと先生で相談して決めます。だいたい力量が同じくらいの者を組み合わせる。しかし、それぞれの個性を考えて、対照的で面白い組み合わせとか、同じようで変わり映えのない組み合わせとか。判者はもちろん先生です。

普通の歌会のときはまっすぐな気持ちで批評していたのが、そう単純ではなくなる。歌合わせになると、今度は相手の、奇数組の者だったら偶数組の歌を意図的にけなす。「さっきは目が横に付いてたものだから褒めてしまったけど、よく見るとこの歌はまずいなあ」とか言うんです（笑）。そしてこちら側の歌の長所をできるだけ強調する。即興を生かして批評する訓練をするわけです。

小島――でも、けなそうと思って歌を見たとき、褒めたときには見えなかったものが見えてくるんですね。それはわかります。すごい訓練ですね。

岡野――両側に批評を出させて、ころあいをみて伊馬さんが「それまで」と言って、先生がきちっとした詳細な批評をくだします。そして、「比べてみると結局これはねえ」とかと言って、

「右、勝ち」とか「いやあ、これは、下手なほうの持だねえ」とか。

小島――どちらも大したことがないんですね（笑）。

岡野――けっこう楽しくて、しかもうんと歌を見分ける力がついたような気がするんです。生き生きしたかたちで、幅のある批評が出てくるわけです。

僕の入ったころは、年配の人は四十代半ば過ぎ、若い者は十代から二十代です。それを「老」と「若」に分けて、「若」の熱心な者は「老」の兄弟子の誰か一人を希望して、グループ指導を受けるかたちになっていました。先生に指導してもらう、もう一つ前の段階で兄弟子がやってくれるんです。僕は伊馬さんのグループに入ってました。

自作の朗詠法を学ぶ

岡野――春休みや夏休みは鍛練歌を作らせられるんです。これも「アララギ」の真似ですよ。一週間、毎日新作七首を先生宅に葉書に書いて送るんです。消印がきちっと続いてないとだめなんです。僕の家から村の郵便局まで山道で六キロ、朴歯の下駄を履いて毎日出しに行ったんです。それを藤井さん、伊馬さんが下選びをして、先生がその中から五首とか、七首とか選んでくれる。プリントにして、年刊歌集の作品になるのです。

とにかく大学の講義よりそっちのほうが真剣です。鍛練歌は気が重かったけれど、七日、毎日七首、先生が見るんだと思って作っていると、だいぶうまくなった感じがするわけです。

小島――確かに、俳句や短歌という短詩型は他の文芸と違って、現代は鍛練と言うのも大袈裟ですが、詩型に馴れるというか体に叩き込むということをしないと骨組みはできないですね。

岡野――そうです。いちばん身につく大事なメドは「調べ」なんです。四、五年やっていると同じ「鳥船」の結社の中でも先輩たち、「伊馬さんの調べはやわらかいなあ」とか、「石上堅さんはゴツゴツした調べだな」とか。歌会が終わった後、ときどき「自分の歌をいちばんいいと思うやり方で朗詠してごらん」と言われるんです。

小島――様々なバリエーションがあるんですねえ。

岡野――折口はあまり鍛錬道なんてものものしい言い方はしないのですが、実は教え子に対して非常に心こまやかな教育者なんです。朗詠をやかましく言ったのも、自分の歌の調べを自覚させるためです。そのころは朗詠が大事だと考えている人が多かったのですよ。朗詠がうまかったのは前田夕暮と土岐善麿です。今でも昔の音盤やテープに吹き込んだものが折口記念古代研究所には残っています。戦前の歌人は、朗読よりもむしろ、個性ある朗詠が多かった。あれを聴いてごらんになるとわかります。前田夕暮はなかなか調べもいいし、響きのある声です。土岐さんはあれだけお能に打ち込んでいられたし、もともと生まれがお坊さんの家で、お経を読んでいられたと思うが、破調の歌でも朗詠するとうまいですよ。前田夕暮のお弟子さんで、沼空のところにも出入りしていた三木行雄という朗詠のうまい人がいました。昭和初期にプロレタリア短歌を作った人で、沼空がよい書評を書いています。大東亜戦が始まるころには「愛国短歌朗詠入門」という本を書いた。その三木行雄の朗詠は漢詩吟詠調と違って、やわらかな仏教の声明や和讃、巡礼唄の感じがして良かった。そのレコードが何枚か先生の家にあって、先生のいないときにかけて聴いて、その調べを覚えたんです。

茂吉のはうたうのではなくて、朗読ですね。ぼそぼそと。でも、これもいかにも茂吉らしい特色があっていいんです。茂吉の真似はいちばんわかってもらえるから、僕はときどきするんです（笑）。

小島――晶子は意外と高い声で、驚くんですよね。

岡野――すごく高いですね。男では沼空の朗読の声も高い。僕は夕暮の朗詠がいいなあと思って、夕暮の真似をしたりしていました。

小島――「牧水のが残念ながら残っていない」と伊藤一彦さんがいつも言っておられます。

岡野――そうなんです。あんなにお弟子さんたちが、牧水は朗詠がうまかった、うまかったと言われるんだが、残ってないんです。白秋は張りのある声で朗々と朗読します。

当時の歌人はそれぞれ自分の歌の朗読法あるいは朗詠法をみんな持っていたんです。それをときどきうたって、あるいはつぶやいて、確かめる。推敲するときも、決して文字だけで推敲しないで、必ず声に出した。中村憲吉は不器用に見えるほど推敲に推敲をした人ですけど、ブツブツブツブツ、ブツブツブツブツ、口の中でいつも推敲していたという。みんなそうしていたと思うんです。黙って推敲するから、意味が過重で調べのない歌を生むことになりやすいと思うんです。

「、」「。」「字あけ」は終生の宿題

岡野——それと関係があるわけですが、折口信夫は新しい意図があって、「、」「。」「字あけ」をやるでしょう。その句読点の打ち方がね、なかなか、自分で自信を持って打てるようにはならないんです。自分の歌の調べが身についてこないと、できるものじゃないんです。散文の「、」「。」とは全然違いますからね。「鳥船」ではそれをやらされるんです。初めのころは五里霧中の感じでね。年刊歌集などを編集するとき、先生が全部打ってくれるわけです。それで自分の歌に「、」「。」「字あけ」ができるわけですが、自分ではできない。

僕は「鳥船」にいたとき、なんとかつけようと思って努力した。変につけると先生や先輩が直してくれるわけです。それで、先生が亡くなってから、自分でつける力がまだないからとつけなくなったんです。たまたま、先生が亡くなって何年か経って、角川書店の「短歌」に沖縄の旅行詠を二十首か三十首、出したんです。すると佐藤佐太郎さんが月評で「岡野の歌は迢空

さんの歌よりも伸びやかで調べがあっていい」と書いてくれた。そんなことはないんだけれども、迢空の「、」「。」は人にブツブツブツブツという感じを与えるんだなと思ってね。僕なんかが真似したらとてもダメだと思って、ますます「、」「。」をつけなかったんですが、『バグダッド燃ゆ』（２００６年刊）から自然につけるようになったのです。歌というものは読む人なりの馴れでスーッと、自分でその歌、その歌で調べを見出してつけていかれるんだろうと思っていたわけですから。

　だから、「鳥船」はかなり厳しく折口信夫が指導して、作らせたんだけれども、少し窮屈で、ことに調べなんかの表記は無理強いなところがあったとも思うのです。

小島――「、」「。」で思い出したのですが、恐らく迢空の最後の歌ではないかと言われる〈雪しろの　はるかに来たる川上を　見つゝ、おもへり。斎藤茂吉〉ですが、あの「。」は岡野さんがつけたということを書いておられて、ああ、歌人迢空の「、」「。」の呼吸までわかっていて、つけられたんだと驚きました。

岡野――ああ、先生の最晩年の歌ですからね。

小島――あれはタクシーの運転手さんが山形出身だというのを聞いて、茂吉への追悼の気持ちを込めて書いて、差し上げた歌だそうでして、発表する歌ではなかったとか。

岡野――角川源義さん専門の運転手の鈴木さん。気力の衰えた先生を箱根から運んでくれた。

先生が「運転手さんに何をお礼したらいいだろう」と言うから、「色紙でも書いてあげるといちばん喜びますよ」と言ったら、「うん、そうだ。山形の人だね」と。それで、即座に運転手さんのために茂吉の歌を詠んだんです。

僕は先生が手帳に書いたものを少したまると原稿用紙に清書しますから。僕の判断で句読点を打っておくよりしようがない。時に「こんな打ち方をしたらだめだよ。こんな切り方をしたらだめだよ」と言われることがあるんです。ところが詩の場合は更に面倒で、何度も僕は聞くわけです。先生、しまいに面倒臭くなって、「もういい。任せる」とかって言うの。先生もいい加減だなと思ったり（笑）。

あの歌は二通りに取れるんです。雪しろ水を見つつ、物思いをしている斎藤茂吉という取り方と、雪しろ水のはるかに流れ来る水上を見て、その年の二月に亡くなった茂吉を偲んでいるという取り方と。僕は気持ちの上では後のほうの、茂吉を偲んでいるという取り方ですね。

小島――私も断然そうだと思います。肉体はもう行くことのできない春の最上川に魂を立たせて作ったと思うんです。すごくいい歌だと記憶しています。

岡野――ああいう即座の挽歌や賀の歌は実にうまい人です。

そんなふうで、「、」「。」は僕にとっては終生の宿題みたいな感じがしています。

鳥船社での歌の創作と研究

岡野――これはもうちょっと後、先生のところで数年経ってからですが、短歌研究社から先生が三十首くらい頼まれると、「君の歌も一緒に頼んでやるから作りなさい」と言うんですよ。編集者が先生の原稿を取りに来ると、「この岡野もうちへ来て五、六年経ってきたから、だいぶいい歌を作るようになったんだよ。この七首ね、今度の号に出してやってよ」と言ってくれるんです。編集者は「はい。それはよろこんで……」とかって（笑）。

小島――ちゃんと発表の場を作ってくださるのですね。

岡野――そうなんです。最初の依頼のときです。箱根の叢隠居にひと夏を一緒にすごす。秋が早く来る、その情景を詠んだものです。元の歌はよく覚えてないですけど、〈山はらは暮れ果てにけりをちこちにしろじろと残る虎杖の花〉を先生が直した歌は〈山原はまたく暮れたり、ほうほうと煙の如し　虎杖の白〉。「またく暮れたり」なんて、そのころの僕に言えるわけはないんです。

小島――最初の歌のほうがずっと新しいですね。

岡野――「またく暮れたり」は僕には似合わないなと思ったけれど、「ほうほうと煙のごとし虎杖の白」、うわあ、こういうふうに詠むのかと思いましたね。

だから、初めのころは、ことに自分の家にいる者には、『鳥船年刊歌集』を出すときもやはりうんと直される。加藤守雄さん、その前は春洋さんですが、歌は先生がかなり直したと思うんです。加藤さんは「あれは全部、先生が直すんだから、僕の歌と思えないよ」と言っていましたね。加藤さんはドライな人だったから（笑）。『わが師折口信夫』は加藤さんにとってはどうしても書いておかなきゃ気持ちのすまないものだったろうと思います。だって、先生のところへ入った年齢が違いますから。鈴木金太郎さんがいちばん若い。中学生ですからね。春洋さんが大学の予科生。僕は二十二歳だったけれど晩生だから、先生のところへ行くまでは全然女性なんて知らなかった。

先生のところにはうぶな心で行きましたから、楽だったと思うんです。後に加藤さんは「先生のところで大変だっただろう」と言ってくれる。先生が居れば家のなかでずーっと先生のそばにいなきゃならないし、外へ出るときは先生の腰ぎんちゃくみたいについていくわけです。何となく気持ちが塞がってくるときがあるんです。でも、世間で自由な体験をしなかった者はそれなりに耐えられるわけです。それに比べ加藤さんは本当に苦しかっただろう。先生の家に入ったのが、二十代の終わりころです。

また、あのときは異様なときですからね。春洋さんが出征して、生きて帰ることなど絶望的な硫黄島へ行ったことがわかってくるころで、先生自身もかなり異常な気持ちになっていたと

昭和25年２月　國學院研究室卒業生記念。
前列中央・折口信夫、向って右へ、高崎正秀、弘彦。

きです。私はそんなことがなかったのはありがたかったと思うのです。落ち着いて、歌と学問を教えてもらいました。

歌会のほかに研究会がありました。土曜日が歌会、日曜日が研究会と続いてやることが多かったですね。一月に少なくとも一回は必ずありました。研究会は春洋さんの研究テーマだった『日本書紀』の講義です。その『日本書紀』の丹念な講義録が、全集のノート編に二冊残っています。『古事記』は自在な神話、物語ですが、『日本書紀』のほうは歴史化してあって、合理的な細工がいろいろ施されているでしょう。『古事記』のほうがずっと面白い。

小島――人間的な神様がたくさん出て来ます。

岡野――そうなんです。古代というものが一番生き生きと動いている世界ですから、『古事記』全講が聴けたほうが、私はありがたかったと思うんです。

そんなふうに「鳥船」という結社の歌の創作と研究会はずっと続いたのです。

先生の予言——弟子の場合

岡野——先生は人生の大事な予見力あるいは決断力がものすごくあった人ですね。

今宮中学からの教え子で洋画家の伊原宇三郎さん、奥さんは由起しげ子さんで芥川賞作家です。男の子が二人いて、ご夫婦とも四十代後半になってられたですかねえ。伊原さんが来られて、深刻な相談をして、帰っていかれたんです。「うーちゃん」、伊原さんのことは中学校のときの呼び名そのままです。「うーちゃん夫婦は別れたほうがいい。そのほうが二人とも幸せだし、二人ともそのほうが自分なりのいい仕事ができるはずだ」と言う。由起さんも相談に来られたんです。僕のことは「玄関番している書生さん」と小説に由起さんが書いています。

そのうちに伊原さんが柳田先生の肖像画を描かれることになった。油絵は描くのに時間がかかるでしょう。柳田先生にも伊原さんが絵を描きながら相談したと思うんです。そんなある日、柳田先生から連絡があって、僕を成城のお宅へ来させるようにということなので、行ったら、「君はこれから僕の言うことをきちっと折口君に伝えることができるかね。とにかく聞いていてごらん。あなたが話しづらかったら、僕が手紙に書くから、それを持って帰りなさい」と言われる。「いいえ。何ごとでも先生が折口におっしゃることなら、そのままお伝えします」と言いました。

そうしたら、「いくら折口君が伊原宇三郎君を中学生のときから特別の思いで育てたにしても、独身の者が、結婚の体験のない者が、弟子の夫婦生活について意見を言うのは、それは無理だ。おやめなさいと折口君に言いなさい。いくら明敏な折口君でも夫婦の機微というふうなものはわかるわけはない」と言われたので、僕はそのとおりに先生に伝えたわけです。

すると先生は、「柳田先生はね、人間がおわかりになってないんだよ」と、言下に言ったんです。すごいなあ、この先生は（笑）。

小島――どちらもすごいですよ。

岡野――あの二人の丁々発止はすごいですよ。学問の上でもね。先生は鞠躬如（きっきゅうじょ）として柳田先生には師としての敬意を深く持っているのですが、学問上の大事な点や、弟子の運命を左右するときは譲れないんですね。結局、伊原さんと由起さんの二人は別れてしまわれた。

折口先生が亡くなった直後、「短歌」が角川書店から創刊され、第一号が折口の追悼号になった。伊原さんはその号に「師の愛、神に等し」という切々たる追悼文を書きました。

それからまたこんなこともありました。國學院で神道学を教えている、僕よりも十余り年上の人です。「折り入ってご相談がありまして、身近な話で申し訳ないけれど参りました」と言って来られた。その人は、先生から教えを受けているんだけれど、あまり古代学には関心の

前列左より折口信夫、伊馬春部、後列左より矢野花子、岡野弘彦
昭和25年頃
折口先生と伊馬さんが膝の上に持っているのは河童さんの像（107ページ参照）

岡野——加藤守雄さんが、「矢野さんと何もなかったの」と聞くんですが、「僕の母より一つ上ですよ」と言ったら、「そんなこと関係ないよ」と言う。ああ、そうか、そんなこと、関係ないのかって。「でもねえ、それはちょっと、加藤さん、無理よ」って。でも、加藤さんの言うことのほうが人間的なのかなあ（笑）。

矢野花子さんは「どんな美人でも、納豆三粒ほどのにおいはするって言いますでえ」と言うんです。どんな美人でも、体臭があるというわけですが、僕はそういうことがわからない。

小島——矢野さん、なかなか面白い人ですね。

岡野——ええ、面白い。先生が亡くなって、一年くらい後に結婚しました。七十のおじいさんでお医者さんです。けっこううまくいってたようです。僕が万葉の旅で近江を歩くときは矢野さんに電話を掛けるんです。すると、矢野さんがすぐ来てくれるわけです。連れている女学生たちが、「きれいな方ですねえ」と言うから、「うん、きれいな人だよ」って。

ない人です。

翌週、その人と学校で顔を合わせた。そのとき僕は神道科の講師になっていました。「岡野君、折口先生って、意外にすけべえなんだね」と言うんです。この人は軍隊で大尉にまでなって、なかなか世間智には敏感なタイプです。「あのねえ。僕の女房は月のものが月に二遍あって、夫婦生活もあまりスムーズにはいかないんだよ。そのことで先生に相談したら、先生が詳しく聞くんだよ。その二回は何日くらい続くのか」と。

ああ、そうかとすぐわかりました。先生は昭和十年代、慶應に招かれて文学史とか芸能史とかの講義をするんです。その時期の先生は充実していて、講義が面白い。それが『日本文学史』として、活字になっている。その中に「月および槻の文学」というすばらしい一章がある。空の月と神聖な槻の木と、そして女性の月の事と、その三つの間に流れる古代信仰を四時間ほどかけて講義しているんです。月の期間は人間が触れてはならない期間で、それは「神の嫁」としての聖なる期間です。神の訪れてくる期間で、神と聖なる乙女との密着の期間です。ヤマトタケルと宮簀(みやず)姫の神話もそうでしょう。

小島――古代学はみんなそうですね。

岡野――そうなんです。先生が「君、その奥さんはたいへん貴重な女性なんだから大事にしなさい」と言ったそうです。「そういうことが不満で、なんか解消の方法を」って先生に相談した。先生に相談するのも見当違いだと思うんだけれど（笑）。ところが、先生は意外に興味を持たれたので、アレッという感じになったらしいんです。その人は先生の古代学など全然読んでないわけです。

生涯、短歌を手放さなかった

岡野――あの人はそういう不思議な力のある人なんです。女性に触れることをしなかった人ですが、僕の家内は慶應の学生でしたから、先生の『万葉集』の講義を受けたが、恋歌の講義など顔を上げて聞けないような、官能的な響きを持っていたと言うんです。確かに『万葉集』でも『源氏物語』でも、そういう読み方のできる人だった。古代人の心がそのまま心でわかってしまう人なんです。あの人は体験なんていうものは必要じゃない。だから、かえって女性に対して潔癖に、鋭敏になるわけだし、女性の心理がよくわかるんだと思うんです。

小島――紫式部だってそんなに多くの経験があるはずはないのに、あれだけ男の心理も女の心理も書くことができるって不思議ですね。

岡野――その折口先生も『源氏物語』の作者については、「どうしても男でないと書けないところがある。紫式部一人じゃなくて男が書いたところもずいぶんあるはずだ」とよく言ってました。

小島——そうです。どうしてこんなにわかるんだろうという気持ちです。

岡野——男が読んでいても恐ろしくなるようなところがいっぱいあります。そういう読み方のできる人です。紫式部以前の「原(ウル)源氏物語」というべきものの存在を想定していたはずです。そのことはいずれ、まとめて、別に書くつもりです。

古代、海の彼方からまれびとがやって来て、わが国を妣(はは)の国と言った。それはもちろん自分の生みの妣であり、また妣の妣、そのまた妣、女系の祖先に連なっていく思いなんだという、ああいう感覚は知識ではなくて全く実感として自分の中に持っていた人なんです。常人には説明できないですよね。知的なかたちで説明するならば別だけど、あの人の場合は全然違うわけで、ですから、それを直感の学、詩人の学問と言って、文献学の人たちはいくらかの悪意や反感を込めて言うんだけれど、そういう人が現実にいるわけです。

小島——知的認識とか、そういうもので説明できないものの中にこそ、民俗学の中心的なものとか古典和歌からの日本の本質がありますね。

岡野——あります。ただ、同じ民俗学だけれど柳田先生と折口先生とはかなり感性のあり方が違うんです。ああいうところは柳田先生よりも、より南方熊楠のほうに近いのかなという感じがします。

小島——それとやはり歌人であったということも大きいと思います。

岡野――ええ、それはもう。生涯、短歌を手放さなかった。自分の思いのいちばんの凝縮は短歌のかたち、更に短歌の調べで表現した。それはあの人独特の世界です。あれがなかったらもっと理解しにくかったと思います。

先生が亡くなった

岡野――僕の結婚は先生が亡くなってからです。先生のところにいたら結婚なんてできるわけがない。だから、先生が百歳まで生きたら、僕は何十歳になるのかなあ、やはり一緒に独身で生活していたと思う。

先生が亡くなったのは僕が二十八歳のときです。何とも言いようのないショックでした、僕にとっては。死期が迫る一月くらい前までは普通にご飯を食べてましたからね。僕の揚げたてんぷらも。わりあいに油っこいものが好きなんです、あの人は。野菜はあまり食べない人で、好んで食べるのはお茶っ葉だけ。果物もあまり食べない人でした。

箱根で急に弱っていきましたでしょう。ずーっと掛かりつけのお医者さんが大井町にいまして、その先生は短歌でもない詩でもない中歌(ちゅうか)というのを自分で作って、「中歌集」を出したりする人なんです。こういうお医者さんはお医者さんとしてはあまり優秀じゃないんじゃないかなと僕は思うんだけれど(笑)。ちゃんと盆暮れには僕がご挨拶を持っていった。

なかなかてきぱきと治らないものだから慶應の内科部長にも診察してもらったんだけれど。箱根から帰って最後に診てもらったのが近山さんというお医者です。「どうしてこれがわからなかったんですかねえ」と言われた。慶應病院に入院してそれから三日ほどで亡くなります。

箱根で、「もうこれ以上、医者に診てもらっても僕の病気はよくならないよ」という。先生のところも癌家系なんです。お父さんも癌だし、兄さんも癌で亡くなっている。「だから、僕も癌で死ぬんだ」と言っていたんです。「金太郎と春洋とが建てたこの家で死ぬのがいちばん、僕は気持ちが安らかなんだ」と。だけど、僕がついていて、箱根で何かということになったら、兄弟子や親類の方々からどんなに叱られるかわからないと思う。すると、「一緒にいる君が同じ気持ちになってくれないで、おろおろおろおろして、ああだこうだと思っている。それでは僕がたまらない。君も僕と同じ気持ちになりなさい」と、夜も昼も繰り返し言うでしょう。「そうか。しようがない。俺もその気持ちになる」と。そうしないと気持ちが静まらないというわけですよ。

先生が亡くなった後、門弟で慶應の教授の佐藤信彦さんがご遺族に「先生の最期は慶應病院で看取らせていただきました。貞明皇后にして差し上げた時と同じ、最も丁重な方法を先生のご最期にも内科部長が施しましたが、それでも及びませんでした」と行き届いた挨拶をして、遺族に頭を下げた。ご遺族からは何も出ませんでした。

僕が入学試験を受けたときに配属将校を押さえてくれた予科長、あの人は僕を別のひと間へ呼んで、いきなり「君はアプレだ。大アプレだ」とどなった。そのころ、アプレという若者を非難することばがあったんです。「日本の宝物のような先生をこんなことにしてしまって」と。僕は何も言えないで、それはもう当然、門弟のどなたもが思っておられることだと思って、聞いていました。

いろいろショックが重なって、ご飯が喉を通らないわけです。あの健啖だった先生も最後のころは、ご飯を食べられなくなりましたからね。僕もたちまち八キロくらい痩せちゃって、お葬式の前に散髪屋へ行ったら、いつも先生や僕の頭を刈るキンちゃんという青年が、「岡野さん、こんなことってあるんですねえ。白髪がいっぱいですよ」と言う。

「岡野は放っておいたら死んじまう」と兄弟子たちが心配してくれて、江の島の小さな民宿へ行かせてくれました。そこで一週間居て、つるりと喉を通る伊勢海老の刺身ばかり食べていたら、元気になったんです。

鈴木金太郎さんが「岡野君、こういうときは本当に心が乱れに乱れるときだから、一生のうちの大事なことを決めないほうがいいよ」と言ってくださった。「やっぱり折口先生に長くついていらした人は違うんだなあ」と思ったんです。

小島――心が普通ではないときに大事なことを決めるのはやめたほうがいいというのはそのと

おりですよね。岡野さんがお元気になられたのはいつごろですか。

岡野——その翌年の結婚が一つ大きなこととしてありますけれど、『折口信夫全集』が出るようになりましたでしょう。そっちの仕事に夢中になりましたからね。

小島——全集のことで岡野さんは大きな賞を受賞されましたね。

岡野——ええ。三矢重松賞をもらいました。

小島——とても大きな大事なことは人為を越えた何かが働くなあといつも思います。折口先生はすごい方ですねえ。今日は何か言葉にできない感動や感謝の気持ちをかかえて帰ります。ありがとうございました。

（二〇一二・五・二十一　東京・如水会館）

【第6回】

先生と親兄弟、そして弟子たち

初めての口述筆記、「留守ごと」

小島――前回のお話の終わりに、迢空先生が亡くなってしまわれました。ただ、実作者としても論者としても、いろいろな意味の学問の後継者として岡野さんだけがお話しになれることがまだたくさんあるのではないでしょうか。

岡野――一緒にいる間はそんなに切実に「この目の前に居る折口信夫という人」というふうに考えることはないのですよ。亡くなられてからだんだん、もっと聞いておけばよかったと思ったり、先生のああいうことについて何もわかってなかったと思ったりする。その思いの中から繰り返し繰り返し考えるようになっていく。それから、二度の全集編纂の仕事をしましたから何遍も何遍もその著作を読み返さなきゃならなかった。それで、少しずつわかってきたことを回想のかたちで、まとめて言うわけです。折口信夫という人はやはり不思議な人だと思うんです。一緒に住んだのが七年間、講義を聞き始めてから十年間だから、そう不思議だなんて思わないだろうと言われるんだけれども、やはり不思議な人ですねえ。

小島――ご一緒にいらっしゃるとき、迢空がご自分の生い立ちなどを岡野さんに語られたりすることはなかったですか。

岡野――それは折につけてあります。先生のところへ行って最初に口述筆記したのは、お母さんを初め女系の親族のことを思い出しているエッセイなんですよ。「留守ごと」という題だったと思います。

お父さんが河内の大庄屋の家から養子に来ます。女系家族の家へ養子に来たら、ちょっと遠慮していそうなものなんだけれど、おばあさんがいて、三人の女姉妹の長女のご主人として来るわけです。初めから男一人みたいなかたちで威張っていたんでしょうね。それと大酒飲みなんですよ。夏でも井戸に一升瓶を冷やしておいて、昼間から飲んでいるような人だったらしい。

おじいさんは飛鳥坐（あすかにいます）神社の世襲の古い神主家の飛鳥家から来るという形をとって、折口家へ来られた。明日香の村の、あのあたりはみな家が立派ですからね。建物を見ても本当にがっしりとした大きな家です。そこの次男坊か三男坊の人です。あのころ、養子に来るのに格をつけるわけです。大阪の木津の折口家に養子に来るというので、明日香の神主家、飛鳥家の子どもというかたちにする。ですから、飛鳥家と本当に血はつながっているというわけではないのですが、しかし、先生の心の中では「おじいさんは大国主・事代主を祭神とする大和の飛鳥坐神社の神主家の飛鳥家から養子に来たんだ」、出雲神話につながっているという確固として動かないイメージが小さいときからあったんですね。

おじいさんは人柄のいい人で医師でした。木津のあたりは差別せられる人もたくさんいたところですが、そういう人たちを全く隔てなしに、むしろお金が十分でなく治療費が払えない人も全然差別しないで診てあげるので感謝されるわけです。そのおじいさんは、明治十二年にコレラが流行ったとき、治療に専念して、ついに自分がコレラに感染して亡くなります。

その後にお父さんが養子に来るわけです。この人も医者ですが、患者に対する態度はおじいさんとはガラッと変わります。お父さんは性格の激しい人で、写真を見てもわかりますが激しい顔をしている人です。その激しい顔は先生にも、お父さんよりはずっときれいで端麗だけれど、流れていると思うんです。

小島——沼空自身にもコンプレックスがありますね。

岡野——ええ、あの顔の青痣ね。ところが沼空は父親に対して非常に複雑なんです。三つ年上の、すぐ上の兄さんと特に仲がいいんです、ケンカしながらも最後まで。その兄さんと、中学の同級生で、やはり二人兄弟で来ている人たちのお父さんを見て、「あの人たちのお父さんが僕たちのお父さんだったらいいのにな」という話をしたことを先生から聞いたことがあるんです。

小島――ということは、お兄さんもお父さんのことはあまりよく思っていらっしゃらなかった。

岡野――ええ、そうでしょうね。中学校の低学年のころだと思うのですが、そういう気持ちになるというのは……。

「留守ごと」というエッセイは、おばあさんや母親や、あるいは叔母さんたちが、お父さんが実家へ帰って留守になると、もう本当に甦ったみたいになって、「女ばかりで御馳走を作りましょう」と言って、留守ごとをするわけですよ。

小島――よくわかりますねえ（笑）。

岡野――「さあ、食べようよ」と言っているところへ、お父さんが帰ってきたりする（笑）。女ばかりの家に一人、威張って父親がいるわけだから、そういう感じは自然なんだろうけれど、父親に対して先生は、おじいさんに対する気持ちとは違った感じでいるんですね。

自分の出生について真剣に考える

岡野――それから、「三つくらいのときに里子に出された」ということ。これは自撰年譜に書いてあります。大和小泉といって法隆寺の塔が見える乳母の里に預けられたと。後にそのときのことを詠んだ短歌があります。その乳母の記憶を十首余りの連作にしています。明治三十八年くらいの、歌集『海やまのあひだ』以前の作です。

　先生が亡くなってから、「里子に出されたことについて何か聞かれたことがありますか」とご遺族の方に伺ったのですが、「それはわかりません」とおっしゃるので、どうも辿りようがないのですけれどね。

　昭和十二年に「幼き春」、昭和二十一年に「乞丐相（こつがいそう）」という詩があります。どちらもさびしい詩です。自分以外の親や兄弟はそれぞれ器量よしと言われるが、自分だけが乞食（こじき）相だと言われる。そういう感じを深くしたのは一つは顔の青痣だと思いますね。だんだん歳をとってこられると肌の色も濃くなってくるからそんなに目立たなくなってましたけれど、それでも眉間から鼻筋に滴るようにアザがあります。

小島――写真ではあまりはっきりわかりませんが。

岡野――ええ。きれいな顔でしょう。でも、近々と、面と向かっていると、先生は若いころ、女の人みたいな富士額で、顔の色も白かっただろうから、このアザはきっと強烈だったろうなという感じがしました。中学のころのペンネームが靄遠渓（あいえんけい）（青ＩＮＫ）で、難しい漢字を当てたりしていますが、武田先生のおっしゃるところでは、先生は「インキ」というあだなで、友人たちは「あいつ、陰気だ」という（ことから、このあだなにしたようです）。そんな暗い感じがしていた。中学校のころの、その感じがありありと出ている暗い表情の写真があります。

親兄弟の中で自分一人が違ってこの世へ誕生したんだという意識が強かったらしいですねえ。

そういう思いをいっそう深めたはずだと思うのは、兄さんが三人いて、折口信夫は四番目の男の子なんです。上の人たちは静・順・進とみな一字名前です。折口信夫は、二字の名でノブオと言ったんだろうけれど自分でシノブとクラシックに言っています。家の人たちはノブさんと言ってた。

信夫が生まれて、それでもう、そのお母さんの、つまり長女の子どもは終わりなんですよ。(お母さんは)べつに亡くなったわけでもないんだけれども、次の妹さんが(お父さんに)添うことになるわけです。そして、二人の男の子、双子を産みます。親夫と和夫といって二字の名前です。そういうことなんです。

三人の姉妹の長女と養子のお父さんと夫婦だったわけでしょう。ところが、二人の間の子どもは折口信夫が最後で、そこからお母さんが代わるわけです。だから、両親のどちらかに原因があっただろうということで、池田彌三郎さんは、お父さんにあったんじゃないか、同じ家にいて妹に手をつけたとか。おばあさんがまだいるわけで、母親や親族の判断で妹のほうに主婦権を与えるようにしたという形じゃないかと見ていられるけれど、僕はお母さんに過ちがあって、それで妹さんを添わせた。お姉さんは退かせたということではないかなあと思うんです。

小島――なぜそう思われるのでしょうか。何かちらっとでも根拠があるんでしょうか。

岡野――うーん。そういうトラブルの時期に先生が母親から離されて里子にやられていたということではないかと思うんですけどね。

小島――なるほど。そうすると、そんなに公にしているわけがないから、そうですね。

岡野――そういう問題は自然に外へ漏れていくものですけれど、とにかく表には出さないで、そういうかたちで事を収めたのではなかろうか。そうすると、お父さんが威張っていたのも何となくわかるような感じがするし、折口信夫が兄さんと、同級生の兄弟のお父さんを見て、「あの人が俺たちの父親だったらいいのになあ」という連想を持つというのも、何となくありそうな感じがするわけです。

同時に、あんなふうに女性に接することを何となく拒否する性格が一生、貫かれていったという、その原因も、ものごころつくころのそういうトラブルの、暗い印象、そして、お母さんのマイナス面を身近なかたちで心に負っていかなきゃならない、そういうことが原因になっているのではないかなという感じはするんですけどね。

ですけれど、お母さんが京都大学の病院へ入院されたとき、先生が二十四歳のときですが、つきっきりで下のお世話までしたというんですよ。あの潔癖な人がと思うんですけどね。家族のみんなも、「あの潔癖なノブさんがあそこまでお母さんの世話をした」と感心したり不思議がったりしたというんです。そういうことなどを考えてみるとわかるかなあという気がするんです。

母の姉妹の三番目、若いほうのえい叔母さんが非常に折口信夫を可愛がるんです。だから、後々まで、その叔母さんのことは大事にしていて、叔母さんの晩年、東京の大森の家へも来てもらったりしたことがあるわけです。この叔母さんは若いころ、東京の女子の医学校で学んだ人です。『古代研究』を上梓したとき、この叔母さんに対して献辞を書いています。柳田先生に書きそうなものですがね。

そういう家に育って、かなり自分の出生について複雑な、同じ家族、同じ兄弟の中で、俺だけが少し違って見られている。そういうことに自分で気がつき始めてからかなり苦しんだろう。小学校から中学にかけての、あの人の暗い表情というのはそういうことと関係があるのではないかと思うのです。自分の出生の問題についてとにかく真剣に考え考えしただろうと。

学生たちの苦しみにこまやかに接する

岡野——あの人は弟子に対しても、いい家に生まれて、あまり問題なく育った者ももちろん可愛がるんだけれど、同時に屈折した体験を持たざるを得なかった者たちに対して特に心が熱いんです。鈴木金太郎さんにしても藤井春洋さんにしても僕にしても、わりあい苦労なしに素直に育ってきた者なんです。だが、弟子の中にはいろいろ屈折した体験を持っている者がいる。

そういう者の苦しみに対して非常に心がこまやかです。

例えば戦争中、赤だと疑われて、どこへ行っても警戒される若者を、親身になって庇ってやったりした。そのために折口も特高警察から疑われて、家宅捜索された。二人の刑事を書庫に案内して、「私がどんな人間か、とくとご覧なさい」と言った。一時間ほど書庫を見て、「失礼しました」と言って帰っていったという。

戦後も僕の一級下の國學院の学生で、「鳥船」にも入っていて精神のバランスを失って苦しんでいる学生がいた。「今晩、君のところに泊めて、ゆっくり話を聞いておやり」と先生は言われる。それで、僕がいろいろ聞いて、翌朝、先生と一緒に食事をしながら、先生もいろいろ聞いてやるわけです。そのころ、精神的に苦しんでいる者の治療に電気ショックを使う治療が流行った時期があるんです。学生はそれを受けるのが実に苦痛だと言う。先生も「そういう治療をさせないようにしなければ」と言って、親元とも連絡を取っているうちに自殺してしまいました。そのときの先生の落胆は深かった。折口自身が若いころ、何度か自殺をくわだてた体験のあることを話してくれた。父が急死した中学四年から、その翌年、さらに卒業できず留年した年にかけて、何度も自殺を計ったことを自撰年譜や最初の小説『口ぶえ』の中にも記しています。

だから、後になって太宰治の死に対して非常に深い共感を持つわけです。太宰は伊馬春部さんの親友だったから、伊馬さんを通じて太宰の話はしょっちゅう聞いていて、太宰の心理がよくわかっていた。自分の若き日に苦しんでいたときの記憶がずっと後を引いていたと思うのです。だから、太宰を悼んで「水中の友」という詩を書いたり、太宰が亡くなった後、國學院の研究会で太宰の追悼の会を、未亡人を招いて催したりしました。太宰の作品の中では『津軽』とか『竹青』とか、明るいものがいいんだという。何とも耐え難い、自分の命を抹消してしまいたいという願望を持っている人が、ほーっと明るい心を書く。その作品がいいんだと先生はよく言っていました。

動かしがたい不思議な執着

岡野――僕は、あの人が若いときの、生きることに苦しみを感じながら耐えて生きぬいてきた体験をずうっと心に保ち続けていたと思う。普通はそういうのもある年齢が来ると、自分で転換していったり、あるいは解消させていったりするものなんですけどね。そういうことをしなかった人。自分の苦しみや、自分は一体どうしてこの世に生まれてきたんだろうという思いを考え考えして、そして、日本民族の発生、あるいは古代の人々の心の中の文学の萌芽、芽生えのような心が起こってくる、その発端の心の動きというものを「日本文学の発生論」というかたちで構築していった。あるいはまれびと（客人）が海のかなたからやってくる。そのまれびとは決して、初めから聖なるもの、あるいは人間をやさしく育んでくれるものでは必ずしもない。むしろ、時に猛烈な恐ろしい未分明な怒り、憎しみみたいなものも持って、しかし強烈な霊力として海の彼方から訪れてくるというふうなかたちで、日本人の神の原型を考えていくということとも重なってくる……のではないかと思う。

小島――それは本当によく胸に落ちるお話です。自分の生まれ出る、そのことに傷ついてしまったということは、やはりその奥へ、もっとルーツへ必ず行くはずです。そうすると、学問だけなら文明の発生というところで片がつくかもしれないけれど、迢空は歌人(うたびと)だったから、もっと生々しいかたちで日本民族のルーツの声を聞いていたでしょう。だから、その二つが混沌として溯らせたのではないかと思います。

岡野――ですから、柳田先生は民俗学のために文学を捨ててしまわれたような感じで受け取られることが多いんだけれど、僕は完全に捨てられたとは全く思わないのです。あの詩的な心の高揚は最後まで先生に絡まっていて、それがまた柳田民俗学の魅力だと思います。

折口信夫という人は短歌を核にして、そのいろいろなバラエティを考えている。ときにそれが古代的な、長歌的な詩になったり、連句のかたちになったり、短歌を表記するのにもいろいろな散らし書きを考えたりするわけです。大和ことばによるというか、日本人固有のことばによる固有の情念の表現といいますか、それに終生、執着しとおした人だと思うのです。それと

「日本文学の発生論」というものとは裏表になっていたのですね。

小島――ええ、二つあったからこそ、あの独特のものが生まれ出たんだと思います。

岡野――そう思うんです。だから、あの人の発生論や古代文学論がいつまで経っても若い人たちの心を惹きつけていくのはそこのところがあるからで、やはり強靭なものになっているんだろうと思うのです。

自殺願望をいちばんはっきり言っているのは中学に入った年です。一人で大和を歩くのです。長谷寺を経て、初瀬渓谷をずっと室生寺まで。だいたい初瀬渓谷は『万葉集』にもありますが、死者と巡り合えるところでしょう。長谷観音なんかもそう。平安朝になってもその信仰がずっと続くわけです。

小島――「隠国の泊瀬」ですね。

岡野――そうです。長谷寺を経て室生寺まで行った。あそこは契沖が自殺願望にかられて頭から身を投げるところです。鮮血淋漓となって、でも岩に引っ掛かって一命を取り留める。あそこに自殺願望に強く取りつかれている若き日の折口が行って、自分の心の中に生きるための強烈な示唆を得たということは非常に大きかったろう。

國學院に入って予科の最初の折口の講義が契沖の講義です。「契沖阿闍梨という人は」というふうにして話を始めるんです。そのとき、僕は全然わからなかったけれど、後になって考えると、あの「契沖阿闍梨という人は」という自分の身に引きつけた不思議に熱い語り口は、中学校のときの自分の胸の中の思いをつぶやいている声だったんじゃなかろうかと思うのです。
そういうところ、僕は不思議な人だと思うのです。だから、あの人の発生論は大変難解だけれど、一遍読むと動かしがたい不思議な執着がこっちの心にも伝わってくるようなところがありましてね。

小島――学問的な興味と、さらに自分の存在論にかかわる興味が乗っかっていくので、その力ですよね。

岡野――そうなんです。自分の存在論と重なってくるんですよね。それが生き生きと発動する、そういう感覚がもっとも新鮮に発動するのがあの人の旅なんだろうと思うのです。

小島――それはよくわかります。だから、みんな旅に行きますものね。

黒人の旅の夜の深沈とした歌

岡野――先生は『万葉集』の初期の作品で、人麻呂、さらに高市黒人が好きなんです。黒人の旅の歌は何かそういう感じがありますでしょう。

小島――あります。不思議な感じがします。影がすっと過っていくような感じ。

岡野――〈何処にかわれは宿らむ高島の勝野の原にこの日暮れなば〉(巻3・二七五)、あれは琵琶湖を舟で行っているのではなくて、むしろ琵琶湖の西岸の北のほう、高島郡、今でも地名が残っていますが、あそこらへんを歩いていくときの思いではないかと思うんですけどね。舟で揺られていってもいいんだけれど。

小島――黒人の歌は地名の出方が普通とちょっと違うんですね。

岡野――そうなんです。〈何処にか船泊てすらむ安礼の崎漕ぎ廻み行きし棚無し小舟〉（巻1・五八）、地名が生きているのです。あるいは近江の都のことを悲しんだ、〈古の人にわれあれやささなみの故き京を見れば悲しき〉（巻1・三二）、単純といえば単純なんだけれども悲しみだけですーっと一本に通っている歌だと思います。当然、人麻呂もあそこを訪ねていって、巻1・二九の歌と〈淡海の海夕波千鳥汝が鳴けば情もしのに古思ほゆ〉（巻3・二六六）も作っています。

小島――「おうみ（あふみ）」の響きが全然違います。

岡野――違いますね。黒人の歌には夜の歌が多いと言うんです。夜、仮の宿りをして、魂が動揺しやすい。周りからまた、旅人の魂を動揺させるデモン・スピリットの働きかけがあって、そのなかで自分の魂をひたすら確かなかたちで保とうとする。その心がああいう旅の夜の深沈とした歌の調べ、あるいはことばにおのずから出てきているのだと言う。ああいうのも、これはやはり重くて苦しい旅の体験がないと出てこないですよ。知識であんなものは感じ取れるものではないので。だから、そういう思いをしながら旅をして、その思いを『万葉集』の歌と重ね合わせて、さらに自分の作品がそこから生まれてくる。そういう体験を幾度も重ねてゆく、ということになるわけです。

そういうのは学生のころ二十代のころの私にはなかなかわからないのですよ。

小島――岡野さんでもそうですか。

岡野――ええ。学生のころ、そのわかり方をしていたら、と思うのですが、わからなかったですね。先生が黒人が好きだということまではわかるんだけれども。

山本（健吉）さんはわりあいそれを嚙み砕いて書いておられる。そういうのを合わせて読んでいても、ああいう歌の深いものがわかるのはかなり時間がかかったと思います。結局、自分の存在感の根源みたいなものと響き合わせて、折口は実感していった。三十歳そこそこで書物にした『口訳万葉集』を読んでいますと、訳ですから細かく言っているわけではないんだけれど、やはり他の人と違うところに心が届いているなあという感じがいたします。

歌集『海やまのあひだ』は逆年順になっています。巻頭のほうに置かれている作品は、「アララギ」から出て、「日光」に入って、白秋や土岐善麿や古泉千樫など、気持ちの合った人たちと自由に文学論を交わし合えたり、作品を作ったり、文学の発生論などを「日光」に載せたりした時期のものです。あの時期には作品が「アララギ」時代よりも伸び伸びしてきますね。

黒人的な、あるいは人麻呂的な感じのする歌に近い独自な歌が出てくる。あの人は茂吉のようにはうたわない。黒人は人麻呂と比べるとしーんと沁み入るような心と調べがあって、そこのところがより深く日本人の古代の心のあり方と重なってきているだろうと思うのです。

小島――呪(じゅ)というものが黒人の歌にはとても強く感じられます。地名だけなのに、地名の中にもそれが感じられる。それは迢空の歌にも感じられる。不思議なことだなあと。

岡野――地名には、ライフ・インデックス（生命指標）が籠もっていると折口は言います。不思議な力ですね。

小島――歴史的なことは何も知らなくても、地名だけでぞくっとすることがあります。何だろう、これはと。

岡野――人麻呂の〈ささの葉はみ山もさやにさやげどもわれは妹思ふ別れ来ぬれば〉（巻2・一三三）ですが、われわれは「ささのは」でいいんだけれど、古代人が古代の韻で「つぁつぁのぱぱみやもつぁやにつぁやげども」と言うと違いますね。歌の持つ迫力が全然違ってくる。ああいうかたちで心にときどき反芻してみるのも大事なことです。だから〈われは妹思ふ別れ来ぬれば〉というところへ行く、その心理の過程が実によく響いてきます。

小島――（巻2・一三一、柿本人麻呂の）「靡けこの山」もよくわかります。

岡野――全くそうです。「靡けこの山」という、あの強い表現が。

小島――同じように、自然に移動を促すということで、額田王の「こころあらなむ隠さふべしや」（巻1・一八）というものと、人麻呂の「靡けこの山」とは、底籠もるものの強さが違うなあと思います。額田王は代弁者としての声調、声の届き方だなあと思うのです。

岡野――額田王は新しい教養、新しい文学性と古い呪的な力とを合わせ持っていた人です。そこはあの人の魅力で、近江朝廷でも重んじられたのはそれだろうと思いますね。

折口先生のつけた成績表

岡野――折口信夫はもう一つ、教育者としての独特の心を持っていたと思うのです。力と言いましょうか。

小島――それは学問だけではなく、トータルな人間としての教育者でしょうか。

岡野――そうです。大学を卒業してすぐに今宮中学へ赴任して、三年生のクラスを、今のことばで言えば年次主任のようなかたちで持つわけです。その連中が卒業するまでずっと持ち上がっていきます。校長が一年間で交代させようとするのですが、大変熱心に持ち上がりを主張して、ついには涙を流してまでその必要性を主張します。そのことは後に随筆に書いています。結局、その級を卒業まで三年間持ち上がって、彼らの卒業と共に職を辞して、東京に帰り、また猛烈な勉強をするのです。そのクラスの成績表が折口記念古代研究所に残っています。

そのころ、いちばん大事なのは全人格点みたいな、操行点です。学業成績を含めて、心のありよう、人間性みたいなものを綜合した評価です。だいたいそこには決まり文句が書いてあるわけです。一年、二年まで担任していた先生は「志操堅固」「行動闊達」といったきまり言葉で、型通りの評価をしている。

ところが、折口信夫が持ったところから全然違うんです。非常に丹念に生徒の身体的な特徴から、行動や表情、性格の内面を観察している。そのころの新しい心理学を取り入れている。性格を色分けで表してある。先生のところに行って、書庫を片付けていたらそれが出てきました。紫色は牧師の子どもで、小さく固定した宗教観、「伝習的」という言葉で言っていますが、鋳型に填め込まれた心で、自分自身の生き生きとした心の啓発がないと書いてある。

小島——思考パターンがそういうふうに育てられたということですか。でも、紫は高貴な色だと聞きますが。

岡野——紫といっても、いかにもどす黒い紫です。それを見たとき、あ、俺も世襲の神主の息子だから、こういう紫的な傾向があるのじゃないかなと思った(笑)。

先生がいちばん可愛がった伊勢清志は日の丸みたいな真っ赤な色で、「性純一」とか「髪の毛がちょっと縮れている」とか、そういうことまでびっしり書いてある。この人は教師になりたてのときから、普通の教師と違う、生徒に対して実にこまやかな心を注ぎ込む人なんだなあということがわかりました。

折口信夫宅での南島忌（春洋さんの硫黄島戦死を悼む祭）
昭和25年ころ。
左、弘彦。右、日光の矢島清文氏。

先生と牛島軍平さんのこと

岡野——初めて持ったクラスのその一年下のクラスに、牛島軍平さんという人がいました。先生がいちばん気楽に家へ来させて、遠慮なく叱りもし、教えもしていた人です。小さいころに疱瘡にかかって、顔があばたになっているんです。昔、種痘が完璧でないころはよく疱瘡に罹る人がいましたからね。そして、足も少し不自由で引きずっていられた。

その人が来るたびに半紙に、それをからかうわけじゃないんだけど、そういう劣等感を押しひしがせるためのしつこい揶揄を書く。例えば吉見の百穴の絵を描いたり。夏蜜柑のあばたを拡大したのを描いたり。それにまた一つ一つ、「ミッチャ　ミッチャ　ドミッチャ」とか、関西言葉であばたをからかう言葉を書いたり、それが何枚も何枚もある。短歌や俳句のしゃれた言葉で、創作的に手の込んだのもある。先生の家の押し入れの中を整理していて、ふっと見つけたんだけど、初め、「これ、何だろう」と思いましたね。

小島——逆の発想ですか。

岡野——そうです。見ているうちに涙ぐましい気持ちになってくる。よほど師弟の間の気持ちがこまやかでなければそういうことはできません。来るたびにそういう絵を描いて一枚ずつ渡している。そして、そういう劣等感を克服させよう、こだわりをなくさせようと。

小島――隠すのではなくて、発散させるのですね。

岡野――おっしゃる通りです。牛島さんがそれに答えることのできるような性格だったからでしょうね。

先生はとにかくメモをたくさん残しているんです。日常でも、講義や講演の原稿は書かない。手帳に簡単なメモを前夜に書きつける。電車のなかでも発想が湧いてくるとすぐ書きつける。そんな手帳が三百冊くらい残っています。沖縄の再訪手帳の厚いのが二冊あります。沖縄には二回、大正十一年とその翌々年と、行ってます。記録もかなりの量です。それも、聞き書きを立ったまま、歩きながらでも書きつけるから読めないんです。だんだん僕も読めるようになりましたが、牛島さんほどにはいきませんでした。全集編集中に牛島さんがじっくりと時間をかけて、沖縄再訪手帳を全部読み解いて原稿にしてくださった。

牛島さんは脚が不自由だった。その牛島さんが卒業すると折口信夫は、「沖縄へ行きなさい」と言った。沖縄の知っている人に「この者を採用しなさい」と言って、沖縄の教師にさせた。沖縄の遊女をズリと言うんです。江戸で言えば吉原みたいなところ、そのズリ町に牛島さんは下宿して、ズリ町から人力車で学校に通ったというんです。

僕は先生が牛島さんのあばたをしつこく題材にした「あばた帳」を最初に見たとき、ちょっとショックでね。お二人の間のことはわかっているけれど、いくら何でも荒療治すぎるんじゃないか。このしつっこさ。しかし、それでも毎回毎回、牛島さんはやって来て、先生から半紙に書いたものをもらって、温かい気持ちになってにこにこして帰っていったと思うんです。気持ちは単純ではない。自分の気にしている点を誇張して表現されるわけですからね。荒療治なんだけれど、それができる間柄を折口という人は、見事に作ってしまう人なんです。師弟の間に、なみなみならぬ愛情と信頼が流れあっている。

小島――信頼感が確信できるのですね。

岡野――そうなんです。「牛島みたいな弟子がそばにいると、僕も気持ちがのびのびするんだ」と言ってましたね。そういう師弟関係はやはり、よほど自分の中にマイナスの思いを耐えてきた重い体験があるからだと思うのです。

親元からの送金を教え子たちに

岡野――ですから、さっき言った、赤い日の丸のような性格で、実に純真であるという人たちは、先生が学校を辞めた後、自分たちも中学を卒業して、東京へ来るわけです。赤門前の昌平館という下宿屋の一階と二階、部屋がずらーっと並んだところに一緒に住む。塾みたいな感じで、金田一先生なんかが見て、「折口さんは私塾を開いている」と言われたらしいけれど（笑）。

先生はそこで親元から送ってきたカネを全部、平等に分配して、貧しい者も豊かな者も同じように生活させていたのです。しかし、だんだん借金ができて、二百円、五百円までいったのかな。とにかく借金でどうにもならなくなって、折口の実家から出してもらう。そのときの約束で、「東京での生活はやめて、大阪へ帰って来い」と言われたが、結局、それも帰らなくて、鈴木金太郎さんの下宿へ転がり込んで、そのまま東京へ残って、やがて國學院の講師になっていくわけですね。

そのなかで、萩原雄祐という人は一高から東大を出て、やがて東京天文台長にまでなります。この方もあまり、学費の豊かな学生ではなかった。いちばん苦学生だったのは伊原宇三郎さんです。後にあれだけの洋画家になるわけです。

そういう人たちが一方にいて、折口信夫は毎日毎日、上野の図書館へ通って、人が袷の着物を着るころになっても、まだ一重の着物で寒そうにして、上野の図書館の国文、国史関係の本を全部読んでしまうと言われるほどの文献を読みこんだ。

小島——教育者も今とはスケールが違いますね。

岡野——そうです。そのころからもう口述筆記をさせているんです。伊原宇三郎が筆記したものとか萩原雄祐が筆記したものとか原稿が残っています。萩原雄祐は字が下手だったらしくて、「実力はあるんだけれど字が下手で、答案が読みにくいものだから一遍、一高を落ちているんだよ」と先生は話した。秀才も一年浪人したんです。

小島——えーっ、字が下手で落ちるんですか。

岡野——「答案が汚くて、損しているんだよ」って、後々まで言ってました（笑）。だから僕も、できるだけ口述筆記の字はきれいに書くようにしていましたけどね。

そういう細部に眼のとどく教育者なんですね。人間を、ことに少年たちをすくすくと育てることに情熱を感じていた人です。

同性の若者に対する思い

岡野——明治四十五年八月、伊勢志摩熊野の旅行に今宮中学の教え子伊勢清志と上道清一の二人を連れていくのです。その旅中に、志摩の大王ヶ崎の尽端に立って、「妣が国・常世」の実感を持つのです。それはまた、「まれびと」の実感にもつながります。青年折口の両脇には、より若く純粋で燃える火のようなひたすらな心の少年が、折口と同じ感動を抱いて海原を見つめていた。この旅中、折口は鉄幹の『相聞』一冊をたずさえて行った。鉄幹が若き登美子と晶子と感動を共にしたような情熱を、折口は両脇に立って、得体の知れぬ感動に黙って耐えている少年の鼓動と共に感じ、深めていたはずなのです。その伊勢清志がやがて鹿児島の造士館高等学校に入った。純粋で真っ赤な日の丸のような性格の少年は、親元を離れ、師の膝下からも離れて、奔放さを知ってしまう。土地の芸者と初めて女性の体験をしたでしょう。夢中になって、生活が奔放になり過ぎるわけです。

それを聞いた折口は直ぐにも鹿児島に行きたいのだが、金がない。それで、中学の教え子で、東北のほうに就職している人のところまで行って金を借りて、鹿児島の伊勢清志の下宿へ行き、何とかして心を改めさせようとするが、どうにもならない。初めて女性に夢中になった若者は血が上がっているわけです。それで、「蒜の葉」という、読んで辛いような連作ができる。

つまりそういう人なんですよ。ホモセクシャルと言うといろいろな範疇のことがみな入ってしまうが、あの人の同性の若者に対する思いというのは、そういうところがありましてね。ですから、〈ふるき人　みなから我をそむきけむ　身のさびしさよ。むぎうらし鳴く〉、『海やまのあひだ』の扉に書いてある歌。あれ、寂しい歌ですね。

『海やまのあひだ』には「夜」という連作がありますでしょう。

小島――怖いような作品ですね。

岡野――ええ。矢作川の上流の過疎の村の、川の近くで住んでいる老人が毎夜毎夜、川原に出て、川原の石に一つ一つ、これは阿弥陀様、これは何々と仏の姿を見出して、祈っている。そのことを連作にしたものですが、うたっているうちに折口自身がそこへ入ってしまうわけです。〈水底(ミナソコ)に、うつそみの面わ　沈透(シヅ)き見ゆ。来む世も、我の　寂しくあらむ〉(『海やまのあひだ』)、自分自身がその老人の心というよりは水底の仏の世界へのめり込んでいるような感じです。

昭和27年7月　折口信夫と軽井沢に滞在中

小島——私はあの歌で初めて「沈透く」という言葉を知りました。
岡野——ああいう感覚も特殊ですね。どうにもならない感じなんだけれど、あそこまで行っちゃうのかと。
僕は「自歌自註」を口述筆記しましたけど、あれも、あの人の僕への教育が込められているんです。このことは後に話します。
最初、そんなふうに、わりあいにやさしい、自分の母親を中心にした家庭の思い出みたいなものをエッセイにして、筆記させるわけです。やがて、例えば現代詩の翻訳の問題、小林秀雄などの訳をまず最初に入れて、「詩歴一通」という高度な詩論など、筆記していてずいぶん勉強になりました。初めてまとまったものを筆記したのは『古代抒情詩集』です。記紀歌謡から万葉、古今、新古今までの秀歌。これなんかは非常に勉強になる。また、筆記が楽しいのですね。読み下して、訳と、それから鑑賞。あの人は鑑賞を非常に重要視してました。批評を込めた歌の心の取り込み方です。

その次が、最晩年になってからの「自歌自註」と最後の「民族史観における他界観念」になるわけです。

小島——道筋がありますね。

岡野——ええ。やはり理解しやすいようにと、段階を追ってくれるのです。

小島——大きく育てたいというようなお気持ちだったのでしょうか。

岡野——まあ、そうでしょうね。晩年の「民俗史観における他界観念」は難しい論文で、あれは本当に遺言のようなつもりだったと思うんです。そういうのを見ていても、広い意味での教育者だと思うのです。

小島——最初にそうおっしゃった意味がどんどんわかってきました。しかも、けっこう破格な面白さです。

岡野——そうです。一人、書生が来たから、それに随時、こちらの必要な仕事をさせようというのとは違うんです。

「若者を悲しまさむや。彼らは　よろしき」

岡野——それは家で使っている者にもそうでしたねえ。戦後、箱根の山荘のあたりの別荘地がたびたび泥棒に入られた。食糧やら衣類やら布団やら、置いたままですから。それが軒並みに荒らされたことがあったので、うちに番人みたいなかたちで居てもらった人がいます。昼間は仕事に出ているけれども、夜は必ずそこに来て泊まるということで、向こうも便利ですし、こっちも番をしてくれるからありがたい。だれか住み着いている気配があると泥棒は入りませんからね。二十歳ちょっと越えた兄と十八歳くらいの弟です。小学校だけ出たくらいで、親がいなくなって、兄弟二人で働いているのです。植林したところの枝打ちとか下草刈りとか、あのあたりは山仕事がありますから。その若者がずうっと居てくれたんです。初め、二度くらい食糧なんかがやられたけれど、その二人が来てから、そういうことがなくなったんです。

春休み、夏休みが来ると先生とそこで生活をしますからね。まとまって二十日とか、夏休みは四十日くらい行くでしょう。最後の日には必ず二人を食事に呼んであげる。そうするとまた、「芦ノ湖のブラックバスを釣ってきました」とか、「ナマズを釣ってきました」とか言って、持って来てくれるわけです。

ところが、頻々とよその別荘なんかに泥棒が入る。いつの間にか、「あの兄弟が怪しい」という噂が流れたのです。そこを管理している人は大和の大峰山の麓の洞川の人で、大和で吉野杉を植林していたベテランなんですよ。箱根の湖の周辺に杉を植林するために呼ばれたんですが、やがてずーっと居着いて別荘地温泉荘の管理をやっている。奥さんは関西弁のおばあさんで、先生と気が合う。二人のそういう噂が流れているのも、そのおばあさんから聞いていたわけですが、僕たちは若者からそんな気配を全く感じない。

　そうしたら、夏休みが終わるころ、小田原署の刑事が二人でやって来た。僕に兄弟のことをいろいろ聞くわけです。「どうもあの兄弟に疑いがかかっていて、こうして番をさせていられて、何か感じられることがありませんか」と言う。「全くそういうことはない」と僕はかなり詳しく話しました。僕が玄関で応対しているのを先生は襖一つを隔てて隣の部屋で聞いているわけです。

　刑事が帰っていってから、「岡野、君の応対はだいたいあれでよかった。でもね、もう一つ足りん。こうして何年か番人になってくれていて、一つの屋根の下で過ごしてきたんだから、『そんなことは絶対にありえない』と、言うべきなんだ。君の話には、身内の者を疑った者に対する怒りの情熱がこもっていない」と言うんです。こっちは年がら年中一緒にいるわけじゃないから差し障りのないところでと思ったので、「そういうことはわれわれは何も感じていない」ということは言い切ったが、先生のいう怒りまでは、込めていないのは確かです。

　しばらくしてから作った先生の歌に、〈艫(ロ)をおして　山湖(サンコ)に遊ぶ若者を悲しまさむや。彼らは　よろしき〉〈小田原の刑事巡査の　おり行ける道を見おろす。高萱(タカガヤ)の中〉（共に『倭をぐな』）がありました。なるほど、憤りの心を持って詠まれている。その刑事巡査が下りていった道は家の前から急な下り坂になっているんです。うーん。いい歌、力のある歌はこういう心でないと生まれないんだなあと思いました。

そのころ、〈悲しみは　湖岸の泥にゐる蟲を見つゝある間に、消えゆかむとす〉（『倭をぐな』）。

この歌もいい歌です。

先生は自分を清らかな心にしてくれるもの

岡野――もう一つ、大学の予科長だった石川富士雄さんという方は先生に対しては本当に誠心誠意だった人ですけれど、政治家的なところもあって、予科長として、学長補佐みたいな役割の上では少し画策をする人だったんです。それで、みんなが嫌っていたんだけれど、「石川君に対して大学の連中がいろいろ言っていることは僕、知っているよ。また、石川君が全くそういうことをしない人だとは思わないよ。でもね、そういう悪い点も持っている石川君が、僕に対してはそれをちっとも示さないで、いいところばっかりで接してくれている。それにはこっちもきちんとそのかたちで報いて上げなければいけないんだ」と言うんです。

小島――ああ、すばらしいですねえ、その考え方は。

岡野――ええ、すばらしいです。石川氏はボス的な人なんです。今の政治家にはあんなタイプの方すらいなくなりましたけどね。面接試験のときから僕をかわいがってくれる人だった（第二回のお話）。だけども別の面では、政治的に動く人なんだなあと僕も思ったりもしているわけです。そうすると先生がそう言うんですよ。ああ、そうか、それはわかるなあと思う。なかなかそう先生のようにスパーッといかないんです。やはり心の、激しさと言いましょうか、強さがないとそういうことをさわやかに押し通せないのですね。

昭和二十三年ごろ、折口信夫が「女帝考」を書くんです。ずっと前に「水の女」を書いて、それを少し書き改めたような論文だということになっているのですが、石川さんだけですけど、「あれは大変な論文だよ、岡野君。折口先生っていうのはただ単なる古典学者じゃないんだよ。今の時代、昭和天皇はもう仁和寺に籠もられたほうがいいという論が起こっているときに、先生は「女帝考」を考えていられるんだ」と。

今いろいろ皇室について言ってることはすべてあのころにもう考えてなきゃならないんですよ。それこそ将来の日本をどう保っていくかということで責任のある人たちはね。政治家たちももちろんですけど。でも、誰もそんなことを考えてなかった。そのときに、折口は「女帝考」を書いた。それがわかる石川さんもさるものだなあと思った。石川さんの「あれはすごい論文なんだ」ということばが心に焼き付いていて、ときどき考えていたんですけど、このごろだんだん、ああ、あのころ政治家の中で、もっと真剣にそれを考える人があったら、こんなになってないのになと思いますね。

折口信夫は、「石川君には石川君のよさがあるんだ。そのいい面ばかりを僕には向けて接してくれているんだから、僕も同じような心で接しなければいけないんだ。石川君にとっては、僕と付き合っているときだけが、たった一つ心を清くするときなのだ」と言うんです。僕なんか一生かかったってそんな突き抜けた考えは自分では生み出せない。

小島——いえ、いえ。でも、人間関係についても示唆を与えられますね。だって、どなたもがそういうことでいろいろ悩むんじゃないですか。今日もありがとうございました。

（二〇一二・六・一八　東京・如水会館）

【第7回】

折口信夫の二面性

昭和二十五年暮れ、國學院大学の講師就任が決まる

岡野——（一枚のコピー文書を広げながら）これは昭和二十五年のことです。僕を大学の講師にするときの折口先生の推薦文です。こんな文書を先生が書いていてくださったとは、私は全く知らなかった。先生が亡くなって数年たってから、教務部長をしている先輩の教授が「岡野さん、これはあなたの一生の大事なものだから、あげますから、持っていなさい」と言って、書類綴りからはずしてくれたんです。

「岡野弘彦／同人ハ、国文学ならびに、民俗学の研究者として、相當の業迹を具へて居り、殊に貴学における国学的方面の指導者として、十分の学殖と誠實とを持つて居ることを保證し、推挙致します。／國學院大学国文学第一研究室主任　折口信夫／國學院大学々長石川岩吉殿」

小島——たいへん貴重なものですね。これこそ一生の宝ですねえ。

岡野弘彦

同人ハ、国文学ならびに民俗学の研究者として、相当の業績を挙げて居り、殊に貴学における国学的方面の指導者として、十分の学殖と識見とを持って居ることを保證し、推挙致します。

國學院大學國文学第一研究室主任　折口信夫

國學院大學学長
石川岩吉殿

折口先生の推薦文

岡野――この書類を見て僕が一番心を打たれたのは、「殊に貴学における国学的方面の指導者として……」というところです。折口信夫その人が、国学最後の人と言われた三矢重松博士に私淑して、宣長から三矢博士に続く学統をひそかに自負していた人です。その先生が私の未来にこういう期待をかけていてくださったのかという思いは、衝撃のように心に響きました。そういうなかで、やがて國學院も大学紛争が激しくなりました。そういうなかで、学長の佐藤謙三教授から、国文学の私が「神道概論」の講座を持てと指名されたり、学生部の担当を引き続いて言いつけられたりしたのは、私にこの推薦状を渡してくださった教務部長の先任者であった佐藤教授も、この文面を見ていられたからだろうと思います。

迢空六歳のときの短歌

小島――今日は岡野さんからご覧になった迢空の作風の変遷などもうかがいたいと思います。

岡野――そうですね。おっしゃる通り、歌集によってわりあい感じの違う作風を示す人です。

第一歌集の『海やまのあひだ』は逆年順になっているわけですけれども、巻頭に大正十四年の歌が一首あって、十三年からの作品がずっと並んでいます。

どなたの場合もだいたい第一歌集でその人の印象が決まることが多いわけです。迢空もそうで、『海やまのあひだ』の、ことに始めの三年間くらいの作品は従来の歌壇の歌人たちの作品にないような、歌自体もそうだし、歌の題材になっていることが都会の歌人なんかには全く触れることのできないような境地ですね。離島や山間の僻地の、孤独な旅。

　山中（ナカ）に今日はあひたる　唯ひとりのをみな　やつれて居たりけるかも

　山のうへに、かそけく人は住みにけり。道くだり来る心はなごめり

九州の山村を独り巡り歩いた日々の歌、あるいは天龍川上流の村々を民俗採訪の旅をした歌など、「古事記」の、天上から追放された「すさのをの神」が人間界に降りてきて、初めてこの世の人間と逢ったときの感慨をまざまざと甦らせてくれる思いがして、何度読み返しても体がぞくぞくしてきます。ああいう歌を見た千樫や白秋、善麿等「日光」同人にとって、新鮮だったはずです。あの作品群は「アララギ」から遠ざかり始めたころで、「アララギ」風な写実的なかたちの表現のしかたとは違ったところから出てきていて、それだけに迢空的な歌の世界が濃密になっているわけです。やがて新しい仲間になっていく「日光」同人の人たち、みんな迢空の特色に共感してくれるわけです。ことにリーダー格の白秋が「黒衣の旅びと」という

文章を書いて。「黒衣の旅びと」という言葉の持っている感じ、これは不思議なことに少年時代から沼空にまつわりついている感じです。

先生の「自歌自註」は、茂吉が晩年になってから自分の歌のことを語っていたことの影響があるわけですけど、先生が急に「僕も自歌自註を語るから口述して」と言われたことから始まったんです。その始めのところで、六つのとき、叔母さんが東京から土産に持ってきてくれた「東京名所図絵」の扉のところに書きつけた歌があると言われる。休憩のとき、どういう歌ですかと聞いたら、「うん。〈たびごろもあつささむさをしのぎつゝめぐりゆくゆくたびごろもかな〉だよ」と。

小島——珍しい歌ですね。

岡野——そう。六つのときにそんな歌を作ってるんですね。「はあ、そうですか。初めて聞きました」と言ったら、「こんなこと言うの、僕も初めてだ」って。僕はそれをノートの欄外に書いておいた。それであの歌が残ったわけです。〈旅ごろもわわくばかりに春たけて茨(うばら)が花ぞ香に匂ふなる〉という、先生の好きな、江戸時代の歌人、加納諸平の歌があるんです。それに西行・芭蕉なんかのイメージが重なっているんでしょうね。

「アララギ」での沼空

岡野――「日光」の人たちには迢空が、「アララギ」から出て、自分たちの仲間に入ってきて示す作品が新鮮だったんですね、今までの感じとはちょっと変わっていて。柳田国男の民俗学の持っている気分でしょうか、白秋は惹きつけられるところがあったんでしょうね。

小島――白秋は全体を通して、浪漫派の気質は生涯抜けなかったですけど、意志とか思想とかそういうことは全然関係なく、肉体的に直感する力がとても強かった気がします。それが迢空の底深いところから出ているのにシュールな方向へ行くという感性とどこかで触れ合うものがあったのではないかと思うのです。

岡野――なるほど、それはわかりますね。丸谷才一さんがよく言うんですが、「折口が心引かれたのは白秋だった。あの若い日の詩と童謡に示したきらきらしい才能は、折口にとって大きな魅惑と羨望だったに違いない」。それもよくわかりますね。白秋の南国的な、明るく高揚した感覚と、迢空の幽暗で孤独に沈潜してゆく世界と。でも迢空も第二歌集の『春のことぶれ』になると、都会的で、食べ物や芝居に享楽的になる、浪速びとの面が出てきますね。

土岐善麿も迢空の学問、ことに中古から中世にかけての歌人たちの作品に対する折口の透徹した見方に惹きつけられたのです。だから、折口は「日光」では水を得たような感じがしただろう。「アララギ」がそんなに迢空を冷遇したというわけではないのですが。

迢空に、自叙伝あるいは自伝小説を書いているような感じの文章が二つほどありまして、それなどを読んでいると、「アララギ」の中で土屋文明さんと一緒に同人、そして選者に推薦されるんですが、そのときに、土屋文明さんは一度、即座に辞退するんですって。「自分は先手を打たれた感じがして、私もというふうに言えなくなって、恥ずかしいような気詰まりのような感じがした」ということを書いています。

沼空は『万葉集』や作品の批評をさせると非常に的確で激しい論を書く。これから「アララギ」が歌壇に勢力を大きくしていくためには貴重な研究者、論客みたいなところで沼空が引き入れられて、わりあいに遇せられただろうと思うのですね。

『万葉集』輪講会などの記録を読んでいますと、すでに『口訳万葉集』や『万葉集辞典』を単行本で出している折口の見方と、他の人たちの『万葉集』への理解の仕方とは、かなり大きく差があるのです。一方で茂吉が言っているように、「沼空の歌は癖がありすぎて、どうもあれは困る」という感じはきっとあったんでしょうね。それが、時間が経過するにつれて、赤彦の門弟とか、茂吉の息のかかっている人とかと複雑な軋轢みたいなものが起こってきた。茂吉の「釈沼空に与う」という文章は沼空へのもっぱら歌に対する批判ですが、「斎藤茂吉への返事」という文章でまた沼空は沼空なりに自分の歌の態度に対する主張をしている。ああいうのも茂吉と沼空の間は、それはそれで正面からものを言い合っているわけだけれども、それぞれ赤彦には赤彦の、茂吉には茂吉の門弟たち、沼空のほうにも沼空に深い関係のある人たちの間で「うちの先生は」という角突き合いが起こったりして、そんなのがまたいろいろな伝わり方をしてくることがだんだん多くなって、「アララギ」を去ることになったのだろうと思うのです。

「日光」へ移った迢空

小島――これまでこの連載で、迢空の教育者としての面をこまやかに教えていただいて、なるほど、そういう面があるのかと思ったのですが、創作者としての迢空を見ると、鑑賞も含めて独行者、「ひとり、自分の道を行く」という印象がとても強いのです。大きく浪漫派と「アララギ」派があって、他の人たちもいるわけですが、そのなかでタイプは違いますが、迢空と牧水などがひとりの歩みをして離れていった感じを、ずっと後の時代から振り返ると持ったりするのです。

岡野――そうですね。去るべき時が来て、自然に去ったという感じがしますね。「日光」では個性の多様な人が居て、刺戟が豊かでのびのびできた。「アララギ」で一番仲が良くてのんびり屋だった古泉千樫。千樫の歌は今はあまり言う人がないけれど、迢空は千樫の歌のよき理解者でしたよ。それから前田夕暮の歌の鑑賞も深かった。夕暮が亡くなった時の迢空の追悼は篤いものがあります。土岐善麿とのつきあいは、歌と学問の両面にわたって、戦後も死ぬまで続きます。これは後で、また触れますが、戦後歌壇における土岐さんと迢空の提携しあっての努力は、大きいものがあります。さっきの丸谷さんの言われる白秋への憧憬の思いは、より若いころのことで、「日光」のころになると、羨望よりも、よき同志、よき理解者という感じですね。

小島――作風からはあまりそういう感じは受けないですね。

岡野――迢空の〈山鳥の　道に出で居ておどろかぬところを　過ぎて、なほぞ　幽(カソ)けき〉（『遠やまひこ』）と、白秋の〈山道はおどろきやすし家鳥のしろきかけろにわがあひにけり〉。明らかに影響しあった点があると思うんですね。

小島――その歌は白秋の全体の中では白秋的な歌ではないですね。

岡野――ちょっと変わってますね。とにかく、『海やまのあひだ』がまとまって、「日光」へ行った迢空は、「日光」の中で精力的に作品を作り、文章を書き、日本文学の発生論など、研究論文を発表します。一遍に花がひらいたような感じになるんです。

小島――自由な感じがします。師弟を軸とした組織ではなかった。

岡野――そう。のびのびしてますね。そして第二歌集『春のことぶれ』が、『海やまのあひだ』とはかなり違った気分で展開する。

小島――タイトルがまたいいですね。

岡野――いいですね。そして、東京詠物集、大阪詠物集など、都会人としての生活者迢空があそこでくっきり出てくる。第一歌集と第二歌集は対照的なんです。

接し始めた時期に師匠が詠んでいる歌の世界が、弟子にとっては終生、印象深いものになっていくんですね。ですから、第一歌集のころに迢空に接していた、今宮中学での教え子たち、鈴木金太郎さんはじめ、何人かいるわけですが、鈴木さんが一番高く評価しているのは『海やまのあひだ』です。それから、これは都会育ちだから当然といえば当然なんだけれども、池田彌三郎さん、池田さんと仲のよかった加藤守雄さんは名古屋の人ですから、『春のことぶれ』が一番いいと言われるんです。

間に二つほど歌集があって、戦後は『倭をぐな』になります。僕などはまさしく『倭をぐな』の世界のとき、迢空に巡り会った。ですから、自分の歌、あるいはテーマにすることは、戦争と関係があり、あるいは戦後の世相と絡み合っていてぎこちないなあと思うんですけれど、それは『倭をぐな』の世界なんです。『倭をぐな』は戦死者への嘆きの歌が多いでしょう。それから、わが子をはじめ、戦死した未完成霊への祈りの歌、悼みの歌、憤りの歌が多いんです。私なんかも戦中派でこういうのは宿命的な巡り合わせで、自分で気がついていてもそこから容易に逃れ出ることができないんだなと思いますね。

ヤマトタケルのゴースト

岡野——親類の若い者が猿之助劇団の女形になってまして、この間、観に行ったんです。第一場はドタバタで、どうも気持ちがしっくりいかないなあと思って我慢して観ていたんです。そのうちにだんだんと引き込まれてしまった。梅原猛さんは最初、ものすごく長い台本を書いてきたんですって。もっとも、今はそれをうんと刈り込んで、何遍もあの劇団でやっているわけです。クマソタケルを討伐しに行って、イズモタケルのところは抜いてあるんです。そして、東国へ飛ぶわけです。恐らく梅原さんは執着深く丹念にそこを書かれたに違いないが。

やはりヤマトタケル、「大和」というのは日本人に取り憑いたゴーストだなと思って。帰り道に本屋に寄ったら、最近出た「戦艦大和」の図版の多い本があるんです。買ってきて、その晩、「戦艦大和」をずっと読みました。あそこにもヤマトタケルのイメージがかぶさってくるわけです。

いろいろな言葉で残っているんだが、真実の言葉はどれなのか。日本海軍が敗戦に敗戦を重ねても、しかし、大和だけは最後まで取っておこうと思ってたらしい。そうしたら天皇が、一番ストレートな言い方では、「大和はどこに居るか」とおっしゃったという伝え方と、「連合艦隊は何をしておるか」とおっしゃったという伝え方と、いろいろあるんですが、ともかくその

「お上の一言」があって、みすみす自爆しに行くことは誰でもわかっていたんだけれども、沖縄へ出航した。そして沖縄に行き着くまでに九州の沖合であんなふうなかたちで沈んでしまうでしょう。同じかたちの艦でも、名にこもる象徴力が武蔵と違うんですね、大和は。父の天皇から「死んでこい」と言われ続けるヤマト。

その晩、僕はヤマトタケルに憑かれたような感じになって、ヤマトタケルと戦艦大和の幻ばかり、夢にまで見続けていました。

あの猿之助の白鳥はぼろぼろで貧しいんです。だけど、そのぼろぼろの濡れそぼったような白鳥が、同時に変にリアルな感じで心に迫ってくるんです。ヤマトタケルのイメージはどうも、日本民族があるかぎりゴーストみたいに取り憑いて離れないんだろうと思います。戦中派の呪われた宿命で、死ぬまで背負ってゆく宿業ですね。

小島――武というものと情、そういうものを厳しいかたちで併せ持っている。それが日本人のある魂の形成にとてもよく結びついていると思います。

岡野――倭建命という日本風な書き方もありますけれど、日本武尊とも書きますね。伊勢の能褒野はもちろんだけれど、あのあたり、ヤマトタケルが白鳥になって、一時、羽を休めたところには白鳥塚ができます。あのあたりに行きますと、「日本武尊御血塚」と書いた大きな碑が立っていたりするんです。「血塚」って、いかにも生々しくてね。

ヤマトタケルは伊吹山の山の神の霊力に負けて、よろめいて辿ってきて、能褒野で力尽きる。そのとき、「わが足は三重に曲がってしまった。大変疲れた」と言った。そこから三重県という名前が……。

小島——えっ、三重県のミエはそこからきているのですか。

岡野——ええ。僕は子どものときから非常に悲劇的なイメージがヤマトタケルにはありましてね。白鳥になって点々と飛ぶわけでしょう。三重県のあのあたりに行くと伝承地があちこちにあります。芭蕉の「歩行ならば杖つき坂を落馬かな」もヤマトタケルの伝説地です。川柳みたいな句だけれど、ヤマトタケルを思うとあわれが出ます。

「古事記」には后たちや皇子たちが集まってきて、「七日七夜、あそびき」と書いてある。その話を聞いたころから、不思議な感じがしましてね。「あそぶ」という言葉の持つ不思議さが子どもごころにも異様な感じがするわけです。「あそび」は折口学の一つの大事な学術語なんです。歌もあそび、舞いもあそび、信仰もあそびですからね。そういうところ、言葉の持っている力みたいなのが無意識に子どもの心に影を落とすわけです。

先生の亡き後、「鳥船」から「地中海」へ

岡野——折口の短歌指導の結社の名前が全部、鳥なんです。いちばん早くは西角井正慶さん初

め、國學院における最初のお弟子さんたちが集まった「白鳥」。雑誌はタブロイド版で四ページくらい。それも四号くらいしか続かなかったのですが、「白鳥創刊のことば」は高度な熱い、迢空の言葉です。その次が「鳥船」で、予科、学部の学生たちだけでした。國學院の専門部が、高等師範部、神道部などあるんですが、その学生たちの「鵠（くぐい）」。みんな魂のシンボルの鳥にちなんでいるのです。そのなかでは「鳥船」が一番後まで続いたのですが、結局、春洋さんは戦死してしまったし、先生が亡くなって、慶應関係でやめていった人が多かったですね。池田さんも戸板さんも、加藤守雄さんもやめたし。それで、僕は「地中海」へ一時、身を寄せたわけです。

小島——それは何か思うところがおありでしたか。

岡野——香川進さんと、千勝重次という國學院の助手から務めて教授になった人がいて、その人が学生部長をやったとき、僕が補佐役になって、そこから僕の学生部関係の仕事が始まるわけですが、その千勝さんとか、慶應を出ていた塚崎進という鳥船社同人の先輩が香川さんと仲がよかった。香川さん、加藤克巳さん、山本友一さん、ああいう人たちと、前田夕暮門下の自由律の人たちも入ってきて、そのグループが香川さんを中心にして「地中海」を作るわけです。そこへ僕たちもしばらく入っていたのです。

小島——岡野さんの作風とはずいぶん違うようにお見受けするのですが。

岡野――そうなんですけどね。でも、片山貞美さんが「地中海」の編集をやっていましてね。「君の歌は格調がしっかりしていて、誌面が締まるから」とか言って、毎号原稿をせっつかれて出していて、だんだん引き入れられていったのです。だから、香川さんたちと気が合ったんでしょうね。そのうち小野茂樹君、石本隆一君など、早稲田を出た若手の魅力のある人たちが活発になりました。

また、僕は「泥の会」には入ってませんでしたけれど、「泥の会」の人たちと、ある時期、つきあったりしてたんです。何人かがうちへ遊びに来てくれたり。あのころの「泥の会」のなかでは、草柳繁一という人の歌が面白かったですね。それから山崎方代さんは、ある時「思いがけない金が入ったから、お礼にこれあげるよ」と言って一万円くれた。方代さんからもらった一万円は、あたたかくってうれしかったなあ。

小島――岡部桂一郎さんも「泥の会」ですね。

岡野――そうです。岡部さんの歌は、「泥の会」の気風が今でもありますよね。山崎一郎さん、金子一秋さんもなつかしい。そういう人たちはなかなか豪傑が多い。酒を飲んで、「酔余乱に及ぶ」みたいな（笑）。つまり戦中派なんです。宮さん、近藤さんなんかとも年齢も気風もちょっと違う。だけど僕は沼空のところにいたから、沼空が亡くなってからもあまりそういう歌壇づきあいがなくて、結局、「地中海」でしばらく歌を作り続けて、居させてもらったという感じです。

『口訳万葉集』を三月(みつき)余りで仕上げる

小島——岡野さんの第一歌集『冬の家族』は四十代ですね。なぜ、岡野さんは歌集をずっと出されなかったのですか。早くから歌を作っておられるのに。

岡野——沼空という人はなかなか厳しい人で、歌集なんてそう出させない人なんです。この前言ったけれど、編集者に「このごろ岡野もいい歌を作るようになったから、ちょっとこれ、一緒に持っていって、出さない？」とか、言うのは珍しいんです。歌集だけではなくて、研究の書物でも、若書きの書物なんてあまり出すものじゃないとよく言ってました。

自分でも三十のとき、『口訳万葉集』を出すでしょう。あれは本当にお金に困ってのことです。つまり自分のところへ集まってきた中学の教え子たち十人余りを本郷の下宿で面倒を見たわけです。金持ちの子どもは親がたくさん仕送りしてくれるが、貧しい家の子どもは全然仕送りしてくれない。それを共産主義みたいに全部平等に分配しているうちにどんどん借金が溜まってきて、どうにも身動きがとれなくなり、大阪の実家の番頭さんが来て、「その借金を整理する、その代わり大阪へ帰りなさい」ということになって、いちおうの決着がつく。でも、大阪へは帰らないで鈴木金太郎さんの家に転がり込むことになるわけです。

何とかお金がほしい。それで、そのころ小田原の学校に勤めていた武田祐吉さんのところへお金を借りに行ったら、「それじゃ折口、本を書け」と武田さんが言う。そこに居る間に、一晩のうちに『万葉集』の東歌四十首ほどを現代語訳をしてしまう。「その調子だ」ということになって、もともとは武田さんが書こうと思っていた企画を折口に回してくれたのです。

國學院の同級だった人たちで、宮内庁に勤めていた書家の羽田春埜さんはじめ三人の友人たちに午前、午後、夜と三交替で来てもらって、朝から晩まで口語訳をするんです。だから、あの『口訳万葉集』は一気に三月余りで四千五百首の訳ができ上がった。

小島――すごいですねえ（笑）。十年くらいかかりそうですが。

岡野――参考書は何もなくて、ただ、佐佐木信綱さんの文庫版程度の、『日本歌学全書』本の『万葉集』だけをテキストにして訳したのです。もちろん、あの人のことだから中学のころから読んでいるし、上野の図書館に通って、新聞のゴシップ欄に出るほどの読書をしているわけです。テキスト一つ、あっただけだというんですけどね。

あれは今読んでも、なかなか面白い訳だと思うんですよ。特に人麻呂の〈大君は神にし坐せば天雲の雷の上に廬らせるかも〉（巻3・二三五）の歌があって、それからしばらくして、大伴氏や他の官僚貴族たちの、〈皇は神にし坐せば真木の立つ荒山中に海を成すかも〉（巻3・二四一）とか、〈皇は神にし坐せば赤駒の匍匐ふ田井を都となしつ〉（巻19・四二六〇）とか、類歌がいっぱいできるわけですが、そういう歌と人麻呂のこの歌とは全然違う。

これは持統天皇、女帝さんがちょっとピクニックに出かけられて、大和の明日香の、名前は雷岳（いかづちのおか）といかめしいけれど、ぼさぼさっとした、今でも竹やぶみたいな山です。そこへ「廬（いほ）らせるかも」、小屋掛けをなさった。そういう歌だ。「大君は神にし坐（ま）せば」は雷と引っかけてあるわけで、誇張したレトリックを用いているけれども、ありがたい神様でいらっしゃるからって、ひれ伏すようなのとは違って、ユーモアなんだという読み方です。

小島――他の鑑賞はもっとものものしいですね。

岡野――ええ。それがやがて、豪族歌人たちのものものしい歌に変化していくが、人麻呂のこの歌は決して天皇を礼讃しているような歌じゃないんだと言っているんです。そういうところなど、あの時期の見方としては新しくて面白いと思うんです。

「若気の至り」で、絶版にされた三冊

岡野――それが出て、『万葉集辞典』ができるのですが、それは武田先生やその他、友人が四分の三くらいは書いてくれた（笑）。『口訳万葉集』上・下と、『万葉集辞典』と三冊できますが、自分でそれを見て、それはもう若気の至りの書物であって、非常に恥ずかしいと言って、絶版にしてしまいます。後の全集にはもちろん入っていますが。

でも、面白いんですよ。表紙なんか、香久山、耳成山、畝傍山と三つ、ちょんちょんと置いて、そのなかをふーっと蛇がうねったたような感じで飛鳥川が流れている。それは自分で描いたんです。見れば、あっ、大和だと一目でわかる図案なんです。

それと、あの人は高市黒人が好きなんです。人麻呂よりも黒人の歌のほうがもっと深いと言う。不思議な霊性のある人です。後に山本健吉さんがさらにそれを敷衍して旅の夜の鎮魂歌ということで書かれる。あのころの旅は、朝早く発ち、午後は三時くらいに終わって、その夜の宿りの設備をする。周りに魑魅魍魎が満ち満ちているところを旅するわけだから、そういう自分にいたずらを仕掛けたり、災を与えたりする土地の精霊を鎮め、さらに自分の魂そのものをも鎮める。そのために深沈とした調べと力のこもったマジカルな歌をうたうのです。それも、古い歌と、自分たちが旅中に作った魂の鎮めの新しい歌の両方をうたう。

それは人麻呂にだって、あるいは赤人にだって、多かれ少なかれあるわけですけれど、特に黒人に濃厚だと。それも『口訳万葉集』の中で感じとって言っているわけですね。だから、そういう意味では、新鮮で深く、しかも『万葉集』の歌を全部、口訳したのはあの本が初めてですからね。それをしかし、「自分の若気の至りであった」と言うんです。自分に対して非常に厳しく、そういうところが許せないんでしょうね。ですから、「卒業論文はすぐに単行本にして出したりするものじゃない」とよく言ってました。

角川源義さんの『悲劇文学の発生』はなかなか魅力があるんですが、あれは角川さんの卒業論文なんです。僕は先生のところへ行って、まだあまり時間が経っていないころ、先生の書庫を掃除してましてね。あの人は神経質だから、本を触って、上に埃があったりするともういやなんです。袂で口を覆って、一生懸命に埃を払うんですよ。「岡野、あの埃は何とかしておくれ」って言うんですけど、古い家で、上からざらざら砂埃みたいなのが落ちてくるでしょう。こっちにハタキをかけたら、そっちに埃が移動するだけで、今みたいに電気掃除機のような便利なものがないですからね。埃をきれいにして、新聞紙を上から被せるんだけど、本当にあれだけは困りました（笑）。

そんなことをしながら読み始めたら、面白いんですよ。「角川さんの『悲劇文学の発生』は面白いですねえ」と言ったら、「あれは角川の卒業論文だ。あんなものをすぐに出すなんて。若気の至りというのはそういうことだ」と言うんですよ。

小島――もっと熟成させてから出すようにとおっしゃるんですか。

岡野――そうなんです。それは自分の『口訳万葉集』への苦い反省が一つあったんだと思うんです。でも、お金が欲しかったんですよね、あのときは。

沼空の影響下で自分の作風を模索

岡野――沼空の『古代研究』はずいぶん待たれた本なんです。あれが國學院大学文学部の博士論文になったわけです。『万葉集』関係の論文がね。自分の著作に対してはストイックな人でした。

「鳥船」の先輩の人たちも歌集を出した人は、後にはありますが、当時はほとんどなかったですよ。春洋さんのも、戦死して、先生と伊馬春部さんと僕とで編集したんです。僕は「鳥船」ではわりあい早いほうなんです。一冊出したら、二冊、三冊くらいは出さなければ歌壇で認められないと思ったから、二冊目、三冊目はわりあいに早く出しました。僕が愛着がいちばんあるのは二冊目の『滄浪歌』で、かなり気負い込んで作りました。

小島――沼空の影響下にありつつも、ご自分の作風をどういうふうに考えていかれたのですか。

岡野――「鳥船」では、先生の添削が丹念なんです。まず第一、「、(てん)」「。(まる)」や「字あけ」はそんなに簡単に打てるものじゃないんです。意味で打つならばそれは簡単です。意味で打つときもあるけれど、むしろ調べで打つんです。そうすると非常に微妙で、ここで一字あけるべきかあけざるべきか、「、」にするか「。」にするか。

小島――不思議なつけ方をしてますものね。

岡野――非常に神経質にならざるを得ないのです。打ったのを先生が見て、全然、変わるときがあるんです。

それから、言葉の添削が厳しくて、なかなか手も足も出ないみたいな感じがあるんです。しかし、そのなかでも僕はわりあいに早く、その自縛から抜け出たほうだと思うのです。

昭和27年８月　折口信夫に従って、信州上山田温泉にて

先生が亡くなる間際のころですが、僕の創作意欲が盛り上がってくるのです。先生と二人で箱根に居るでしょう。先生自身がだんだん体が弱って、寂しいことを言ったりするわけです。「もうここで死ぬんだから、君もその気持ちになってくれないと僕が苦しくってたまらない」と。それで、いつも手帳を持って、先生の枕元で歌を手帳に書いていると、「おっさんは鬼みたいな人や。あれだけ歌に執着していた僕が、その歌すら作る気力がなくなっている枕元で、いつでも手帳に歌を書いている」。うわあ、何ということをしていたんだ。俺は鈍感だなあと思うんだけれど。

だけど、先生が「おっさんは鬼みたいな人や」と言ってくれた、これはひょっとして褒め言葉かもしれないと思ったりしてね。まあ、半分、そうなんですよね。同時に「小癪な」という気持ちもあるんだろうけど。そのころから、歌が急に気持ちが楽になったんです。自分の思いを自分の言葉で表現していけばいいんだと。

それから後も、二年くらい、先輩たちは「鳥船」を続けていたんです。そうしたら、僕の歌がちょっと変わってきたわけです。

例えば、先生が亡くなる少し前ですけれど、敗戦の体験を歌にした〈銃身の菊花の章を　潰せといふ。敗れし日より五日めのこと〉、「百日紅の花の下で三八式歩兵銃の菊の御紋を鏨(たがね)でつぶしている、その歌なんかの連作を出したときには、先輩が「ちょっと戦争を体験したといって、こんな甘っちょろいものじゃないんだぞ」とか、えらい辛い批評があったわけです。司会の伊馬さんが「批評、そこまで。先生、お願いします」といつものように言う。先生がその時めずらしく長い批評をしてくれたんです。

「表現の足りないところは確かにあるけれども、若い者がこんなふうに敗戦を感じて、精一杯、それをうたっている。それは認めてやらなければならない。鏨の音なんかを細かくうたっているけれども、こういう表現が三十年五十年経って、今のまま受け入れられるとは、それは思わない。よくわからなくなる部分もあるけれど、しかし、今、精一杯こうしてうたっている、その切羽詰まった思いの感じられるところは意味がある。少し厳しい批評があったけれども、若い者が敗戦をこんなふうに受け止めたという、そのことはわれわれの表現の型に嵌めないで見てやる必要がある」というふうな、わりあいに認めた批評をしてくださった。

それで、自分の戦争体験をもっとうたってみようという気持ちになって、先生が亡くなって後、一年くらい、そういう作品を続けていたんです。そのころ、ガリ版で刷っていました。前の号の作品にみんなが点を入れるんですよ。兄弟子たち、なかなかきつい批評をするんだけれども、僕の歌に毎月、点が入るわけです。七首くらい載せてたんですかね。それで自信がついたんです。なかには、「岡野の歌は鳥船調ではない」と言う人もいましたけど、「鳥船調ではないかもしれんけど、僕は僕のこの表現でいくよりしようがない」と思っていました。

小島――例えば迢空がご存命のとき、批評のなかで、心ひそかに「自分はそうは思わない」とか、そういうことはなかったんですか。

岡野――迢空の批評はこまやかで、説得力があるんです。自分は気がつかないけれども、なるほど、そう言われてみると、受け入れざるを得ないなという感じがあります。

小島――とてもいい師弟関係ですね。

岡野――そうなんです。

昭和四十一年、斎藤正二さんの文庫本の『戦後の短歌　〈現代〉はどううたわれたか』が出ました。そのなかで、僕の戦時羈旅という題で出した作品とか、学徒兵の体験を詠んだ歌を抜いて、評価して、批評を書いてくれました。あれにはずいぶん元気づけられました。斎藤さんは今でもご存命（二〇一一年没）ですが、今は短歌批評を書かれなくなった。まあ、そんなところから少しずつ、先輩は「鳥船調とは違う」と言うけれども、これはこれで、自分は行くよりしようがないんだと思っていました。

スサノヲの神の怒り

岡野――昭和十八年、文学報国会発足間もないころの会が奈良であったときに、その講演会の席で山田孝雄博士が「最近の土俗学の輩（やから）は」「土俗学の徒は」とか、言ったらしい。理事席には、柳田先生も折口信夫も出席していて、飲みかけていた湯呑みを摑んだままダダーッと壇上へ上がっていって、「山田さんッ、あなたが今、言った「土俗学の徒」というのは誰を指して言うのですかッ」と詰め寄ったら、山田さんが「いや、その、別に他意はなかったんです」と言って謝ったと言うんです。凄まじい見幕だったとか。しかし、そのことを先生自身は絶対に話さなかったですね。そこへ行っていた國學院の西角井さん、高崎さん、あるいは石川富士雄さんたちから聞いた話です。激しい人なんだけれど、その激しさを出すのは滅多にないんです。

最初に言った講師就任が決まったとき、僕なんか「喜びがないッ」と言って怒られた（笑）。出石に帰ってからお礼を申し上げると、なぜもっと早く喜びの気持ちを表現できないのかと。怒られたのはたった一度だけだけれど、そのときは本当に怖いと思いました。もともと憤りを激しく表現するときには徹底して激しくなる人です。僕はひそかに「スサノヲの神の怒り」と思っていました。まっすぐで濁りのない、ひたぶるな怒りなんです。

まだ若いスサノヲが、魂が鎮まらないで、「脚もあがかに哭きいさちき」という、あの猛烈な心荒（すさ）びです。「源氏物語」のなかでも、光源氏が激しく泣きますね。「この頃の男は心が純粋で激しいから、こうして泣くことができるんだ」と説明するんです。

年を経るにつれて、そんなことは次第に少なくなったんだけれど、それでも猛烈に激しくなったことが何回かあるんです。軍人たちや右翼と渡り合ったり、あるいは同じ学者仲間で、当道（とうどう）といって、「おめくら」さんが、特別に位をもらうための総元締めの華族があるんですが、その家に伝わっている当道関係の書物を、ある学者が「見たいと思うんだけど、折口さんが押さえていて見ることができない」ということを学会で言ったんですって。そのときもつかつかと壇上へ行って、「そんな卑劣なことを言うなんて。僕は人からそんな思いで恨まれるような執着なんか、書物に対して全く持たない。いつでも全部貸してあげますからッ」と叱りつけたと言うんですけどね。

小島——その場で壇上へというのがすごいですね（笑）。

岡野——そうですよね。ふつう、降りてきてから何か言ったりするもんでしょ。ところが、つかつかっと上がっていって、話の途中でとっちめるんです（笑）。そういう激しさのあった人です。

また同時に、ふだんは本当に物静かで、女形みたいな感じのするような、お辞儀のしかたなんかもそうで、「地中海」の山本友一さんは「迢空さんは嫌いだ。なよなよしている」って。先生が怒ったらどんなにすごいか、この人は知らないんだなと思って、聞いていました（笑）。

先生と二つの大学、國學院と慶應

岡野——折口信夫という人は二つの大学に教師になって行っているでしょう。しかも、かなり違った特色をその二つの大学は持っています。國學院大学は神道あるいは古典を中心とした古風な心のあり方をより大事にする学校。片方は福沢諭吉さんの開いた新しい学問、しかも実学的な情熱をもっている学校です。そのことはよく言ってましたけど、頼まれて、初めて慶應へ「信太妻（しのだづま）」の話をしに行って、発表した後、文学関係の人や歴史関係の教授たちが自分の発表したことについて自由に討論したり質問したり、あるいは反論を出したりしてくれる。こういう学問の場は自由でいいもんだとつくづく感じたと言う。

折口が國學院と慶應と二つの大学で教師をしていたということは折口自身にとっては非常にいいことだったと思うのです。三田の山の上と渋谷の若木が丘の上とでは、雰囲気が、気分が、なんか違うんですよ。國學院は戦争中の講演であったせいもあるけれども、「歌というものは国学の憂たみの声なんだ。世を憤る声なんだ」と、優れた国学者たちの歌を引いて話をすることがあって、それはそれでまた聞いていて、予科生の僕は感動したわけですけどね。そういう思いがあの人の学徒出陣の歌になって出るわけです。

慶應では松本信広さんという民族学の学者と折口が会話しているのがとても面白かったですよ。渋谷からバスで慶應へ行くことがあるんです。松本信広さんは堅い表紙の厚い本でも、表紙を引っぺがして丸めてポケットに入れていつでも読んでいるという人です。ちょっと探偵ポワロに姿が似ている（笑）。

三田へ行くと、西脇順三郎さんとよく話をしてたんです。西脇さんの博士論文は折口が審査員だったんです。そんなことがあったりして、西脇先生の家へは二度、先生に連れられて行ったことがありました。西脇先生は英国紳士のような感じの人ですよ。とっつきは怖いような感じがするけれど、非常にシャープで、やわらかい感じです。二人が並んで話をしていると、うーん、アカデミックで、しかも、詩的でいいなあと思うんです。

國學院では菊池武一という英語の先生、岩波文庫のシャーロック・ホームズの翻訳をしていますが、この二人がシャーロック・ホームズの話をしながら渋谷の丘をおりてゆく姿も楽しかったですね。

とにかく、慶應での雰囲気と國學院での雰囲気とが対照的であって、同時にまがうことなき折口の二つの面だなあという感じがしました。

小島――それは最初に伺った、まさに第一歌集と第二歌集の両面とも重なりますね。

岡野――地方の民俗生活に没入していく折口と、都会生活をシャイな感じで体験している折口との違いですね。

小島――それはやはり、古代性と近代性みたいなものの混沌としたものでしょうね。

岡野――ええ。あの人の人間性や学問の奥行きがそうなんだと思いますね。

でも、僕は先生の戦後の歌の世界は、憤り、あるいは怒りと悲しみの歌が色濃くなりすぎていると思うんです。〈うちむかうべアトリーチェにあらなくに陰(ほと)の柔毛(にこげ)とわが暗き影と〉というたった岡部桂一郎さんや、大野誠夫さんの無頼派的なポーズも、僕は心を引かれるんです。

前にも言ったように、戦争から負けて帰ってきた学生って、屈辱感に打ちひしがれていて、あのころのパンパンと言われる女性たち、教養もありながら戦後の貧しさのなかで身を落とさなきゃならない女性たちと不思議な共感があったりする。宮さんや近藤さんはそんなふうな気分をもう少し高めてうたわれたけれども、大野誠夫さんは、無頼的な身の落とし方みたいなものをわざと歌の上で……。

小島――リズムがわりと明るく、あか抜けていますね。

岡野――そう。リズム高らかにうたっています。あのロマンチシズムの、ちょっと屈折した感じ。僕はわりあい好きだったから、そんなのをわざと真似してフィクショナルにうたったこともあるんです。大野さんは熱海からよく電車に乗られるんです。だから、一緒になることが多いんです。「岡野君、どう、ビール飲まない？」とか言ったりして。

そのうちに大学紛争が激しくなっていったでしょう。これは教師としては真剣に学生たちに情熱を傾けないわけにはいかない気持ちに引き入れられました。

考えてみると、戦争中、僕らに青春なんてものはなかったんです。むしろ、あの大学紛争の時期、学生たちとつきあっているなかで、「ひょっとして俺はいま青春を感じているのかしら」と思ったりしたことがありました。

（二〇一二・六・一九　東京・如水会館）

【第8回】

折口信夫の万葉学・源氏学

現代の最後の国学者、三矢重松先生

岡野――今日は最初に『万葉集』の話をしまして、後半は『源氏物語』のことをと思います。古代研究の中にある『万葉集』関係の論文が対象になって博士号をとるわけです。だから、折口の研究は初めは『万葉集』ということになっていたのです。『源氏物語』のことを言うためには、折口が大事にしたもう一人の先生、柳田先生よりもう少し早くから心を寄せていた三矢重松先生の話になるのです。

三矢重松という人は國學院の草創期の学生だった人です。もともとは山形県鶴岡の士族です。鶴岡というところはみなさんもご承知のように文化的な雰囲気の豊かなところです。僕たちがよく知っている人では藤沢周平さんの出たところで、藤沢さんがいつもあそこを舞台にして作品を書いていています。そのほか、丸谷才一さんもあそこの出身なものだから、私と話していると、しばしば鶴岡の話になる。丸谷さんは自分の故郷に対しては冷たいところがあって、それはそれでよくわかるわけです。郷里の町だけれど、あの暗い戦前から戦中の、丸谷さんが深く嫌悪する時代を過ごした町です。それだけに風土色をはっきり持っているところなんです。亡くなられた先代のお殿様と私は懇意でしたし、黒川能は馬場あき子さんに誘ってもらって、何回も観ています。

しかし、三矢先生の謦咳に接したことがなくて。僕が生まれるころに亡くなってしまわれる。ただ、折口先生のところにいると何かにつけて三矢先生の話が出るわけです。ですから、何となくこの世のどこかで会ったことのある人のような感じがいつの間にかしていたのです。

神道では亡くなって十年、二十年、三十年というふうにお祭りしていくのですが、折口信夫という人はその十年の間が待てないのです。それで、間で十五年祭、二十五年祭とかをやっちゃうわけです（笑）。三矢先生のお祭りをするということになると、まず三矢家へ行きます。奥さんがまだご健在で、若いころはさぞかし端麗な、武家のお嬢さんだっただろうと思われるような方です。ご子息、あるいは女のお子さんもありましたが、みんな現代風というよりはいかにも武士の家のご家族だなという感じのする方々です。

三矢先生が学問と信念の上で武士的なものを持っていられる感じの人なんです。これは折口先生の歌なのかどうか本当はわからないのですが、僕の暗記している歌に〈四天王寺春の会式の人群れにまだうら若き君を見にけり〉という歌があります。

確か高崎正秀先生の話だったと思うのですが、三矢先生が大阪の天王寺中学へ赴任して来られて、その姿をまだ中学へ入りたてのころの折口先生が、天王寺の春の会式の人群れの中でちらりと見たという歌だよと。だから、折口先生の歌だと思っているのですけれども、先生の歌集にはもちろん残ってないし、そうだという証拠が全くないのです。若き日の少年折口信夫の胸に刻み込まれた、端然とした若き日の三矢重松。この話、いいでしょう。僕がいつか見た白日夢かもしれない。僕はときどきそんなことがあるのです。三矢重松は国学者の最後の人と言われた人です。学問もそうだけれど、それよりもむしろ、挙措、身体の在り方、あるいは容貌みたいなものがいかにも国学者という感じがして、端然としていた。

それと、僕が國學院に入って初めて聞いた折口信夫の講演でいちばん印象的だったのは、平田篤胤の話もしたわけですけれども、「国学とは気概の学だ」ということです。戦争中ですからね。これから戦場に行く若者たちに向かっての話ですから、多少そういう意識はあったと思います。そして、国学の慨（うれたみ）の声が和歌だ、歌だという、これはいかにも国学的で、十八歳の私の心に強くしみ徹った話でした。「日本人の歌とは慨の声である」。そのころから耳にこびりついていて、今でも多少、「俺は戦後の歌人の中では毛色の変わった慨の歌を必要以上に詠む歌人なのかもしれないな」と思ったりするわけです。

折口信夫は「歌の発生」という段階から、（歌は）自分たちのよき生活を神に願う、祈りと願いの声であったということはよく言いました。「忠君愛国」というような、型にはまった言葉とは全く違います。彼の古代学からにじみ出た言葉です。ただ、これはこれから戦場へ行く若者たちへの言葉なんだという意識もあっただろうから、それは少し、そういう時代というものを割り引きして聞いておいたほうがいいと思います。

平田篤胤はそういう例に引くにはふさわしい人なんです。宣長よりは篤胤のほうが一層あつい情熱家ですからね。そういう話の中で三矢重松という人のことにしばしば話が及ぶわけです。

折口先生が天王寺中学を受けるときの面接を担当したのが三矢重松先生です。実際に入ってみると間もなく、三矢先生は天王寺中学から東京のほうへ移ってしまっていて、中学で教えを受けることはなかった。

柳田先生に対する敬愛の心は、新しい民俗学という学問の道を開いてくださった先生ということですが、柳田先生は僕らが行ってもそうなんですが、「岡野君、専攻するのはどういう学問だね」と聞かれる。「はい。平安朝の国文学が好きでございます」と答えると、「うーむ。若いものがあんな時代の学問に情熱を注ぐというのはあまり望ましいことじゃないねえ。若者はもっと、学問の目的は自由にしておかなければ。ああいう女房文学などを…」とおっしゃるわけです。でも、こっちは折口先生からだいたい聞いてますからね。平安朝文学は女房文学だけで代表せられるような、少し好事家的な、あるいは退嬰的な、そんな学問じゃないはずだと思うんだけれども、とにかく柳田先生はそんなふうにおっしゃる。「若いものがそういうことに情熱を注ぐのはもったいないよ」と。

小島――それは『古今和歌集』とか、そういうのも含めての話ですか。

岡野――そうだと思うんです。あの先生は歌に対しても関心は深かったんだけれども、現代詩に持たれたような情熱とはちょっと違うと思うんです。柳田先生も旧派の歌人、松浦辰男、号萩坪の流れを受けていられる。

なくなったインバネス

岡野――僕は三矢先生という人を初めはよく知らなかったけれども、折口先生が三矢先生に対しては特別の気持ちを持っているんです。年の暮れになりますと、「三矢先生がいられたら今日あたり必ずご挨拶に伺うのに、もうこの世にはいられないからねえ」とか言ったりするわけです。「お二人の先生はねえ、柳田先生は学者としてはより大きくて素晴らしい方だけれど、なんか人間として在り方が違うんだよねえ」と言われる。「どういうことなんですか」と尋ねると、「ある、まだ貧しかった年の暮れに、うちから、これでインバネスを作れといって、ちょっとまとまった金を送ってきたんだよ。それで、新しいインバネスを作った」。暮れの二十八日がご挨拶に伺う日になっていたらしいんです。「三矢先生のところはああいう武士の家だから豊かではないんだよ。奥さんも武士の家の育ちの方だから実に清廉で質素な生活をなさっている。でも、年の暮れから正月にかけては門弟がご挨拶に来るから、奥さんが大きな鍋に大根と豚肉を煮ておかれて、必ずそれを出してくださるんだ。それがまたおいしく煮えているんだよ」と言われるんです。

折口先生はインバネスを新しく作ったのを着て、先生のところへ行ったんですって。これはみんなそうですが、袴を穿いて来る者は道路の埃を裾にくっつけてくる。だから、玄関を入ったところで袴を脱いで、室へ上がるんです。折口もやはりインバネスを脱いで、玄関を入ったところに置いて、上がったんでしょうね。そして、年の暮れから正月への、奥さんの準備しておかれた大根と豚の煮染とお酒など少しいただいて、帰るときになってふっとみたらインバネスがなくなっている。空き巣狙いみたいなのが来て、玄関に置いてあるのをかっぱらっていったんですね。

小島――えっ、玄関に鍵はかかってないんですか。

岡野――ええ、昔の一戸建ての家は、昼間はあまり鍵をかけません。ましてお正月は。そうしたら翌日、先生が来られて、「うちへ来てくれて、うちの不用心でせっかくのインバネスがなくなって、すまなかった。これはわずかだけれども新しいものを買う足しにしておくれ」と言って、お金の包みを持って来てくださったが、そんなものをいただけるわけがないじゃないの。涙がこぼれそうになって、先生に持って帰っていただいた。「折口、ありがとう」と言って、先生がまた手を握って帰っていかれたんだ。その翌日、柳田先生のところへご挨拶に行ったら、いきなり玄関のところで、「折口君、この寒空に君はコートも着ないで来たのかね」と言われるんだよ。お二人の先生はねえ、そういうところが違うんだよ、と言うんです。それは非常によくわかります。三矢文法と言われたほどの体系を持った文法の先生でしたけれど、何より国学者としての気凛の高さと気概の激しさという点で秀でていた人なんです。そして何より『源氏物語』の心が深くわかっていた。

「折口はあれでいいんだ」と三矢先生が

岡野――三矢先生は折口の学問に対して、あたたかい理解を早くから持っていられた。

応神天皇に三人の皇子がいますでしょう。真ん中の大鷦鷯(おおさざき)皇子が仁徳天皇になるわけですが。父の応神天皇は末っ子の菟道稚郎子(うじのわきいらつこ)が気に入りで、末っ子に次の位を継がせたかったわけです。兄のほうが少し邪(よこしま)な心を出すわけです。それを大鷦鷯皇子が察知して、父の意志を継がせるようと、弟を庇護する態度をとります。結局、二人が譲り合って、大鷦鷯皇子のほうが天皇になるわけです。

小島――〈難波津に咲くやこの花冬ごもり今は春べと咲くやこの花〉（王仁）ですね。

岡野――そうそう、その祝福の通りになるのです。その大鷦鷯皇子のほうが位を継ぐか、菟道稚郎子が位を継ぐかというところ、折口は演劇的な作品にする。そのとき、難波の浦に出て、海の彼方から聞こえてくる神秘な声、神秘な囁き、神の啓示の声を聴く力を誰が持っているかということで皇位の継承が決まるという筋立てで書くわけです。それを三矢重松が読んで、「古代学の深い啓示が感じられる」と褒めるのです。そういうところが、ただ単に固い文法学者という面だけではないところがある人だと思うのです。

その三矢重松さんの〈價（あたひ）なき珠（たま）をいだきて知らざりしたとひおぼゆる日の本のひと〉はいかにも国学者らしい歌です。「無価の宝珠」という逸話が中国にあるでしょう。値などつけられない、この上もなく尊い宝物の宝玉を持っていながら、その真価を知らなかった、そういう譬えが思い出される。日本人が『源氏物語』というこの上もない宝を持っていながら、その真価に気がつかないでいるという歌です。日本人は古くから何でも支那から学んだのだと思っている。ところが物語文学においては、支那の男が戦争ばかりくり返している物語に対して、『源氏物語』は美しく人情こまやかな愛の物語で、これこそ無価の宝珠である。それを、僧侶や漢学者の批判に従って、日本人自らがその宝物に気づかないのは愚かなことだというのです。

小島――和歌のことかなと一瞬、思ってしまいました。

岡野――『源氏物語』のことなんです。三矢先生は文法学者だけれど、また『源氏物語』の研究も熱心です。今でも國學院の折口古代研究所に三矢文庫というかたちで、三矢先生が集められた『源氏物語』関係の古い注釈書が残っています。

「師の道をつたふることも」

岡野――これは先年、松阪の本居記念館の館長さんから聞いた話です。本居宣長が亡くなって、東京の本居家では、あの精密な遺言のかたちで宣長さんの命日には三矢重松先生が中心になって、学者たちを集めてお祭りをしていられた。大正十二年、三矢さんが亡くなったとき、今後この役を誰がしてくれるのか心配だと、本居家の当主の清造さんが日記に書いていられるそうです。折口もきっと、三矢先生に従ってその祭りに出たはずです。だから、三矢先生が亡くなると、その形を継いで、折口先生は三矢先生の祭りを行ったのにちがいないのです。熟饌(じゅくせん)と言いますが、われわれがふつうに食べるようなかたちの料理を作って、供えて祀る祭りです。

そして先生が亡くなるとその翌年の大正十三年から、三矢家の許しを得て源氏全講会を國學院で復活させる。ただそれが昭和三年四月からパッと慶應へ持っていくのです。そのときの理由は自分でははっきり書き残していないのですが、ちょうどそのころ、歌集『春のことぶれ』の昭和三年一月発表の「冬草」という題の連作がありまして、國學院の学問に非常に深い憂いを抱いて嘆いている歌です。一部を抜いて記します。

冬　草

十二月十八日、粉雪しきりに降る。國學院の行くすゑ、思ふに堪へがたし。晝過ぎて霽れ、わびしけれども、心やゝ朗らかなり。

還り來む時を
なし　と思ふ。
ひたぶるに
蹈みてわが居り。
　冬草のうへ

學校の庭
冬ふかくそよぐ　草の穗や。
なにを　はゞかりて居たる

我ぞも

なにゆゑの涙ならむ。
つくばひて
我がゐる前の　砂に
落ちつゝ

休み日の講堂に　立ちて居たりけり。
見る〳〵に、
こゝろ
かろくなるらし

きのふは、おのれ、源氏物語全講會の事をつぎて後、四年目第二學期の最終日なりき。

十日着て、
裾わゝけ來る　かたみ衣。(ギヌ)
わが師は
つひに

とぼしかりにし
師の道を
つたふることも絶えゆかむ。
我さへに
人を　いとひそめつゝ

小島——沼空には珍しい、悲劇的な思いの歌ですね。

岡野——全く、そういう感じがします。『源氏物語』は中世のころから「風俗壊乱の書だ」と言う僧侶たちや漢学者たちの批判があるわけですが、そういう風潮と同じような、ことに皇統の乱れというテーマがありますから、そういうことに対する反感があって。

小島——モデル問題とか、いろいろ出てきました。

岡野——三矢重松という人の国学者的雰囲気は、ある迫力を持っていたと思うのです。だから、「三矢ならしようがないが、あの『古事記』を叙事詩だなんて言う折口では」というふうな批判があったんだろう。

小島——おいくつくらいのときですか。

岡野——四十歳になったばかりで、老学者たちから見れば若造です。それで、折口は決断してパッと慶應へ持っていくわけです。慶應では折口信夫の学問を非常に大事にしてくれましたから。折口信夫が慶應でした最初の学問的な講演は信太妻の話です。新しい学問に対して慶應は歓迎する気風があります。それで、慶應へ持っていって源氏全講会をやるわけです。

初めからその場所だったかどうかはわからないけれど、僕らが戦後、聴くようになったころは演説館という、慶應では象徴的な場所です。福沢さんが門弟たちに演説を訓練させた、なまこ壁の蔵のような感じの建物です。たしか東京都の文化財になっているので、あの周辺でタバコを吸ってはいけないと言われた。そこで、三時間くらいぶっ通しで講義があるんです。

弟子の講義の口述を授ける

岡野——前に言いましたように、私は昭和二十六年に國學院の講師に推薦してもらって、なるわけですが、そのときに最初に教えたのが『源氏物語』と「作歌」です。『源氏物語』を最初に教えるなんて、なかなか荷が重い。

ところが、これは有名な話になっているからご存じの方も多いでしょうが、自分の家に置いている教え子が教師になって講義をするということになると、先生は前の晩、きちんと時間を計って、一部始終、講義をしてくれるわけです。

小島――それは羨ましい。

岡野――それは僕、知ってましたからね。僕の前に先生のところにいた加藤守雄さんには専門部の、近代文学を講義させたのですが、「このまましゃべるんだ。余計なことを言うんじゃないよ。もし、時間が余ったら、今日はこれで終わりと言って帰ってくるんだよ」と言われたので加藤さんはびっくりしたらしい。しかも、加藤さんのときの最初の講義に自分はもちろん、西角井正慶さん、藤野岩友さん、高崎正秀さんなど兄弟子たちも連れて、「加藤の講義を聴きに行ってやろう」と誘う。つまり、あんな先生が聴きに来るんだから、よほどこの先生の講義はすばらしいんだと学生が思うだろうと思っているわけですよ。

「これでちょうど時間が一杯になるはずだ。余っても、何も余計なことを言うんじゃないよ」って、先生が前の晩に言った。「学生はきっと、新しい先生を試してやろうと思うに違いないから、質問が出たら即答するんじゃないよ。次の時間までによく調べておくからと言いなさい。黒板なんかにすぐさま字なんか書くもんじゃないよ」と。

これは僕の初めの講義のときにも同じ戒めのこととして聞かせてくれたんです。「加藤のときは、学生の中に「完璧の壁という字はどんな字でしょうか、先生」と言うのがいて、すぐにあれは壁という字を書いたんだよ。だから、気をつけるんだぞ」と僕に言うんです。後で加藤さんに同じ話を聞きましたけどね（笑）。

小島——学生はわざと聞くんですか。

岡野——そうですよ。そのころは学生もわりあいに勉強しているのがいて、何とか新しい先生にボロを出させてやろうと思うわけです。僕は「余計なことを言うんじゃないよ」と言われているから、勝手なことが言えないんです。それで、「今日はこれで終わり」。

先生から、「桐壺」の巻は「長恨歌」がわかってないと構成は本当に理解できない。それで、「長恨歌」を講義するから、「長恨歌」をノートへ行をあけて清書しておきなさいと言われ、清書したんです。それで、学校へ行ったり、会議へ行ったりするとき歩いている途中で、僕が「長恨歌」を読む。それを聞いて、先生が即座に正しい読みと意味を口述してくれる。あの人は「長恨歌」も全部暗記している。そんなふうにして「桐壺」を全部、先生から講義してもらいました。

小島——それはいいですねえ。「長恨歌」は「桐壺」と「幻」に響き合ってますね。

岡野——そうです。そして翌年かな、どうしても郷里へ帰らなきゃならないことがあって、三日ほど帰ったんです。ちょうどその時、僕の講義の日に当たってた。先生は何も言わなかったんだけど、帰ってきて國學院に行ったら、学科長が「岡野さん、折口先生があなたの源氏の代講をしてくださったんだよ」と言うんです。弟子に代講させるということはよくあるが。僕が行くときには何も言っておられない。帰ってきても何も言わないんですよ。うーん、学生たち、わかってて聞いてたのかなあ。

小島——辻褄はうまく合いますね。もともと先生が教えてくださっているものだから（笑）。

岡野——そうですよ。自分が教えたようにやらせているわけですから（笑）。

昭和28年　折口信夫と修善寺にて

だから、ちょっとたまらないところもあるわけで、春洋さんの『伊勢物語』の講義を聴いたけれど、あまり顔を上げずノートばかり見ておられる（笑）。

『伊勢物語』の講義をするときの春洋さんの講義も全部、先生の口述です。先生が亡くなった後の全集（十巻）に『伊勢物語』の講義を入れたんです。僕は春洋さんの『伊勢物語』と『古今集』の講義のノートをもらってましたから、それが一つの巻になっています。

春洋さんは能登の人で、筋肉質で引き締まった体の人で、少し顔色の青いような感じの人でした。泳ぎなんか巧かっただろうな。力もあったらしくて「鳥船」の中では一番力持ちだったという。体はスラーっとしているんですけど。

昭和十八年、戦争中ですから、出席簿を読むとき、名前を呼びつけにする先生が多かった。それから、陸軍士官学校の教員で國學院予科の教員を兼ねているような人が軍服でやってきたりした時代です。そういう人はほとんど呼び捨てですよ。ところが藤井先生は「さん付け」で呼ぶので、ちょっと惰弱な感じがするわけです。だけど講義は謹厳な雰囲気だから、からかったりする者はいませんでした。

ただ、講義はちょっと憂鬱そうだなと思ってたんです。結局、先生の「余計なことを言うんじゃないよ」という声がいつでもおっかぶさっていたんだろうな（笑）。それは「いくらちょっとした才能があっても若書きの本なんか出すもんじゃないよ」というのと同じような、若い教師になりたての者に対する配慮があったんだろう。「学問、特に『源氏物語』のような内容の深い古典の講義は、そんなに甘いもんじゃないんだよ」という気持ちがあったと思うんです。

小島――弟子というものに対する強い思いがきっとおありだったんでしょうね。

未完成霊をどうするか

岡野――折口先生は、国学者的な、謹厳な面ばかりではなくて、日本人の精神史の重要な問題と関連づけて『源氏物語』を広く自在な気持ちで読んだ人です。

『源氏物語』について先生自身が論を書くようになったのは、戦争末期のころから戦後にかけてです。それまでも、もちろん講義はしていたんだけど。『源氏物語』を講義するときだけは必ず、先生は予習をしていくんです。『万葉集』はだいたいみんな頭へ入っているから、僕の居たころは予習なんかしなかったんですけどね。でも、『源氏物語』だけは、和本の『湖月抄』を前の晩に声に出して読むんです。ちょっと調子をつけて、静かに読んでいくんです。

小島――戦争中ですから、恋愛物語という観点から読んだら弾圧されることはないんですか。

岡野――ああ、それは、軍人や役人は『源氏物語』までは読まないから。ただ、谷崎潤一郎さんが中央公論社から口訳の『源氏物語』を出すときは、藤壺密通事件のところなどは不敬の書だとか言って問題になった。それで、現代の平田篤胤とかいって、強持ての山田孝雄さんが監修者ということになって納得させたわけです。だけれども、講義をすることにはべつに。また、そのころは國學院で折口に正面から異を唱えることなんかできないような力を持ってましたからね。ただ、神社本庁が近くにありまして、そこにはまだ、多少は国粋的な人がいたわけですけれど、あからさまに異を唱えたりすることはなかったですね。

また、折口はうまいんですよ、そういう雰囲気を察知して、つまらない揚げ足を取られるようなことがほとんどない人なんです。折口の「民俗史観における他界観念」という論文の一つの大きなテーマは戦死者の魂をどう鎮めるかという問題、これは今までのあの人の学問の中にあまりなかった。もちろんそういう怨霊信仰は昔からあります。壬申の乱のとき、天智天皇の後継者である弘文天皇なども伯父によって殺され近江朝廷は滅ぼされる。そういう鎮まらない、非業の死を遂げた魂は昔からあるわけで、そういう非業の死の魂を鎮める力ある言葉、あるいは祀り方というものがあるわけです。

それの典型的なのが怨霊信仰です。菅原道真という大きな魂が、非業の死を遂げるわけでしょう。僕がまだ四十代でしょうか、太宰府天満宮へ参ったとき、宮司さんが案内してくださった。「岡野さん、この御本殿の下は墓なんですよ。道真の鎮まらない魂を埋めてある墓なんです」と。あそこは墓とお寺と神社としての要素が重層しているわけです。戦後になって寺にするか神社にするか。神社にするほうを採ったから神社ということになるわけですが、神仏習合の考え方でいけば生々しい怨霊を鎮めてあるわけです。そういう怨霊信仰というものが平安朝の末くらいから中世にはっきりしたかたちで出てくるわけでしょう。

戦争があると、その怨霊信仰の対象になるような不遇な魂が多数に発生するわけです。そして、人々はそれに直接関係があろうとなかろうと、時代を同じくしたもの、あるいはその時代から少し後の時代の人々はその不幸な魂の浄化と鎮魂を願って、鎮まらない怨霊のために祈るのです。

戦争が今度のような大きなかたちで終わった後、その意識は非常に深く強いわけです。折口はそれを「未完成霊」ということばで言うんです。完成した死を遂げなかった、不完全なまま中道で命を絶たれてしまった魂、それは後の時代の者たちがその完成を祈ってやらなければ完成しない。あれだけの多くの魂が未完成霊として言ってみれば宙に迷っているわけです。

ところがそれをまた、知恵者といえば知恵者なんだけれど、天皇の力によって、天皇のおんために死んだということで、いわゆる一夜にして神になるという論理を新しく戦中・戦後に考えてきたわけでしょう。一夜にして神が生じるという信仰は日本人の神観念の中にはないわけです。しかし、それが今度の戦争のさなかに声高に提唱せられた。天皇のおんために死ねばすぐ靖国神社に神になって祀られるんだという、そこのところが今でも靖国問題としてあるわけで、しかしそれは古来からの日本人の神観念の上から考えても無理なんです。その問題は今でも解決していません。

だから折口の最後の論文、「民俗史観における他界観念」の一つの大事なテーマは未完成霊をどうするかという問題です。

小島——岡野さんがずっとうたい続けておられるのもそれですね。

岡野——そうなんです。われわれがまず祈らなければ、あの人たちの魂は完成しない。自分たちの親兄弟、子孫に見守られて平安な死に方をしていく、そういう魂はわりあい早く浄化し、神になるわけです。それでも三十三年かかるとかと言うわけです。ですから、まだまだ戦争によるあの多数の未完成霊は鎮まってないわけです。そのことと今度の天災とを重ねる必要はないんだけれども、しかし、そういう暗黙の心にかかってくる重い無言の圧力というものは当然、われわれ、持っているのが自然でありまして、そういうものを全然意識しない民族はあまり将来性のない民族じゃないかと思うんです。昭和天皇は言うまでもなく、今の天皇・皇后が常に一番重く心にかけていられるのも、戦争による死者の魂の鎮めと、そのための祈りの問題です。

そういう問題も戦後になって新しく折口が、これから考え、われわれがいつでも心に持っていなければならない大きな問題として執着するわけです。「民俗史観における他界観念」はそういう幾つかの新しい問題について考えた論文なんです。

ウル『源氏物語』の復元を

岡野――折口は戦後に次々と『源氏物語』に関する評論的な文章を書くのですが、その最初のもので、昭和十九年ごろ、何のために、誰のために書いたかという目的のはっきりしない原稿があるんです。山本健吉さんが持っておられて、後に折口全集には収まっています。題は「日本の創意」で、―源氏を知らぬ人々に寄す―という副題がついている。どうもしないの人にむかって書いたという意図の読みとれる論文、あるいは、日本人で漢書や西欧の文学は知っているが、『源氏物語』を本気で読んでいない人を啓発しようとした文章だと思われます。

もう一つ、もちろんそれ以前から考えていただろうし、僕が居たころになってもときどき言っていたのが、「『源氏物語』は長すぎる。三分の一くらいだと、もっと人がよく読むんだ。そのためには今の『源氏物語』の元の、ウル『源氏物語』というものを考えなければいけない」ということ。僕ははじめ、ウル『源氏物語』というものを単純に考えて、一人の作家が最初に持った腹案みたいなものかと思っていたのですが、そう単純じゃないのです。ここ十年余り、私は『古事記』と『源氏物語』とを別々のところで並行して講義しています。先生は『源氏物語』のもっと原型のような、あるいは『古事記』の神話に近いような、そういうものからずーっと続いてくる日本の物語の脈絡を考えていたんだろうなと思うんです。民族の心の中で長い年月をかけて育ててきた……。

小島――精神史みたいなものですね。

岡野――そう。まさしく日本民族の精神史を語る物語のようなもののエッセンシャルなものがあるべきだ。『源氏物語』は優れたものだけれど、何といっても長過ぎてカットしたって差し支えない部分がずいぶんあると考えていた。紫式部が初案に持ったようなものが、だんだんに伸びていったと受け取ってしまうと、非常に単純だが、そうじゃないと思うんです。

三矢重松という人の学問を受け止めて、さらに折口的なかたちで『源氏物語』をより深めていくと、そういうことが気になってきてしようがなかったのだと思います。それで、自分でウル『源氏物語』を『源氏物語』の中から切り出してこようと思った。それで、改造文庫の『源氏物語』の各ページに一枚一枚半紙を継ぎ足しましてね。僕が行くよりも少し前に誰かに作らせたんですね。

しかし結局、ウル『源氏物語』をそこから抽出して書いていくということはなかった。紙を継ぎ足したものだけが残っているんです。もう十五年ほど長生きしてもらったらできたかもしれない。その思いは恐らく三矢先生から発端を開かれたものだったんだろう。

小島――そうすると、物語文学としての流れを見たとき、『竹取物語』『宇津保物語』とかいろいろありますが、そういう流れの中で見た『源氏物語』と、今おっしゃった日本の『古事記』

までさかのぼる精神史の問題から眺めたときの『源氏物語』は、また違うジャンルかなと思うのですが。

岡野——そうですね。『竹取物語』や『宇津保物語』などから『源氏物語』、それから、その後の物語となると、『源氏物語』は見事な頂点なんです。『伊勢物語』は短篇歌物語としての凝縮力があるけれど、やはり『源氏物語』には目の醒めるような見事な展開があるわけです。

小島——『伊勢物語』はやはり歌ですね、中心は。

岡野——ええ。歌物語です。歌を核にした印象よりももっと広がった、物語としての展開という点では『源氏物語』は見事です。ところが『源氏物語』の後の物語の凋落ぶりは驚くべきものでしょう。折口はあの『源氏物語』の中から、もう少し結晶度の高い原石が掘り出せるんじゃないかという気持ちを持っていた。

小島——それはでも、野望ですね。もし、それが完成したらすごいですよ。

岡野——あの人は第二・第三の『死者の書』も計画していて、書き出したものが四十枚ほどあります。その一つは時代は平安末から中世、悪左府頼長が高野山に登って、弘法大師の眠っている祖師堂を開かせるという、それだけでも背中のぞくぞくするような話です。

亡くなった後の先生の心残り

岡野――戦後の一つの学問の上の執着は「民俗史観における他界観念」という論文の中にある問題が大きいわけですが、『源氏物語』のウル『源氏物語』というものを復元してみたいという思いがまた大きかったのです。

もう一つ、柳田先生と『万葉集』についての対談が、ついに実現しないまま、折口先生が亡くなったことです。平凡社から『万葉集』関係の本を出す計画があって、その最後の巻に二人の対談を載せるはずだったんです。ところが、先生の体がだんだん悪くなっていって、少しそれを延ばしていた。「柳田先生に申し訳ない、申し訳ない」と先生は言ってたんだけど、本当に具合が悪くなってから、「柳田先生によろしく言うておくれ」と言い、最後に「とうとう柳田先生に負けたねえ」と言ったりしたんです。

そのただなかできっと出すつもりだったと思うのですが、「『万葉集』の非常に大事な鍵がわかったよ」と。池田さんにも私にも言っていたんです。「皇統譜の角々のところ、ことに天智系、天武系の皇統譜の角々のところ、その系統が変わるところに大きな問題があるんだ」と。あの時期の天智系、天武系は結局、天智系に皇統が戻っていきますでしょう。天武系は一遍、天智系を抑えるんだけど、結局、その次の時代はまた天智系に戻るわけです。そういう問題を考えると『万葉集』の大事な問題が解けると言うんです。池田彌三郎さんとも先生が亡くなってから、「あれはどういうことだったんだろうな」と話し合ったが、わかりませんでした。

病気で記憶が衰えていた感じでもないんです。最後まで肝心の記憶ははっきりしてました。体が非常に苦しくなってからでも僕に、死んだ後にこのことはこういうふうに処置しておくれとか、矢野さんにはこういうふうにしてやっておくれとか、千樫のところから譲り受けた『竹の里歌』はこう処理しておくれとか、的確な指示を言い残しました。亡くなった後の、心残りのようなことがああいう人にも多少はあった。しかしそれは、ほとんど『源氏物語』の問題、あるいは『万葉集』の重要な問題の解決ということだったのです。お一人だったから心境は爽やかだったでしょう。

（二〇一二・八・二三　東京・如水会館）

【第9回】

先生から伝えられたもの、それが僕のすべて

折口信夫の墓のあり方

小島――沼空関連のお話で、付け加えておかれたいこと、大事なことの総括を伺いたいと思います。

岡野――自分の存在を考えていると、親からもらったもののほかは、先生から伝えられたもの、自然に伝わってきたものが僕のすべてで、僕の存在なんてそれを消したら何もなくなってしまうと思うのです。歌でも学問でも、人間の上でも、本当にそうだと思います。

昭和二十八年九月三日に先生が亡くなって、國學院では大学葬にしたかった。しかし、慶應では文学部の一教授のために大学葬をするしきたりはないということで、両方で相談なさって、國學院のほうでは大学葬に準ずるかたちで葬儀をしたのです。

次に折口の墓ですが、これはよく知られているように、能登の一の宮、大国主を祭った気多

神社の近くの海岸にある、古くからの社家の藤井家の墓地に、硫黄島で戦死した、養子の春洋さんと一つの墓に収まっている。この墓についての着想は、春洋の死が確かなものとなった直後から決まっていたのだと思います。すでに、昭和二十一年二月の雑誌「人間」に、次のような詩を発表しています。

きずつけずあれ

わが為は　墓もつくらじ―。
然れども　亡き後(アト)なれば、
すべもなし。ひとのまに〳〵―

かそかに　たゞ　ひそかにあれ

生ける時さびしかりければ、
若し　然(シカ)あらば、

よき一族（ヒトゾウ）の　遠びとの葬（ハフ）り処（ド）近く――。

そのほどの暫しは、
村びとも知りて　見過し、
やがて其（ソ）も　風吹く日々（ヒビ）に
あともなく　なりなむさまに――。

かくしこそ――
わが心　しづかにあらむ――。

わが心　きずつけずあれ

この詩を見ても、自分の墓など無くてもよい。でも作るとすれば、春洋と同じ墓地にという気持ちですね。

それまでにもエッセイに、「自分は母の名残をこの世に残すまいと思う」というふうな言葉がありまして、折口信夫が自分の出生と絡んだ悲劇性の思いを込めた言葉だと思うのですが、どんなふうにとっていいのかわからない。

小島――折口家の墓があったわけですね。

岡野――ええ。願泉寺という大阪の木津の菩提寺に、折口家累代の墓があります。そこへは分骨を収めてあります。法名は筆名そのまま「釋迢空」です。春洋さんは、戦後折口が考えていた、「未完成霊」の典型的な人ですからね。激しい魂ほど、戦争で死ぬという不完全な死を遂げた未完成の要素がはなはだしいわけで、その鎮魂のために一緒に一つの墓に収まろうという気持ちになったのですね。それまでは、自分の墓など無くてよいと思っていた。

小島――自分の墓など要らないというのは、どういう思いからなのでしょう。

岡野――あの人は家族の中で自分だけが特別の悲劇性を持って生まれてきたという気持ちがあって、自分を生んだ母親の跡を、つまり自分自身をも消してしまいたいという願望を持っていた人です。

折口の初期の詩、「追悲荒年歌」や「乞丐相」、「幼き春」などに繰り返しうたう幼時の悲劇的な想いは、折口の生涯の文学と学問のテーマです。出生の事実に関することなどは一つの発想の契機に過ぎない。

戦後に、折口はスサノヲを主人公として繰り返し詩を作る。父のイザナギがイザナミを黄泉の国へ訪ねていって、その穢れを祓ってのち禊をするわけです。その禊の段階で、左の眼を洗うときアマテラス、右の眼を洗うときツクヨミ、鼻を洗うときスサノヲが誕生する。折口は詩の中で母体を借りないで生まれた男ということで、スサノヲを「純男（スミノヲ）」とうたっているのです。その純男に憧れる気持が折口は極めて強い。自分は「純男（スミノヲ）」だと思っていたでしょう。

小島――母体を通過しないということですか。

岡野――ええ。今でも、お父さんに問題があったのか、お母さんに問題があったのか、僕はどっちとも決めかねるんだが、どうもお父さんがかなり欠点のある人で、折口家へ来る前に一遍、離縁せられたらしい。大庄屋の家のぼんぼんです。お医者さんの資格を持っているが、大酒飲みで、わがままいっぱいの人で。だけど、またあるときは幼い折口に布団の中で芭蕉の俳句を呟いて教えてくれたりしている。そういう不思議な、出生に絡んだ悲劇性を自分に負わせる少年時代を送った人です。折口の孤独感、「ひそけさ」「かそけさ」の思いは、出生、幼時の育ち方に絡みついている。同時にそれは、彼の学問の問題、神や文学や芸能の発生の問題にずっと通底して貫かれています。

宣長とよく似ている折口

岡野――折口はそんなことは全然意識してなかったと思いますけれど、このごろ、考えれば考えるほど、宣長とよく似ているんです。学問のあり方も、人間としての考え方も。宣長という人は折口よりもやわらかな、おっとりとした人だったと思いますね。やはり結婚問題では若いころ、屈折を経ているわけです。一遍、山田の家へ婿入りのようなかたちで入って、すぐに離婚して帰ってくるのです。そして、仲のよかった友人の妹さんと結婚する。若いときの京都遊学時代がありますが、あの時期はかなり宣長さんも遊んだだろう。そうでなければあんなに男女の愛情の機微が……。

小島――「もののあはれ」の感覚なんていうのは。

岡野――六条御息所と若い光源氏とのそもそものなれそめのところが『源氏物語』には出てこない。あそこは書くべきだということで、宣長は一巻、「手枕」を自分で書いてしまう。その擬古文がなかなかうまいでしょう。折口は「宣長さんの『古事記伝』の『古事記』の読み方は丁寧で美しすぎるんだよね。平安朝の物語の文体に近くなっている」と。つまり、『源氏物語』の影響があるということですよ。「あんなのはもう少し古拙であるほうが、より『古事記』らしい」と。

小島――それはわかりますね。もっと野性味のある神々ですもの。

岡野――そうなんです。そこまで宣長は『源氏物語』を『古事記伝』に専念するより前によく読み込んでいた。僕は宣長さんと同郷で、世襲の神主の家で古典の本があるから、皇學館の中学生の時に『古事記伝』は読んでいた。國學院へ行って予科で折口教授の「国学」の講義を聞くと、宣長さんの読みや解釈と違うところが随所に出てくるのに驚きました。ほとんど完璧のように思える宣長さんの学を大きく推進させた人です。しかし、同時にああいう人は自分の人生や自分の出生の問題を非常にドラマチックに考え、それが日本民族の、神が遠い海の彼方から来訪するというような、民族の誕生の問題にまで実感を生んでいくんだと思うのです。

後でいろいろな点から二人を読み直して考えてみると共同点がわかってくる。二人とも松坂と大阪の木津、商人の勢のある町で、医を業とする家だった。折口だって薬に詳しくて、僕が風邪をひいたりすると、すぐ薬を調合してくれる。よく効きましたよ。宣長さんもヘビースモーカーで、「痰切り飴」など発案して売った。折口もコカインを使ったり、「本草綱目（ほんぞうこうもく）」を良く引っぱり出して読んでいた。

小島――「松坂の一夜」がもう一度あって、宣長と折口が会っていたら面白かったでしょうね。

岡野――あっ、それはいい発想だ。ほんとに、あの二人が出会って、思い切り語り合ったら面白かったでしょうね。

結局、江戸時代の国学は学問的には契沖から始まったと思っているんです。ところが、窮屈なことを言う人のなかには「契沖は仏教のお坊さんなんだから、あれを国学のトップバッターに置くのはいやだ。国学は荷田春満から」と言います。でも、実際に読んでみますと、学問的にも、和歌の上からも、契沖から国学は始まると見るのがよいと思います。

折口信夫を宣長と共通の要素の多い国学者だという見方で見る人は、折口信夫存命中あまりいなかったと思う。つまり、ちょっと異端の日本文学者だと思っていたでしょうから。でも、国学の流れということで言えば、折口信夫はひそかに自分が最後の国学の流れ、とどめの国学者なんだという気持ちは持っていたと思うんです。ある時、「僕ほど国学の伝統正しい学問をしているものはないんだよ」とふっと言ったことがありました。自分のことをあんなふうに言ったのは珍しい。

先生はなぜ出雲へ行っていないのか

岡野――先生は幼いときから祖父の縁につながる大和の飛鳥坐（あすかにいます）神社、つまり出雲系の神が大きな関心であった。春洋さんの郷里の気多神社がまた大国主の社です。『古代研究』の刊行せらるるころ、『古代研究』の口絵にする写真を撮りに能登半島を歩くんです。タブの木に対して非常に関心を示して。その結果、「漂着神を祀つたたぶの社」「岬のたぶ」「たぶと椿との杜」「丘のたぶ」「海にむかへる神の木」などという象徴的な写真が挿入されることになります。海の彼方から来訪する神のシンボルみたいな木です。気多神社の霊木でもあり、ほんの近いところにある少彦名（すくなひこな）神社もタブの森の中の社です。

小島――私も迢空のお墓に行ったのですが、結果的には少彦名神社が一番面白かったですね。

岡野――そうでしょう。鬱蒼としたタブの木の森でね。
小島――すごく変な気持ちになるようなところでした。
岡野――ポカーッと海岸にある森なんだけれど、中へ入ると原始的な感じがするでしょう。
小島――ええ。古代がつながっているような感じのところです。
岡野――そうなんです。ああいうところは社が、倉の形だとか住居の形の建物よりも、岩一つあるというふうなかたちが一番よく似合う感じでしょう。
小島――そうですね。岩座（いわくら）に。
岡野――古い神社はお社が建つ前の形として岩座、岩群（いわむら）、などの古いかたちのものが残っているところがほとんどです。
小島――大和の大神（おおみわ）神社にも岩座がありますね。
岡野――あそこはすごいですよ。三輪山に登ると三か所の岩群があって、一か所だけは今も絶対に神秘で行けないけれど、二か所は願い出てお祓いを受ければ登拝することができるんです。
　出雲系の神のお社の信仰、その系譜みたいなものが折口の心の中では非常に大きいですね。それなら出雲へたびたび行きそうなものですが、一度も行っていない。わりあい近くまで行っているんですよ。大正十五年二月、「日光」に発表した歌で、「石見の道」という題で〈邇磨（ニマ）の海　磯に向ひて、ひろき道。をとめ一人を　おひこしにけり〉（『春のことぶれ』所収）の歌があります。これは多分、大正十三年十月、家に置いていた三上永人の恋愛事件でその郷里、島根県邑知郡口羽村に行った時の記憶だろうと思うのです。ほんの少しで出雲なのに、行っていない。あれほど旅をした人が、どうしてだろうと思うのです。

小島――こっそり行かれたということもないんですか。

岡野――ないと思うんですよ。行ったら、あの人のことだから何か、ことに歌には出しそうですがねえ。はっきり出てなくても、例えば〈汪然(ワイゼン)と涙くだりぬ。古社(フルヤシロ)の秋の相撲に　人を投げつる〉（『倭をぐな』）は恐らく飛鳥坐神社を心に持っていると思うのです。あの人は絶対に相撲なんかとる人じゃない。とっても、人を投げられるような人じゃない（笑）。それが、あれはたくましい歌でしょう。

小島――イメージと違いますね。

岡野――そう。だけども、古代的なたくましさを持っている。野見宿禰(のみすくね)でもうたいそうな歌でしょう。折口の、まれびと（客人）の実感だとか旅の夜の鎮魂歌とか、だいたいうたわれた場がわかるんですが、出雲に対してあれだけの思いを持っていながら、どうして行っていないのか。

小島――わざと行かなかったという発言もないんですか。

岡野――ですから、それを聞いておけばよかったなあと思うんです。例えば沖縄へあれだけ重ねて行って、沖縄から帰って来て、その足で壱岐へ行くわけでしょう。

小島——出雲のほうがずっと近いですね。

岡野——そうなんです。まあ、あの旅は壱岐の人から研究の補助が出ていたかららしいんですけどね。とにかくそれは大きな謎です。

『出雲風土記』を抱えて出雲を四十日歩く

岡野——『万葉集』の例を見ても、「大汝少彦名のいましけむ志都の岩屋は幾代経ぬらむ」（巻3・三五五）「大汝少彦名の神こそは名づけそめけめ……」「大穴道少御神の作らしし妹背の山は見らくし良しも」「大己貴少彦名の神代より言ひ継ぎけらく……」などと、遠い古代を言うのに、大伴家の者や人麻呂家集などでは、大汝少彦名の神を代表させるのが、あのころの常用文句だったと思うのです。古代を考えると、「天照」よりも、「大汝、少彦名」が伝承心理の上ではすぐ浮かんでくるんでしょうね。むしろそれのほうが自然だったと、歌の表現では感じられたんですね。

それを受けてうたったのが与謝野鉄幹の『相聞』の〈大名牟遅少那彦名のいにしへもすぐれて好きは人嫉みけり〉でしょう。それをまた折口が絶賛する。「こういう大柄な心を持っている鉄幹はすばらしい。晶子よりも上なんだ」と。「すぐれて好きは人嫉みけり」は鉄幹の心の中にある複雑な心理と重なるんだけれども。「大名牟遅少那彦名のいにしへ」という言い方が日本の古代を表す一つの代表的な常用文句だったことは確かです。

そういう心理が『日本書紀』では圧殺されているところがある。むしろ『古事記』のほうにはまだ、ちらりと遠慮しながら出ているし、『出雲風土記』を読めば、いっそうそれが膨らんでくるわけです。だから、『出雲風土記』を読んで、出雲を二回や三回、旅しているということがあってもいいと思うんです。折口にとっても出雲は非常に大きな関心事だったと思うんですけれどね。

僕は三十代の終わりころの夏休みに『出雲風土記』を一冊抱えて出雲を四十日ばかり歩きました。例のごとく、できるだけ乗り物を使わないで、足で歩き回ったのです。その体験は大きかったですね。昭和四十三年に、『わが出雲・わが鎮魂』という詩集を出した入沢康夫さん。これはいい詩集です。僕らのように戦中派で、戦場から帰ってきた者、そして出雲を歩き回った者にとっては感動的な詩集でした。これであの人は詩人としての評価（読売文学賞受賞）を得たんです。

小島——えっ。入沢さんはそういうところがデビューですか。「砂漠の花に向かって薬缶が飛んで行く」とか、ああいうのは大好きですけど、それはちょっと意外でした。

岡野——僕と同じ芸術院会員だから、ときどき会うんですよ。僕はこの詩集から非常に刺激を受けました。入沢さんは『出雲風土記』を下敷きにしていられるんだけれど、戦争と自分の生まれた土地が出雲であるということと絡んできて、説得力のある詩集です。

八雲山の裾を歩いて松江のほうに出る。それを地図の上で見ると点々のいちばん細い道がついている。そういうのは古い道です。土地の人に聞くと、「うーん。あの道なんか今は通るものはいないなあ。うん、だけどね」、ちょうどお盆が済んだ後です。お盆になると山の上から自分たちの村里まで祖先の霊を迎えるために道刈りするんです。「だから、草が短くなっているところを行けば、まあ迷わないであの峠を越えられる」と言うんです。バスでだと一時間くらいですが、一日かけて行きました。やはりそういう体験はいいですね。

学生を連れていく万葉旅行でも、今は通らなくなっているという道を通る。また、そういう道を探し出してくることの好きな女性がいて、今年はあそこを歩くと言うと、必ず前に行って、「この道は古いから跡も消えかかっているんです。でも、私が歩いたから、ちゃんと行けます」と言うから、案内させて行くんです。それが実にいいコースなんです。

お地蔵さんのお賽銭を借りた先生

岡野――ああいう旅を折口信夫という人は若いころから一人でしたんですよ。お地蔵さんの賽銭を借りて……、黙って貰って来るわけで、返すことはまずない(笑)。

小島——お地蔵さんも沼空なら許したでしょう（笑）。

岡野——そのころ、旅行をすると、若い折口は十分カネを持って出るわけじゃないから、鈴木金太郎さんあての、「お金が足りなくなって、お地蔵さんに昨日は二銭借りました。早う電報為替をここへ送っておくれ」というはがきが二通ほど残っています。全集に入ってます。そのころの二銭はお弁当一食分は買えたんでしょうね。鈴木さんが経済的な面倒を見ていたわけです。先生の月給より恐らく鈴木さんの月給のほうが多かったし、浪費家だから、お金がすぐなくなっちゃう。先生がまだ若いころです。鈴木さんの家はお父さんが建築業ですから、豊かなんです。伊勢清志と鈴木金太郎は豊かでした。

先生が亡くなって半年くらいで先生の家を清算することになって、焼くべき物を焼いているとき、そのころの鈴木さんの日記が出てきた。鈴木さんがまだ蔵前工業高等学校に通っているころのでしょう。あるいは清水組の東京の事務所に勤めているころかな。ひょっと読んでいたら、先生はジンジャーエールが好きだったんです。僕もときどき飲みますけどね。「ジンジャーエールの空き瓶が何本か机の下に隠してある。こんなにお金に困っているというのに、先生が自分一人隠してジンジャーエールを飲んでいるなんて」と、日記で怒っているんです（笑）。

折口信夫の「零時日記」とちょうど重なる時期なんです。うわあ、これは大事な資料だから取っておこうとしたら、「岡野君、それ、何ッ」「あの、鈴木さんの日記です」「ダメッ」と引ったくって火の中へ投げ込まれた。あれは取っておけばよかったなあ。鈴木さんは丹念な人だから日記をつけてたんですよ。あれが残っていたら……。

先生も家は豊かな人ですから、あまり貧乏が身につまされるような気持ちがしないところがあるんです。家は薬屋さんとお医者さんをやっているから、かなり儲かったと思うんですよ。人力車がちゃんとあって、お父さんが大酒を飲んだりするわけですからね。女系家族で、豊かだったと思う。それだけに経済的な観念はあまりなかった人です。でも、大阪の人はつつましいですからね。加藤守雄さんも名古屋の豊かな家の人ですが「先生の癖でいやなのは、おカネを払うときにクリッとうしろを向いて財布を人に見せないようにする。あの癖、いやだったなあ」と言うんだけど、あれは大阪の商家の女の人、おばさんやお母さんたちの癖で、恐らく小さい頃、子ども心にまねしてたんでしょうね。

旅行について行くでしょう。女将さんが勘定書きを持ってくるから、何がしかの心づけを出すでしょう。そのときは難しいんですよ。僕もそんな体験なんか、あまりないわけで、どのくらいするべきなのか。女将さんが来ているところで、いちいち先生に聞けるわけではないし。やり過ぎてもいけないし、やり足らなくてもいけない。そういうときが一番難しかった。「どのくらいやったの」と、何気なく聞くわけです。「これだけやりました。ちょっとやり過ぎですか」「うん、まあ、そのくらいでいいだろう」と言われると、ほっとするんです（笑）。だって、毎月の、矢野花子さんのやりくりが大変なんです。なかなか辛いところがありました。

小島——そういえば、矢野さんのやりくりについても小さなトラブルの話が前にありましたねー。

岡野——戦後、貨幣価値がどんどん変わりましたでしょう。先月はそれで済んだけれど今月は済まないという変化の時代でしたから、矢野さんは一生懸命やっているんですが、どうしたって膨らんできますよ。

小島——矢野さんはへそを曲げてしまわれるくらいだから、きちんとやっておられたんでしょう。

岡野——そう。矢野さん、いまごろお墓の中でクシャミしてる（笑）。

全集刊行までの紆余曲折

岡野——先生が亡くなった後、その翌年に折口博士記念会というものを作って、先生を顕彰し、全集を企画していくんです。

小島——あの全集は岡野さんが主に作られたんですね。

岡野——いや。それはもう先輩方がやってくださったんですけどね。実際に原稿を集めたり、図書館へ行って雑誌を写したり年譜、執筆目録を作ったり、そのうち池田彌三郎さんの計らいで、慶應の学生さんたちが十人ほど手伝ってくれるようになりました。だけども、始めは僕が二人ほど助手の人を使って、駆けずり回って写して。必ず読み合わせをして、それを原稿にしていたんです。結局、一晩も二晩も徹夜して若い人の体を酷使して、病気にさせたり、申し訳ないことをしました。二十五巻を毎月一定の日に、一冊も遅れず刊行しました。

先生が亡くなった翌年の年末に中央公論社から全集を刊行するということに決定したんですけど、それまでに、多少、紆余曲折がありましてね。

小島――刊行は角川書店からではなかったんですね。

岡野――角川源義さんがいちばん晩年の先生を丹念にお世話してくださったのです。

昭和二十七年は軽井沢に行きましたが、二十八年はまた箱根の山荘に行くわけです。その先生を運ぶのも角川さんの社長の車、社長の運転手です。僕は三田の鰻屋へ行って、鰻屋の玄関によく、鰻を籠に入れて水に打たせてあるでしょう。あんなのを一籠、何貫目か買って箱根へ持ってゆく。あれは清水に打たせておくと脂が落ちて、さっぱりした味になるんです。ときどきそれを三匹くらい割いて鰻どんぶりを作るのです。あるいはローマイヤに行ってハムを買ってきたり。そして、箱根へ籠ったわけです。もちろん、仕事をするつもりだったんです。

先生の亡くなる年がまた非常に湿気の多い、天候の悪い年でして、特に箱根の湿気は格別なんです。原稿用紙なんかジトーッとしてインクも滲むほど湿気がひどくなるんです。マツムシソウが咲きだすと、普通のさわやかな夏だと気持ちがいい。先生はマツムシソウが好きで、散歩して、採ってきて、鉢に活けたりしてたんですが、それができなくて、だんだんだんだん先生は憂鬱になっていく。食べ物はそんなに細っていったわけではないんだけれど、それでもだんだんと弱っていった。

僕はずっと先生に指圧をしていましたでしょう。「岡野、せっかくだけども触られると痛いから、もうやめておくれ」と言うようになったりして。非常に心細かったですね。でも先生は、どうしても山を下りないと言う。池田さんと連絡して、「先生を下ろすように。絶対に下りないと言っているけれど、車が来てくだされぱきっと乗っけて下りられるから」と言ったりして。その車の手配なんかも全部、角川源義さんがしてくれたのです。

ですから、先生の没後、折口記念会ができて、全集の話が具体的になったときは、角川さんのところに行くものだと、みんな思ってたわけです。どの巻はだれが分担ということまで相談が進んで、そういう会議に角川さんも必ず出る。

ところが暮れ近くなったころ、先生の遺骨を墓へ納めることになって、僕も一緒に。古いお弟子さんたちの中で一番、末輩の弟子だけれど、死に水を取ったわけですからね。その車中で、鈴木さんと角川さんが全集の話をしておられるのが、一つ離れたボックスの僕のところまで聞こえてくるんです。鈴木さんはわりに高い声の人でして、大きな声じゃないんだけれど、通るんです。だんだん話が激しくなってくる。

つまり、それは出版社としては当然のことなのかもしれないけれども、「今、先生の全集を出しても決して採算がとれるというふうにはいかないと思う。そのことを各巻の担当者も考えてもらわなければ困る」という話なんですよ。

だんだん、鈴木さんのもの言いが激しくなって、「僕も学問じゃなくて商売をやっている男だ。その仕事の中で採算を表立って考えるのは当然だけれど、ときに採算を考慮に入れないでしなければならない仕事というものがあるんだ。角川君、君にとって折口先生の全集を出すということはそういうことじゃないか」と言うんです。あ、これはもっともだなと思ったけれど、角川さんは全然それを受け入れた感じで答えないんです。そのうちに鈴木さんが怒って、「これから先生の遺骨をお墓へ納めにいく、その旅中でそういう話を聞かされるのは心外だ。これでもう話を打ち切りなさい」と。つまり、そのことについて話をするのをやめなさいと言ったんです。

夜行列車でね。二等車、今のグリーン車ですが、その網棚に遺骨が置いてあるわけでしょう。そうしたら、向こうに立派な、恰幅のいい人がいる。そのころ、若くて代議士になった中曽根康弘さんですよ。戦中は大尉だったか、軍人ですよ。パッと来て、「折口先生のご遺骨を拝ませていただきます」と言って、さっと手を合わせる。いやあ、カッコいいなあと思ってね。そういう雰囲気の中で、ちょっとね、角川さん、時と場がねえ……。

僕はこっちで加藤守雄さんと並んで座ってたんですけど、「岡野君、角川君は友人がダメだねえ。あそこへ行って、角川、お前こんな時に何を言うんだッと言って叱ってやれば事が済むのにねえ。だれも言ってやらないなんて」。角川さんの同級の友人が何人か同じ車にいたわけです。

ちょうどそういうときに中央公論社が創立何十周年かの年だったんです。後に全集が出るようになって、ずいぶん僕も中央公論の人とはおつきあいをするんですが、松下さんというちょっと古武士みたいな人が来て、「中央公論社七十周年記念の出版物として折口信夫全集を出版させていただきたいと思います。採算を私どもは全く考えておりません。記念出版物に折口先生の全集を出させていただくこと、そのことがわが社の誇りでございますから」と。うーん、泣かせる言葉だなあと思って僕は聞いてました。鈴木さんが「お任せしましょうか」と言ったんです。

いよいよ中央公論社ということに決まったんですよ。中央公論社で編集の中心になるのは、後に社長の嶋中さんの右腕と言われるようになった高梨茂という人です。

最初の企画は確か二十巻くらいでした。結局、二十五巻と索引一巻になりました。第二期が後に出ましたけど、四十巻本になります。

その第一期のとき、僕は二十九歳です。高梨さんは三十二歳くらいだったと思いますが、「あなた方お二人がいちばん中心になってもらわなければダメなんだ。こういう全集というのは一度遅れを出すとガクンと購買が落ちるから、毎月決まった日に一巻ずつ、これは絶対に崩さないようにしてもらいたい」と。僕はほかに、全集の月報の編集もまかされ、いろんな人と会う機会ができました。

全巻購読申し込み第一号は大江健三郎

岡野——それから、全著作目録を作ることから始まって、一人はうちの図書館の主任だった人の弟さんで、佐野斎(いつき)君という、小説も書いている人です。まだ若くてね。はじめはその人と僕とだけでした。まず著作目録は水木直箭(なおや)さんという、先生の古い教え子で、非常に丹念に著作目録を作っていた人です。その人の著作目録をもとにして、もちろんさらに補わなければなりませんでしたけれど、それがあって助かった。

それから年譜。自作の年譜は二種類あるんですけど、大まかなもので、ことに中年から晩年のころのは全部新しく作らなければなりませんでした。それは大変でしたねえ。作ってみたら、國學院の学生のころから大学の講師になるまでの時期が細かい点がほとんど空白なんです。しかも、その時期が折口信夫の学問と精神形成の上で大事な時期なのに、わからない。そのころの学生だった人がわりあいに現存しておられたから訪ねて行って聞くんですけど、人によって話が違ったり、受け取り方がまた違うんです。折口信夫という人の微妙な印象がね。それでも、いろいろ面白い話を聞きました。

小島――歌集から順番通りに出したんですか。

岡野――まず、『古代研究』三巻、それから口訳『万葉集』など、単行本になっているものを早く出していったのです。

ところが、第一回目の中央公論社を交じえての編集会議があった。先輩の門弟からいろんな意見が出るんです。その会議が済んだ翌日、また栗本さんが、「ちょっと岡野さん、来てください」と言う。行ってみたら、高梨さんが「昨日の編集会議、聞いていたら、あの方々のおっしゃることを全部受け入れて二十巻を超える全集を編集するなんて、とてもできるわけじゃありません。あんな仕事は私の力をはるかに超えていますから、辞めさせてもらいます」と言ったと言う。栗本さんが、「高梨はこう言ってるんです。岡野さん。でもね、高梨のこういう熱心さと本に対する情熱を僕は買っているから、何としても彼に担当させることにします。岡野さん、高梨を励まして、もう一遍、やるという気にさせてください」と言って。それでまた高梨さんに話をして、「とにかくやりましょうよ。月に一冊ずつ、絶対に遅れないようにやりましょうよ」と言ってね。そこで、「わかった、やるよ」と高梨さんも言って、始めたんです。それから一冊も遅れずに刊行されたんです。

まず予告のパンフレットを出したら、高梨さんが、「申し込みの全巻購読の第一号が大江健三郎です。二人目が白洲正子さん。この二人が申し込んでくれたんです。だから、この全集は間違いない。大成功だと社長も喜んでます」と。

一期のこの全集は売れたんですよ。二期の四十巻本はそうはいきませんでしたけどね。それから、間にノート篇が二十巻近く出たでしょう。それで折口信夫の活字にできるものはほとんど出しました。

第一期の、一国文学者の全集で二十五巻、あれだけ部数が出るというのはちょっと出版社も予測がつかなかった。そのころの学生はまた書物に飢えてましたからね。学生たちもよく買いました。話題にもなりました。

今も先生のそばにいるような感じ

岡野——そのころ僕は、とにかく先生の家を明け渡したでしょう、借家でしたから。亡くなった翌年の四月ごろまでに、鈴木さんと加藤守雄さんと矢野さんと私とで整理して、明け渡したんですけどね。

その翌年、ですから昭和二十九年の四月二十九日に結婚したんです。兄弟子の皆さん、ご推薦の女性です。

女房の父親は新官僚です。岡山県知事とか福岡県知事とかをやって、敗戦になってパージに掛かった。母親は産褥熱でアッという間に亡くなってしまった。父親がその翌年、あのころ東京の街は真っ暗でしたから、坂の上から下りてきた若者の自転車に正面からぶつかられて、引っ繰り返ってコンクリートの縁に頭をぶつけて、ほとんど即死状態です。下に弟や妹が五人いたのかな。母親が産褥熱で亡くなったのですから、乳飲み子がいる。女房はその妹を育てたのです。

夫婦が住むのが、自由が丘のそばの、銀行屋さんの大きな邸宅の庭番のいた六畳一間の小屋なんです。片一方に農機具を置いた部屋がありましてね。そうだ、お風呂もなかったんだ。女房は銭湯に行けない、行ったことがないと言うんです。困ったもんだと思ったんだけど、しょうがないから何とか工面して、大工さんを雇ってお風呂を作ってもらって、僕の仕事をする一畳半くらいのスペースを付け足してもらって、そこを書斎にしました。何しろ六畳一間ですからね。板を上げ下ろしして、そこを机代わりにして。

小島――でも、本がすごくたくさんおありでしょう。

岡野――いや。先生のところにいたから。話は少しもどりますが、卒業論文を書いた時も全部、先生の書庫の本を借りればよかったわけです。だから、本はほとんどありません。毎日國學院へ行って、先生の家の書庫をそのまま移した古代研究所で仕事をしました。

中央公論社から準編集員みたいなかたちで月給のようなものが出てました。ただ、それも社員の扱いではないですから、きっちりしたものではなく、女房が味の素の秘書をやっていて僕の月給の倍くらい取っている。それで生活したんです。そのうちに、子どもを身ごもり、仕事は辞めます。それからは苦しかったですね。

ますますこのごろ、僕の心の中では先生が濃密になっているのですが、それはもう別のこと。

小島――今はそんな濃密な師弟関係はないですよ。

岡野――ああ、そうですね。土岐善麿さんによく言われました。土岐さんは先生が亡くなってから大学院に講義に来てくださったんです。中世の歌が専門ですから、藤原為兼の講義に来てくださった。「岡野君、ああいう天才の弟子になったということは悲劇だよなあ」と。土岐さんは折口の、ことに「女房文学の発生」とか、ああいうところで目を開かれたんです。だから、「いやあ、何を考えても前にあの人がいるんだものなあ」とおっしゃる。全くそうです。

小島――女房文学に対する見方も、今回、お話を伺っているうちに、先生のご家族も含めて人間観察というんですか、それとどこかでつながっているような気がするんです。

岡野――なるほどね。あの人、本当に人間が好きだったんですね。若くて真剣に苦しんでいる者に対するあの人の思いは本当に細やかでした。

先生を失った喪失感は大きかったですね。ただ、僕に与えられたものが大きかったでしょう。それも僕にすっかり理解できているものを与えられたのではなくて、考え考えしなきゃならないものをどっさり残されたでしょう。ですから、その充実感。それから、歌の手引を、本当にイロハからしてもらったわけですから、歌を作っているときは先生のそばにいるような感じがして、その気持ち。

宣長さんの弟子なんかも、その点では亡くなってから後も豊かで幸福だっただろうと思うんです。僕も折口信夫という人に出会って、直接その学問に触れ、人と作品の指導を受けたのは、前後十年ですけどね、一生の課題をもらったようなものです。

ただ、親に対しては悪かったなあ、親は淋しかっただろうなあとこのごろつくづく思いますねえ。まあ、それはしようがないですね。昭和天皇のご相談役までするかと思って、親は親なりに得心したかもしれません。

（二〇一一・九・二〇　東京・如水会館）

【第10回】

永遠のわが師、折口信夫

折口学の発展のために

岡野——今回は今までじっくり触れられなかった折口のテーマ、折口学のことをお話ししたいと思うのです。

僕なんかは、眼を開いた時から、もう眼の前に折口信夫が居たような感じで、あの人の講義は客観性を持たないで随順して聴きますから、学問の発展性という意味ではあまり力を持たないのです。かえって、先生と接しなかった、これから全集で自由に読んでいかれる人たちから折口学の本当の生き生きとした展開は生まれてくるだろうと思います。全集を編集するころから僕はそう思っていました。だから、そういう未来の本当に力のある人のために、書簡であろうと日記であろうと残すべきものは丹念に忠実に残しておくことが大事なのではないか。とはいえ、僕ら、生身に接した者は、これが後世に残ることは先生のためにならないんじゃないか、こんな借金の書簡は残すのをやめておこうとか、いろいろ考えるわけです。でも、学問や弟子のためにする借金なんて、むしろ研究者としては名誉だと思うのですね。

全集編集のとき、折口の若い日の日記「零時日記」の中の、若い教え子との同性愛に関する記事などは削るべきだという意見が年輩の人からは出たのです。でも削らないで通した。安藤礼二さんなどが最近書いておられるものを読むと、うん、あれでよかったんだと思うんです。

先生に関することは、書くよりも心の中で繰り返し繰り返し絶えず考えているんです。すると、年をとってくると少しずつわかってくることがありましてね。先生はなぜ出雲へ行かなかったか、最近、こうじゃないかなと思うことがあります。

「文藝春秋」一月号(二〇一三年)の「新・百人一首」で岡井隆さんが、折口の〈人間を深く愛する神ありて　もしもの言はゞ、われの如けむ〉(『倭をぐな』)を「国文学者折口信夫がうたった歌だ」と言っていますが、あの歌は前から問題になっています。

小島――かなり強烈な印象の歌ですね。

岡野――ええ。谷川健一さんは「思いあがっているようでいやだ」と言うんです。知識的に見る人ほどあの歌をそんなふうに感じられるんですけど、あの歌は発表する意思があったかなかったか、わからないんです。没後、僕が最後の手帳を見ていたらあの歌が目に飛び込んできた。死に近い時期の心に湧き上がってきた歌だと思ったから、僕はもっと素直に見ているんです。

小島——あの歌のファンは多いですよ。

岡野——そうですね。あの歌の他、死の近くなった頃に、〈いまははた　老いかゞまりて、誰よりもかれよりも　低き　しはぶきをする〉〈かくひとり老いかゞまりて、ひとのみな憎む日はやく　到りけるかも〉（共に『倭をぐな』）など最晩年に不思議に自然な歌がありますでしょう。そんなことをちょっと言ってみたいと思います。

折口が捉えたかった「日本人の神」

岡野——折口は文学の発生の問題から、あるいは芸能の発生の問題、キリスト教あるいは仏教と日本の神の問題、日本語の問題、ことばの問題、語法の問題、いろいろ手を広げていますが、結局、「日本人の神」というものを根源的なかたちで捉えたかったと思うのです。日本人はその神を仏教やキリスト教のような大きなかたちで教義を整え、その教義を踏まえた上での儀礼というものを荘厳なかたちで緻密に、人類教へ広げていく情熱を持たなかった。

そういう努力をする以前に仏教が入ってきて、仏教の上にふっと乗ったというか、仏教に覆われて安心立命をそこで感じて満足した。それは一つの幸福であったと同時に、日本民族の長い生命力を考えるとき、やはり問題になってくるだろう。今度の戦争の反省の中でも、日本民族が心の一番深い根のところで、他力本願的なかたちで自分たちのいちばん大事な心の問題、魂の問題を考えてきたことが、ああいう、世界人類の中でも異常に感じられる天皇信仰というかたちの情熱の中で、ひたすら民族が自滅状態にまで突き進んでいくという結果を招いたのではないかと思うのです。

日本人の今までの精神史を考えると、そういう傾向は、本来のものではないけれども、しかしかなり古くからある。けれども、あれほど極端ではないですね。近代の日本の日清、日露から敗戦に至るまでの、あの異様さ。僕は決して日本民族の本当の伝統的な心のありようだとは思えないのです。そういうのも日本人の神観念が確立していない一つの不安定さ、あるいは危うさだと思うのです。

日本人の神の規定なんて宣長が出るまで非常に素朴なものだったわけです。宣長が出て多少、緻密な考え方が始まった。宣長以降でいちばん深くそれを考えようとしたのが柳田国男、折口信夫だと思うのです。柳田はわりあいに日本古来のものに執着する部分が多いのですが、折口はそこのところ、意識的にではないけれど、必ずしも日本の固有の神観念というものにそう執着しないところから捉えてきていることを考えると、折口の神の問題はより大切に考えたいと思います。

小島——日本が中央集権国家へ国を作っていく、その政治の力に仏教が必要であったし、また一方で、現人神(あらひとがみ)としての天皇の存在を立てる必要があった。そのために和歌が利用されながら中央集権国家に向かっていった。あの辺りから、日本人にとっての神の質が変わっていくのではないでしょうか。

岡野――そうですね。仏の力というものを利用していくのはあまり安易だけれど、古くから宮廷の中で、うまく使っていきますね。

小島――政治のかたちを中国に学んだので、ついでに宗教も中国に学ぶという感じになっている気がします。

岡野――京都の泉涌寺(せんにゅうじ)に行ったとき、あんなに仏教が皇室に深く入って、代々の天皇が仏教式に祀られていることを知らなかったものですから、驚くとともに異様な感覚に襲われました。考えれば聖武天皇のころから日本の国教は仏教になっていた。だから、神仏習合も説得力を日本人に対して持ったわけです。それが明治維新で驚天動地の感じでひっくり返るわけでしょう。明治政府が廃仏毀釈を強引に進めるけれど、本質的には核心のところは変わりはしない。仏教が国教のような力を持っていた江戸時代の庶民信仰はゆるがなかった。庶民の信仰の上で国家神道は制度的な社格のランク付けをやっただけで、宗教的な本質面では深い変化を持つことはなかった。

あれも日本人が心の深いところで、神や仏を本当に納得いったかたちで会得していないという問題と重なってくるんじゃないか。宗教心が自覚的なかたちで個々の人間の胸の中に形を成していない。そうでないと、制度が変わったからといって信仰の問題がひっくり返ってしまい、仏が谷底に投げ込まれたり、経典が焼かれたり、「明日からお経をやめて祝詞を上げろ。頭を剃るのをやめろ」と言って、それが受け入れられるというのはね。お坊さんたちの中にはそれを非常に不満に思った人が当然あるでしょうけれども、日本人全体の心の中でそれが当然のことのように考えられるというのが、何か不思議な国だ、不思議な民族だという感じはありますね。

小島――日本人にとって宗教と神や仏とは違う問題のような感じがするのですが。

岡野――そうなんです。別の制度的なものとしての感じですよね。

古代出雲の国譲りの真相は?

岡野――司馬遼太郎は、中世あたり、あるいは近代の『坂の上の雲』。ああいうところを書かせるとちょっと楽観的過ぎると思うほど、ズバリ、ズバリ、割り切って書くわけですけど、古代のことはあまり書かない感じが僕はしていたのです。ところが昭和四十年代に「中央公論」に発表した出雲に関しての、あれはエッセイというよりは小説仕立てのものだと思うのです。

小島――どんなものですか。

岡野――出雲出身の新聞記者がいるんです。その人物は不思議な男で、神懸かり状態になるときがある。家系は古い出雲の社家の一族であるらしい。僕も出雲を半月ほど歩きましたけど、出雲には大国主のほかにも、あっぱれな面魂を持った大神がいっぱいいると僕はそのとき思った。神魂神社、松江の加賀ノ潜戸で育った神とか、熊野大社の神とか。そういうところを歩いていると、「こっちが本家だ」と言い、二、三日のちに次の古いお社へ行くと、「いや、こっちのほうが本家だ」みたいな感じで、「出雲大社だけが出雲国造の、いちばん筋の通っている家だみたいに言っているけれど、そんなことはないんだ」みたいなことを説かれるわけです。

小島――あのへんはありそうですね。それは岡野さんと知っていらして、おっしゃるんですか。

岡野――「國學院の教員で、折口信夫の弟子です」と名乗っていくとね。そのころ、僕は三十代の終わりか四十代になったばかりですから若造なんですよ。

小島――今なら、そんなことはおっしゃらないかもしれない（笑）。

岡野――今ならね。そうすると、本気になって話をしてくださるわけです。それを聴いていますと、出雲人の神観念はほかの国と違っていて、まさしく他は神無月だけれど、出雲は神在月だと。そういうくらい違うことがだんだんわかってはきたんです。司馬遼太郎の小説はそういう男が主人公です。その男からの聞き書きみたいなものが骨になっています。

小島――一応、小説仕立てですか。

岡野——「私は随筆を書くのが不得手なんだ」ということから書き出す。だけど、あまり話が重いから、いっそ小説にすればすっきりした作品になるものをそうしないで、ああいうかたちで書いたんじゃないかと思うのです。

小島——丸谷才一さんなら小説にしますね。

岡野——こだわりなく、するほうですね（笑）。

その男の話ですが、出雲の大国主の国譲りは、大和系の祖先から派遣せられた神が、大国主、あるいは事代主、あるいは建御名方、あの三人に迫って国を譲らせた、あるいは大国主は殺されたかもしれないと、その男の話を聞いて考えていくわけです。

しかし、出雲をそんなふうに征服し、国譲りをさせる命を受けて、天孫族から派遣せられた者は、天若日子（あめわかひこ）などもそうですが、幾人も派遣せられても大国主にうまく懐柔せられて、大国主の娘、下照姫（したてるひめ）を妻にしたりして高天原へは報告しなかったりするわけでしょう。で、矢に当たって殺される。

『日本書紀』では天穂日命（あめのほひのみこと）が出雲へ派遣されて従わせる。その代わり大きな御殿を作ってもらい、「そこに私は隠（こも）りましょう。現実の政治（まつりごと）には一切関与しないようにして隠り世のことに専念いたします」と。それも含みの多い言い方ですね。ですから、大国主はあそこで殺されたという見方も当然、成り立ちうるわけです。

しかし、そんなふうにして派遣せられた天穂日命は、いわばマッカーサーみたいな役割で、マッカーサーよりももう少しやわらかに同情的であったけれども、大国主の霊力に感化せられて、大国主的な宗教力で出雲の人たちを温かく守っていく、大きな徳を持つようになっていくと彼は書いているんです。

そこのところ、確かにそうなんです。その感化せられたかたちがあまりに完全というか、まろやかなものだから、千家神主家は本来は天つ神から派遣された大和族の将であったはずなのに、大国主の子孫みたいな感じになっている。日本人全体がそう思っているのです。

司馬遼太郎的に言えば、もともとはマッカーサー的に乗り込んできて、完全に大国主にいわば宗教的に感化洗脳せられて、大国主の教えを布教していく。それが出雲国造(こくぞう)という尊敬を集めて、まるで大国主さんの化身みたいな感じで出雲の人々からは崇められていくようになると、言われればまさしくそうなんです。

人麻呂はなぜ石見に行ったのか

岡野――でも、大和族の厳しさはそう単純ではないんです。石見(いわみ)との国境(くにざかい)に特別な神社がありまして、それは出雲大社、つまり大国主命の行動を監視する神社です。そしてそこが兵器庫、武器庫みたいになっていて、ことあるときはパーッと武力をもって乗り出せるような、大和の石上神宮のような、大和族の兵器庫みたいな神社です。もう一つ連想されるのは、人麻呂が石見に深く関係があって、石見の妻の歌を詠んでいる。

小島——人麻呂が石見に行ったのはそういうことと関係があるんですか。

岡野——だから、そういう問題がまた関連を持ってくるんですよ。出雲と石見は今でも仲が悪いんですって。「出雲の人間って、画策する人間で、陰謀をいつでも企てて、波乱を起こすように狙っているところがある」と言って、石見の人間は嫌うんですって。

小島——そうしたら、もしかしたら人麻呂の「靡けこの山」(『万葉集』巻2・一三一)には何か寓喩が隠されているのかもしれない。歌のすごさにばかり心が行ってしまってましたが。今初めて、そのことをふっと思いました。

岡野——そうなんです。それを考えていると、やはり出雲と大和の問題、出雲国譲りの問題は非常に大きなことであって、『日本書紀』や『古事記』だけで片付く問題ではないはずだという感じがするんです。それを学生時代の折口はやはり問題にして、激しい講演をしている。人麻呂がまた、不思議な存在になってくると思うんです。

小島——何のために人麻呂は行ったんでしょう。人麻呂が何処で死んだかに斎藤茂吉がすごくこだわったのも、もしかしたらそこまで関係があるかもしれない。

岡野——茂吉のように、鴨山はここだというふうな簡単な問題じゃなくて、もっと大きな問題を孕んでいたのではないかという気がするんです。石見の国から上ってきたときの人麻呂の歌、「ささの葉はみ山もさやにさやげども」（『万葉集』巻2・一三三）は、そんなに穏やかな歌ではないという感じが。

小島——妻との別れだけではなかったのかもしれないんですね。

岡野——そういう感じがしますよね。

古代史はそういう意味ではまだまだ非常に大きな問題を孕んでいる感じがある。たまたま今年が伊勢神宮の二十年に一遍のご造営だし、出雲が六十年に一遍の御屋根替え、遷宮でしょう。何となく暗示的な感じがするんですね。

小島——まだまだ気づいていない寓喩がたくさん、歌に隠されていると。

岡野——それがあると思うんです。そこの問題がどうも、折口が何か心安んじて出雲へ入って行かなかったいちばんの原因じゃなかろうかと思って。

大和族と出雲族

岡野——そのきっかけになった一つが、安藤さんが神戸大学の図書館で発見してきてくれた神風会の会報です。それに僕の祖父が寄付していた（第四回）。

僕の祖父や親父も言ってましたけれど、僕の神社の祭神は表面は仁徳（にんとく）天皇と磐之媛（いわのひめ）皇后になっているけれども、いろいろな面で考えてどうも違うのではないかということです（第一回）。

小島——磐之媛皇后は、これも伝説でしょうけれども山城あたりで亡くなっていますね。

岡野——磐之媛はひょっとしたら出雲系かもしれないですね。初めて大和族以外から皇后になった人で、大和のいちばん西を限っている葛城山系、「葛城高宮我家のあたり」という磐之媛の歌がありますが（『日本書紀』）、そこで死ぬわけです。夫婦喧嘩をして、「衣こそ二重もよきさ夜床を並べむ君は畏きろかも」（同前）、衣ならば二重もいいだろうけれど、二重の着物を着る人、愛人を二人も持つなんていやだと言って、仁徳天皇の宮廷へ帰らないでしょう。あの抵抗感の根底が葛城氏の勢力を背景に持っているからなんです。

葛城地方の英雄の葛城襲津彦は磐之媛皇后の血縁です。そういう背景があるから、大和族以外で初めて皇后になったのだろうし、当然、多くの部族を統合していくために、多くの女性たちを妃にしようとする仁徳と合わなくて、あんなふうにちょっと悲劇的な末路を持つ。

小島——磐之媛の歌は『万葉集』では巻2の巻頭です。

岡野——あの歌のあり方も不思議でしょう。挽歌のような歌が相聞歌の中にありますでしょう。そういうことを考えますとね。近代の、「葛城山、売ったりましてん」と言う前川佐美雄にまで、そういう反骨精神みたいなものが流れているような感じがするんです（笑）。

小島――葛城はそういう感じがしますね、確かに。

岡野――葛城山はとにかく一言主(ひとことぬし)の領域ですからね。今でも西の山の辺の道を歩いていると、大和宮廷的な東の山の辺の道とは違うでしょう。私はあの葛城山麓の西の山辺の道の感じが何ともいえず好きなんです。ドラマがあって。さすがに芭蕉がそれを彼の紀行文の中で生かしていますね。「なほ見たし花にあけゆく神の貌」葛城の一言主さんですね。

で、水越峠を越えて河内へ行くわけです。そういう感じで、大和族と出雲族の問題はかなり古代史の上で大きな問題じゃなかろうかと思うのです。

小島――そこに渡来人は関係してこないんですか。

岡野――うーん。折口の海彼からのまれびとも、結局その問題につながってゆく。出雲族は一体どういう民族なのか。司馬遼太郎は韃靼(だったん)系の大陸からの民で、それが日本海側へ分布していくと考えているんですけどね。

小島――大野晋(すすむ)さんが日本語の発生を渡来で捉えておられます。

岡野――それもありますね。大野さんのタミル語との対応の問題は、角川の『古典基礎語辞典』にも具体的に示されていますね。あの辞書は古語を考えてゆくのに、いろんな点でいい辞書です。古代を考えるのに言語の問題は非常に大きな問題で、これからもっと展開していくと思います。この点についても折口は若い二十代に、金沢庄三郎から朝鮮語を習い、東京外国語学校で蒙古語を習っています。古代の暗面をただ単に興味的に暴くとか、そんなこととは全く違い、日本人のいちばん大事な魂の問題、あるいは歌の始原の探求ということと関連していく問題だと思うのです。

小島——多分、それが迢空の神の問題でしょうね。

岡野——ええ。そう思います。

極道の人、後鳥羽院の力

岡野——とにかく日本の和歌の上で考えると、人麻呂と後鳥羽院、この二人が歌の巨人ですね。日本の古代歌謡から和歌が確立してくる、あるいは長歌の反歌と短歌の問題とか、形式の上から考えても人麻呂は大きいですね。先ほど小島さんもおっしゃったように、出雲族との間の不思議な役割を人麻呂が果たしているんじゃないかという予感も魅力的な刺戟として心に動いてきます。だから、単に和歌史の問題だけにとどまらない大きなものがあると思うんです。

第一回でちょっと触れましたが、女鳥王と速総別が逃れてくるとき、大和から伊勢の官道を堂々と通ってこられず、隠れた道筋を通った。その道に沿ったあたりに民謡みたいなかたちで伝えられた歌の中に、二人の逃避行の面影が宿っているものがあります。

①長谷(はつせ)の齋槻(ゆつき)が下にわが隠せる妻あかねさし照れる月夜に人見てむかも　(巻11・二三五三)

②ますらをの思ひ乱れて隠せるその妻あめつちに通り照るともあらはれめやも

（巻11・二三五四）

③道の辺の壹師の花の灼熱人みな知りぬわが恋妻は

（巻11・二四八〇）

万葉集巻11にはこんな歌があります。前の二つの旋頭歌は「人麻呂歌集に出づ」と記されています。③の歌は伊勢の壹志の地名からして速総別の殺されたあたりを思わせ、二首の旋頭歌は大和から長谷への間道を女鳥女王を連れて逃れる道行ぶりをしのばせます。そして、私の家が代々仕えてきた若宮八幡宮というのは、明治の新政府の整理では、祭神が仁徳天皇と磐姫皇后ということになっているが、実は速総別と女鳥女王である気配が感じられるのです。面白い縁です。

話は変わりますが、やがて中世に『新古今和歌集』という、レトリックのこの上もなく華麗に花開いた歌集ができる。日本の短歌史の上では人麻呂の業績と並んで二つの大きな展開です。後鳥羽院が出なかったら、あんなに歌合わせ、連歌というかたちの展開もなかった。

後にいろいろなかたちで歌謡や郢曲、そういうものに影響力を残しましたけれど、後鳥羽院のあの幅広い、和歌を中心とした、民謡や俳諧的な世界との結びつきは、それから後の文学史の上にずっと大きな影響を残したと思うのです。

『源氏物語』の中にすでに『古今集』『後撰和歌集』だとかの歌をいっぱい引いていますが、

それをさらに今度は和歌の世界で、後鳥羽院は自分の作品の中に展開させますね。あの手法が連歌、連句の中で生きてくるわけでしょう。『源氏物語』の注釈書でも連歌師がいちばん熱心に残しています。日本の文学史の中のいちばん背骨のようなところに、後鳥羽院の力がずいぶん大きいと思うのです。

小島——後鳥羽院はある意味で「極道の人」ですからね。

岡野——そうです。あの人がなかったら、歌というものはもっと狭く、皺の寄ったような、しわしわしたものになったかもしれないと思うのです。江戸時代はちょっと寂しくなるけれど、それでも芭蕉、蕪村へ展開していったと思えばいいわけですからね。

小島——しばしば、社会生活で人にいろいろ迷惑をかける人のなした文学史的な仕事って、とても大きいんですよね（笑）。極道の人の力によって私たちの文学はとても豊かになったと思います。

岡野——そう。文学なんて、だいたいそういうものです。僕なんか、極道をしなかったからいけないんだな（笑）。

小島——いいえ、岡野さんはいい極道です（笑）。ある意味、やんちゃとか、人がしないような破格のスケールで生きてこられたという意味では極道ですよ。

明治天皇の恋歌

岡野――迢空が〈大君はあそばずありき。／髣髴（オモカゲ）に／夏山河（ガハ）を　見つゝ／なげけり〉（『春のことぶれ』）と詠んでいますが、明治天皇って、歌がお上手なのか下手なのか、わからないんです。ものすごくたくさんの歌を作っておられる。しかも、毎月毎月、月並みの歌の題でしょう。昭和天皇の侍従長の入江相政（すけまさ）さんが「うーん、この退屈さってのはたまりませんなあ」と（笑）。明治神宮で、『明治天皇御集』をさらに分類して、『類纂御集』を編纂しようと、五島茂さんが中心になってその仕事をしているとき、僕はまだ若いんだけど、そこへ加えられたんです。そのとき、入江さんが言うわけですよ。「この繰り返しはたまりませんなあ」と。

そういう話の中で、「でも、明治十年までは明治天皇だって恋歌を盛んに詠んでられるんですからねえ」という話が出た。入江さんは、御集の最初の編纂からの経緯をよく知っていて、私に話してくださった。佐佐木信綱さんが「あの謹厳な明治天皇を私は目の当たりに拝見している。その天皇が恋歌をたくさんお詠みになったということを後世に残すことはいけない」と言って、断固として入れなかったんです（笑）。

ところが、他の歌人たちは佐佐木さんみたいに割り切れない。「やはりそれは残すべきだ」と言う人が多かった。「だけど、佐佐木先生を説得するのはなかなか大変だぞ。やはりこういうときは美女に出てもらわなければ」ということで、五島美代子さんを使者にして、熱海へ説得に行ってもらったんです。結局、十首だけ収録されました。

明治十年は西南の役があって、それまでは眉を描いて、お化粧をして、衣冠束帯でいられた天皇が軍服になられるわけです。明治天皇は陸軍の軍服が嫌いだったそうです。まだ、海軍の軍服のほうがいいと言ってね。そのころから洋服をもっぱらにして、しかもしばしば儀礼的な場では軍服をお召しになるようになって、恋歌も少なくなるわけです。

小島――時代がそういう方向へ行ったんですね。

岡野――間違えてはいけないのは、日本人にとって恋歌というのは、神話のイザナミ・イザナギの「あなにやし　えをとこを」「あなにやし　えをとめを」から始まっているのです。そもそも虚構の題詠なんです。だから世々の天皇も皇后も年の始め、治世の始めには、題詠による「恋」の歌を詠まれる。それによって世の中に活力が満ちるわけです。新年には天皇の「国見歌」と「恋歌」があるべきなのです。恋歌を詠むのは品格に欠けるというのは後世風の衰弱なんです。

そういうところから日本の文学史は非常に狭くなった。つまり、短歌俳句の持つ文芸的な力、伝統文学の要素が閉塞、抹殺せられた。そこから近代文学が花開くわけだけれども、同時に、古典の和歌の世界のふくよかさというもの、あるいは華麗さ、あるいはエネルギッシュな部分が力を失ったわけです。

わりあいに好意的に見られたのは与謝野晶子さんで、鉄幹なんかは逆にそれで叩き潰される。『相聞（あひぎこえ）』のあの絶頂がそこで終わってしまうわけでしょう。そういうところはずいぶん短歌にとって不幸だったなあという感じがします。そういう問題ももう少し、短歌自体の問題として考え直してみてもいいと思うのです。

折口に蘇ったキリスト教への関心

岡野――戦後の折口の変わり方、もちろん変わらない部分はありますが、変わる部分がまた大きいんです。若いころの折口が、仏教やキリスト教にも日本の神を考えるのと同じような情熱を感じていたことは、戦争中の私は全く知らなかった。敗戦後、折口の家に入ってそれを知った。「神道概論」の講義や作品で驚いたり、感動させられたりして、わかっていったのです。戦争が終わった後、キリスト教にあれだけ折口が深く関心を持っていたことが初めは不思議だったんです。よく横浜へ連れていってくれて、港の見える丘の教会の前を通るとき、教会に対する関心が普通と違うんです。べつに教会へ入ることはしないんですけどね。

小島――え、例えばどのような。

岡野――ちょうどクリスマスのころです。われわれはおなかがすいているし寒いし、敗戦国のみすぼらしい異教徒そのものなんですよ。とぼとぼと港の見える丘を歩いていると、小さな教会に電気が煌々と灯っていて、暖かそうで、庭にイエス誕生の場面が作ってある。なにか幸福な宗教的雰囲気が伝わってくるわけです。まわりの豪華な邸宅はみな進駐軍の高級将校用に接収されて、煌々としている。先生は「僕たちは、みじめなさすらいびとだねえ」と言って、栄養失調で衰えた足を引きずって歩いていく。

　外人墓地の坂を下って、元町の古くからある料理とケーキを食べさせる店で、そのころは洒落た料理なんて全くないわけです。海人草（かいにんそう）くさい、スープみたいなもの、代用食ですよ。それでもいくらか温かくしてあるから、それを啜って、そして帰ってくるわけです。そういう中でできたのが〈基督（キリスト）の　真はだかにして血の肌（ハダヘ）　見つゝわらへり。雪の中より〉（『倭をぐな』）という歌です。

小島――あれは不思議な歌ですねえ。

岡野――そうでしょう。当時、「新潮」に、宮柊二さん、近藤芳美さんだかとか、土屋文明、折口信夫だとか、六、七人競作のかたちで十首ずつ載せたことがあります。あのころ、文芸誌の「新潮」でそんな企画は珍しいわけです。短歌は戦後、非常に冷たくあしらわれましたからね。あのときの折口の作品は批評にも一番注目されて採り上げられました。

　もう一つは、〈耶蘇誕生会（ヤソタンジヤウヱ）の宵に　こぞり来る魔（モノ）の声。少くも猫はわが腓（コブラ）吸ふ〉（『倭をぐな』)。

小島――下の句への展開にすごく驚きます。

岡野――耶蘇教の持っている宗教観というものが、敗戦国の一人の民である折口の心にあんなかたちで惻々として迫っていたんですね、あの時期。

それから、外人墓地の、血を吐いて死んでいく少女の話。ああいうイメージがわれわれ日本人の神とキリスト教国の民の神との問題を考えざるを得ない感じなんです。若いころのキリスト教に対する関心が戦後もう一遍、折口の心の中で非常に激しく蘇ってきていたと思うのです。

「妖婆折口」の神道論

岡野――ですから、戦後、國學院でやった神道概論の講義が、そのころの僕たちに非常に難解だったんだけど、今考えると、大事な講義を聴いていたんだなという感じがするんです。

小島――そのころはもう、言論の統制は全くなかったんですか。

岡野――國學院は残りましたが、神道関係の教授たちはほとんど全部パージになって辞めさせられました。外からは柳田先生に来てもらい、東大の宗教学の先生に来てもらいました。折口と民俗学を柱にした、つまり神道を宗教と言わないようにした。宗教と言うとGHQに睨まれるから。「祖先崇拝の習俗」という言い方で大学は対処していたと思うのです。民俗学ならばいいだろうということで、民俗学者に神道科の講義をやってもらったんです。ところが、折口信夫はそんなことに全然おかまいなしに、「民族教から人類教へ」というテーマを掲げて神社本庁で神主さんたちに情熱的に講義をするわけです。僕はいくらか神主の気質を知っていますから、「ああ、抵抗が強いぞ」と思ってね。神社本庁の講習でも、もちろん國學院の僕ら学生へはもっと自由にそういう問題を講義しました。日光東照宮へ頼まれて講演に行ったときも、宗教学会の講演のときも、「神道は一民族教から人類教へ展開しなければだめなんだ」と言うわけです。

神社本庁で出している「神社新報」なんか、面と向かっては言いませんでしたけど、陰ではいろいろなことを言っていたと思うんです。「妖婆折口」なんて、折口がまだ若いころ、恐らく神主さんたちか、あるいは右のほうの人がつけた呼び名だと思うんです。そう言われればちょっと、あの人のしぐさは女性的でしたからね。だから、「妖婆折口」はちょっと実感があるんですよ。

小島——でも、魔女狩りみたいで、いやですねえ。

岡野——そういう時期もやがて、折口が亡くなって忘れられていったような感じですが、一時はちょっと、異様な感じがしたんです。そういうなかで、とにかく折口の神道論は非常に特色がありましたね。

「神道にも教祖が出るべきだ」

岡野——戦後は得体の知れない教祖が出ました。そのうちにでかいやつが出てくるわけですが、それまでにぽつぽつと不思議なおばあさんが出たりした。そのころの新聞でも、そんなおばあさんが話題になったものですが、「そういうのを簡単に、ただ単に興味本位で考えたり、異端者だと決めつけたりしてはいかん。神道にも教祖が出るべきだ」と折口は言ってました。

教祖はだいたい、おばあさんなんです。古代ならば審神者（さにわ）、教祖の言葉を嚙み砕いて布教する男の役のことですが、それがつくわけです。天理教でも大本教（おおもと）でも、ことに大本教は教祖出口ナオの女婿の出口王仁三郎（おにさぶろう）が伝達者の役を大きく広げていったわけです。

小島——神道の教祖ということになると天皇制との問題は……。

岡野——ええ。だから、大本教は大正から昭和にかけて、二遍、爆破せられるでしょう。いかにも近代の天皇信仰の影響を受けた異様な事件だったと思いますね。最近でこそ、その問題をテレビでも扱って、爆破の情況がどんなにひどかったかということも、世間の人に知らせるようになりましたけど、長い間、伏せられていたことですからね。

歴史学者の上田正昭さんは出口王仁三郎が非常に大事に信仰していたお社の古くからの社家の家の人なんです。上田さんは戦後になってもそれをあまりおっしゃらなかった。僕は折口から聞いて知っていたから、上田さんの著作集の月報に、「そういう大事なお社の社家の出で、そういうことが上田さんの古代史への関心のきっかけになっているはずだ」というようなことを書いたんです。上田さんと会ったら、「岡野さん、書いたねえ」と。「でも、もうこれから自由におっしゃればいいでしょう」と言ったら、「うん、それはそうなんだ」って（笑）。

小島――折口信夫にとって教祖はどういうふうにイメージされていたんですか。

岡野――散歩していて、言うんです、「僕は教祖になれないよ。でも、本当に力のある教祖が出てきたときの、その教祖のために僕の学問はあると言ってもいいんだよ」と。

小島――ずいぶん具体的に自分の中にあったんですね。

岡野――考えていたんですね。ああ、そうなのか、預言者ヨハネみたいな感じでいるのかなと思ってね。そのころ、折口先生が無教会派のキリスト者の本などを読んでましたから、キリスト教に関心が深いということは、つまり、神道、宗教家の一つの問題として考えているんだなということはわかってましたからね。

遺稿の中に見つけた*あの*一首

岡野――先生が亡くなって、「三田文学」から「作品があったら戴きたい」と言われていたんです。先生の最晩年の手帳を整理していたら、歌があるわけです。本来ならば、僕が清書して、また先生がそれを推敲するはずのものです。その手帳の歌を見ていたら、神の歌がある。あるいは十何人かの姪があって、その姪たちに少しでも遺しておくものがあってほしいとか、ふっと心が素直になったような若い乙女のことを詠んだ歌とか。「うわあ、先生、心が自由になっているんだな」と思って、そんな歌も一緒に「三田文学」の遺稿の中へ入れておきました。

しかし、一首だけ、アッと思ったのは、〈人間を深く愛する神ありて　もしもの言はゞ、われの如けむ〉です。推敲も何もしてなくて、さらさらっと書いてある。その歌が印象に非常に強く響いたのです。ひょっとしたら、先生、発表するまでにもっと直すつもりだったかもしれないな。でも、これはこのままでも先生の気持ちはわかると思って、そんな説明は全然しないで、出したのです。

小島――これまで、その歌はわからないなりに好きでした。うたびととしての自分自身の一生を振り返ったときに、神の言葉であったという歌のルーツまで立ち返って、自分のうたびとの心を詠んだのではないかなとは思っていたのです。でも、今日のお話を伺うと、そんなすっきりしたものではなく、もう少し血肉にあるものという感じがしてきたのですが。

岡野――戦後の日本の神道をそれまでとまた違ったかたちで、といっても根底から変わるわけではなく、いっそう切実な問題として、それからまた、戦前の神道の考え方とは離れた、もっと自由な、あるいは本来、日本人が持つべきであった心で日本の神というものを考えた末の思いだと思うんです。

先生は九月三日に亡くなりますが、亡くなる前年から、その翌年あたりはかなり幻覚、幻想が起こって、ことに二人だけで箱根へ籠もっているとか、軽井沢で居るときにはそれが激しかったんです。一人で静かに思いを深めているときなんかはすーっと幻想の状態に入っていくことが多かったらしいですね。

小島――じゃ、本当に自由な精神活動をされていたのかもしれないですね。

岡野――そうなんです。そういう中での歌が印象が変わってきたと思うんです。黒い喪服のような服を着て、カソリックの尼さんが歩いていくとか、林の中の緑の光線の中で水の底に沈んだような感じでいるとか、ああいう感覚は二人だけでいると、こっちの背中もぞくぞくっとしてくるような、そんな感じの状態が多かったのですが、後から繰り返し考えていると、日本人の神の問題を考え考えしている中で起こってきた、あの人の心理のありようだろうと思うのです。それは教祖的な狂信的なものとは違って、もっとクールなかたちで起こってきていたんだろう。それがわりあいにあの時期の歌に出てきている。

小島――狂信的というより、もっと学問的なもののプラスうたびとの魂という感じですね。

岡野――おっしゃる通り、僕もそう感じていました。それに、教祖的な情熱というものの力も起こっていたかもしれない。そのことは、折口信夫の最後としては非常に印象が深いのです。

だから僕は、「俺は神なんだ」という単純な思い上がりの歌だとは思わないし、書物的な神の追究から生まれてきた歌とも思わないのです。もっと折口は日本人の神の問題を自分の心でかなり自在なかたちで、しかし深めていっていたことは確かだと思うんです。

折口没後六十年、いっそう鮮明になる思い

小島——連載の途中で何度も、岡野さんはなぜ、ご自分のことをあまり話されず、つねにつねに迢空のほうに行くのか。迢空への気持ちの強さはわかるけれども、なぜ、ご自分のことをいつも後回しにされるのかと思っていたのですが、今日、伺ったら、やはりそういう重い課題、神の問題、日本民族の問題、言葉の問題、そういうのがまだまだ解決できないかたちで受け取られていて、そのことと今でも向き合っていらっしゃるということが、よくわかったような気がします。

岡野——ありがとうございます。そう言ってくだされば、いちばん僕の気持ちの整理になるんですよ。自分で自分のことを考えるなんて大したことないんじゃないか。結局、人間の問題にしても、文学の問題にしても、神の問題にしても、全部、先生から啓発せられて、それを一生懸命、幼いなりにも辿ろうとした、その魂みたいなものがいつまでも僕の心の中に宿っていて、蘇り蘇りしてくるんだと、そんなふうに見てくだされればいちばん、「ああ、そうか、理解して

もらえたなあ」という感じがするのです。

それで全集やきちんとした資料から折口という人間、あるいは折口のいちばん追究した問題を考え出してこられる若い人が出てくることが僕は大変うれしいのです。多少苦しんで、全集を整えてきた効果があったかな。生身の人に触れると、やはりその人の力みたいなものが生なかたちでこっちに影響することがありましてね。それが先生に亡くなられてから今年で六十年ですが、年が経つと希薄になるのではなくて、いっそう透明に、夾雑物が落ちていって、鮮明になってくる感じなんです。

小島――お話が始まる前、「最近、筋力がまたついた」とおっしゃったので、できれば先生ご自身の筆によってもまた、書き記していただければ。

岡野――そうですねえ。ところが、丸谷さんがよく言ったのですが、「折口さんのすばらしい論文、すばらしくなればなるほど難解になる」、それは本当にそうですよ。『古代研究』の第一巻の「歌の発生」の問題から、「女房文学から隠者文学へ」という、後鳥羽院や『新古今』のいちばん大事なところを書いているところ、本当にそれはすごいと思うんだけれど、同時に難解なんです。

小島――文体がまず難解ですからね。

岡野――佐藤謙三さん、鈴木棠三（すずきとうぞう）さんとか、先生の教室の助手をしていた人で、そういう二人が書いた『日本文学啓蒙』、あれがいちばんよくわかると丸谷さんはよく言ってました。原文の、細やかに書いてあって、入念な面白さはそれはそれとしてあるけれど、学説のすーっと通った理解はねえ、なかなかつかみにくいんだよと。

小島——翻訳者のような方が必要ですね。

岡野——そう。教祖の審神者(さにわ)が要るんです(笑)。あの人の学問もかなりそういう教祖的な色彩を持っているところがありますね。ただそれが、考え考えしてわかっちゃうと、またそこの中で、先生と共感しているのが楽しくなって、それをもう少し敷衍して言おうとするのがテキパキといかなくなるんです。

小島——ぜひ、お書きになってください。ありがとうございました。

(二〇一三・一・二三　KKRホテル東京)

【第11回】

学生たちとの万葉旅行

昭和三十八年、万葉旅行のスタート

小島――これまでのお話ではずっと、釈迢空の人と文学、それが岡野さんの今日を作ったとおっしゃっていますが、読者としてはぜひとも岡野さんご自身のお話を伺いたいと思っております。まずもって興味があるのは、学生さんを連れて万葉の旅をされたことです。今日はその旅について伺いたいのですが。

岡野――先生が亡くなりまして、その翌年に折口信夫博士記念会ができます。その記念会を國學院大学の一室に置いて、そこで『折口信夫全集』を編集しようということになり、前にお話ししましたように、中央公論社から二十五巻、毎月一冊というかたちで出版してゆくことになります。

やっと二十五巻が終わって、その部屋の名が折口博士記念の古代研究所に代わりました。学生の志ある者たちに折口学を伝えていこうということになって、研究会を二つ作ったんです。一つは万葉研究会、もう一つは文学史研究会です。週に二回ずつ、授業が終わった後から夜にかけて、私が研究会をその部屋でやっていました。

そのうちに万葉研究会のほうが多く集まるようになってきまして、一年間、出席のよかったものを連れて、年末の一週間、万葉旅行をするようになった。旅行するのは十二月がいちばん静かなんです。そのころのことですから、初めはもっぱら、お寺に泊めてもらいました。そのうち明日香村では民宿をやってくれるようになりましたし、ユースホステルも出てきましたでしょう、わりあい安く泊まれるところを学生たちが見つけてくるんです。

とにかく、万葉の遺跡を何となく見て回るというのでは意味がない。僕は敗戦後、自分の気持をどう立て直そうかと思って、大和、近江、伊勢、熊野など日本の古代のこころの濃密に残るところを歩いた、その体験を、この学生たちに、違った世代だけれど体験させようと思ったわけです。古代の情念は言葉と土地とにいつまでも残るのです。後世の「歌枕」とは、その情念の濃い土地ということになるわけです。

小島――伊勢、熊野までというと普通の万葉を巡る旅とはちょっと違ってきますね。

岡野――ええ、万葉の跡は大和が中心ですが、実は畿内全体にちらばってますからね。大和と比べると濃密さが非常に違ってくる。それはそれで歩く距離が長くなるけれども、歩きながら考えるという点ではかえって都合がよいのです。できるだけ乗り物に乗らないことにして、徒歩で旅します。

小島――十二月は寒いんじゃないですか。

岡野――ええ、寒いです。

小島――先生はどんな格好をされたんですか。

岡野――えーと、それはヘビーな格好です（笑）。テンガロンハットに山靴、リュックサックに身をかためます。期間も初めは五日間くらいでしたけれど、やがて一週間に延びていきます。

小島――一週間ずっと歩き続けるのですか。

岡野――ええ、歩き続けます。ですから、キャラバンシューズで、できるだけ荷物は軽く、しかし寒いときだから暖かいように。そのころ、使い捨てカイロなんて便利なものはなかった。大和というところは冬はかなり厳しいところでしてね。

小島――年譜では昭和三十八年からその旅行が始まったということで、ホッカイロどころじゃないですね。

岡野――そうです。防寒具もそんなになかったころです。

もう二人とも亡くなったんだけど、後に角川「短歌」の編集長になった秋山實君と、明治大学の教授になった奈良橋善司君。それから、今も健在で清泉女子大教授だった長谷川政春君、歌人の中井昌一君・成瀬有君などを連れていったのがいちばん最初です。

小島——どれくらいの年数、なさっていたのですか。

岡野——定年が七十で、僕はその二年前に辞めたんだけど、辞めるまでだいたいやってましたからね。

小島——では、三十年近くですか。すごいですねえ。

岡野——これまで一緒に行った連中に呼び掛けて、明日香で最後の万葉の旅をやってみたいと思いますね。長谷川君に、そのうちに言おうと思っているんです。

最初は、秋山、奈良橋、長谷川君らが大学院へ進んだころ。折口先生のお墓参りをして、そのまま近江を歩いたんです。そのときの連中がいろいろ質問したり、感じたりしたことがまたヒントになったんです。皆、若くて純粋だった。同時に世間を知らなくて甘えん坊なところもあって。女子学生が二人加わってたんですが。

小島——女子も行ったんですか。

岡野——ええ。そのうちに女子のほうが断然多くなるんですよ。初めのときから女子学生が二人いて。五日も六日も歩いているから肌着なんか汚れてくるわけです。すると、秋山は女子学生に「これ、洗って」と言うんです。秋山は大学院クラスでしょう。女の子は学部でしょう。だから、「はい」とか言ってね。それで僕は二人を呼びつけて、「男の肌着を洗うなんて、そんなのは敢然として拒否しなければだめだ」と。

小島――お嬢様なんですものね、まだ（笑）。

岡野――秋山には「女性に肌着を洗わせるなんてことは、その女性と結婚する覚悟がなければ言うんじゃない」と叱りつけたりして。しかし、その女性の中の一人はなかなかしっかりした子でね。あ、そうだ。だから、第一回目は冬じゃなくて、折口先生の命日の九月三日に墓参りをして、そのままずーっと歩いたんです。琵琶湖で泳がせたら、その女の子は僕らが心配するほど、湖心のほうまで泳いで行くわけです。

小島――ワイルドな旅ですねえ（笑）。

岡野――敗戦の翌年の春、一人でここへ来て、いったい、これからどう生きようかと思ったものだが、あの時から考えると、日本も明るくなったなあと思ってね。

小島――岡野さんがソバ粉の団子を食べながら歩かれたところですね。

岡野――そうです、そうです（笑）。ああ、そうだった。もう一つの思い出があります。一九六〇（昭和三十五）年に岸上大作君が自殺した。そのころの國學院の短歌研究会は会員が八十人ほどいて、僕は顧問をさせられていた。岸上君の死のショックが大きくて、このままでは後追い自殺が出たりするかもしれないという感じだった。その翌年の夏も短歌研究会の学生たちを連れて、大和を歩きました。旅中も徹夜で彼の死を論じたりした。彼の父は戦死しているのです。〈論理するどく行動きびしき学生の父の多くは戦ひに死す〉（『冬の家族』）という私の歌は、そういう思いを歌ったのです。

旅中にふっと気がつくと、髪がずいぶん抜けるのです。三十代なかばで、太くて黒い髪がふさふさしているのに、宿の湯でびっくりするほど毛が抜けた。もう若くないのだと、身にしみて思いました。

小島――お写真を見ると盛り上がっている感じです。

岡野――それが抜け始めて、これはちょっと危ないぞと思ったのはその旅行中なんですよ（笑）。一日中歩いて、若者たちと一緒に徹夜をしたりするでしょう。いろいろな質問や論争を仕掛けてくるから、こっちも負けん気でやっているわけです。そうすると、ちょっと疲れるようになったなと思ったりして。

一週間ぶっ続けで歩く旅

岡野――そのうちに次第に研究会と旅行がしっかりした組織になってきました。はじめは秋山（實）が助手だったんです。秋山は少しルーズだったんだけど（笑）、学生にそういう旅程作りや宿舎の交渉を任せるとテキパキとやるわけです。助手にした者があまりそういうことが得意じゃないと、必ずその友だちなりアシスタントがついてやってくれるものですから、そういう点では楽でした。僕は一年間みっちりと研究会をやって、プリントをきちっと作らせて、先頭に立って連れて歩けばいいんです。

小島――道はどういうふうに選ばれているのですか。たくさんありますでしょう。

岡野――道はできるだけ万葉の遺跡を辿るところ。そのうちに明日香はだんだん貸自転車が揃うようになるんですが、貸自転車は絶対に使わせなかったです。学生部の企画で二、三回、僕がついていってやらなければならないときがありまして、学生部は職員の企画の中に「自転車使用」というのが初めから入っているんです。自転車を使うと距離感が体でわからない。一歩一歩歩いていくと、じっくりと感じとってじっくりと考えられるわけです。その代わり時間がかかりますけどね。それだから結局、一週間ぶっ続けで歩くことになるんです。

小島――それはすごいですねえ。

岡野――足を鍛えておかなきゃダメですから、年に二、三回、奥多摩へ連れて行くんです。山奥の小屋はランプしか灯ってない。そんなところで泊ったりして。だから、「山岳部の次には折研(おりけん)の学生が健脚だ」という噂でした(笑)。

いちばん印象深いのは明日香です。最初、僕が一人で歩いたころ、明日香で日が暮れて、どうしようかと橘寺の庭でぼーっと立っていたら、寺の奥さんが「今日、お泊りのところがなかったら泊めてあげますよ」と言ってくださったんです。それはありがたいと思ってね。泊めてもらって、「これからも一年に一遍、学生たちを連れて旅行に来たいと思うのですけれど泊めてもらえますか」と聞いたら、「ああ、どうぞ、どうぞ」と。それから泊めてもらうようになって。だんだんなじみができると、「学生さんも寒いでしょうから」と、布でくるんだアンカを貸してくれたり。お寺だから部屋は広くて、座敷の裏窓から香具山が真正面に見えるんです。

橘寺のお坊さんが碁が好きで。村でいちばん強いのは飛鳥大仏の寺のお坊さんです。橘寺のお坊さんが二番目かな。ところが学生の中に碁の強いのがいて、新宿の碁会所で常連になっていた男です。橘寺のお坊さんは待ちかまえたようにして碁盤を持ってくるわけです。でも、その学生にはどうしても勝てない。勝つまで、もう一番、もう一番って切りがない。部屋の真ん中に二人が居坐って夢中だから、みんなが寝られない。とうとう廊下へ連れ出して「負けてやれ。明日も一日中歩くのに、みんないつまでも寝られないじゃないか」と因果をふくめて、やっと負けさせた。満足したお坊さんが一升瓶を両手にさげてきて、みんなで飲んで寝ました。

とにかく、女性がだんだん多くなって熱心になってくるんです。学生たちって案外、世間知らずなんです。部屋へ上がって、床の間のあるところに泊るでしょう。床の間にドサーッとリュックサックを置いたりする。だから、床の間はどういうものかということから教えなければならない。男女が一週間も歩いているわけですから、男女の愛のあり方みたいなものまで時に訓戒してやらなきゃならないし、ご飯茶椀とお汁のお椀とお箸の持ち方、置き方みたいなことまで言ってやらないと。比叡山の宿坊、高野山の宿坊なんかに泊ると、それがきちっとできないと恥ずかしいんです。老年の信者たちも一緒に食事をしますからね。

僕は一番先頭を歩いて、できるだけ距離を長くさせないように間を詰めて歩かせる。そうしないと説明するときに追い着くのを待ってなきゃならないでしょう。時間がかかってしようがない。「いつでも僕のそばにいろ」って。

小島――先生の健脚についていくのはなかなか大変です。

岡野――できるだけ女子学生に合うようなかたちで歩くようにしてましたから。でも、ときに走らなきゃならないときもあります。近江の琵琶湖一周とか、紀伊半島の旅は距離が長くて、どうしても、バスとか電車に乗らなければならないときがある。一本遅れると一時間以上も遅れてしまう。だから、走らせたりしてね。

コースは六つ。まず、飛鳥

岡野――コースを六つほど、考えておきましてね。大学は四年間ですから、四つあれば一年生から入っていても重なったコースに行かなくてもいいということで。いちばん頻繁に行ったし、歩いていても濃密な感じがするのは、飛鳥を中心にしたコースで、あの辺りは飛鳥だけじゃなくて周辺みな記・紀、万葉の世界ですからね。

小島——大和の南側ですか。

岡野——そうです。最後は妹峠を越えて吉野まで行きます。それはたっぷり一週間、歩くんです。いろいろなことに気がつくんですね。例えば大和三山の中でも香具山が一番神聖で、歌にもよくうたわれているし、大和の山の中で一番大事な山ということになっています。だけれども、実際に大和盆地を歩いて、あっちから見、こっちから見してみても、あの山は三山の中でも一番平凡な山です。戦後はことに松が全部枯れて、雑木の山になってしまって、ぼさぼさの山になったんです。耳成はまとまっていて本当にきれいでしょう。畝傍はちょっと男性的。ですから、どうして香具山が「久方の天の香具山」なんて言って、昔から大事にせられているのか、不思議だったんです。

ある年、雪が積もって寒い日でしたが、談山からさらに二キロくらい上に登りますと、御破裂山の頂上へ行くわけです。飛鳥から見上げていてもはっきりとわかるのですが、一所原生林のように古木の茂ったところがあるんです。そこが鎌足塚と言って、鎌足の墓のあるところで、一番神聖なところです。白木の柵が巡らしてあるんです。「あそこは神聖なところだから、柵の中へ入ってはいかん」と僕は言っておいたのに、秋山はこっそり、その柵の中の禁足地に入ったらしい。

小島――祟りがあったんですよね（笑）。

岡野――そうです。彼はカメラを持っていて、その日はずっと写していました。その晩、橘寺へ泊って、足の下にアンカを当てて、疲れているからそのまま眠っちゃったんです。そうしたら、じわじわと火傷が骨までいったわけです。

小島――低温火傷ですね。

岡野――ゆるい火傷は怖いんですね。翌朝になって、「先生、僕は天罰を受けました」と言うんです。そして、そのときに写したフィルムが全部感光していてダメだったんです。「あれだけ言ったのに」って僕は言ったんだけど、それこそ後の祭りですね。火傷の肉が盛り上がってくるまで、一年近くかかりましたよ。

小島――その祟りのお話はずっと以前に伺ったことがあって、あまりびっくりしたので、よく覚えています。

岡野――その鎌足塚のところから飛鳥を見下ろすと、ずーっと山の尾根が飛鳥へまっすぐに下っていく。そして、一遍、飛鳥でその尾根が切れるんだけど、また一つ飛んで盛り上がっているところが香具山なんです。ああ、これだっと思いましたね。つまり神が東の山の頂に降りてきて、尾根伝いにずーっと下ってくる、その最後の地点が香具山で談山の山頂の奥宮に対して、香具山は里宮なのです。

古い道はみんなそうなんです。谷道のほうが下りやすいように見えるけれども、山頂に降った神は尾根道を下る。その最後の地の瘤のようになって終わっているところが香具山なんです。だから、『日本書紀』にある天孫降臨の場面「皇孫の遊行す状は、槵日の二上の天の浮橋より、浮渚平處に立たして、膂肉の空国を、頓丘から国覓ぎ行去りて、吾田の笠狭碕に到ります」というった、状景を連想させる光景で、山頂の奥宮に対して、里宮の鎮まる地が香具山なのです。

そこをとにかくまっすぐに下ろうということで、道なき道、尾根をずーっと下った。今は尾根道を通る人はないですからね。暮れの二十八日に下ってきたんです。そうしたら途中で、飛鳥の村の人たちが五、六人、門松を切って自分の家に持ってくるところに出合ったんです。そのころはまだ、山で枝ぶりのいい松を伐れたんです。今はもうそんなことは絶対できませんけど。その顔が、いかにも神を迎える、正月様を迎えるという充実感に満ちているんです。

うわあ、いいところに出くわしたと思ってね。「こういうふうにして神は今、山から降りてくる。その道を俺たちは下っているんだ。香具山がなぜ神聖か、よくわかるんじゃないか」と言ったら、みんな、非常に納得するわけです。

小島――それは行かなければ絶対にわからないですね。

岡野――そうなんです。下から見ていたのでは全然わからない。そういう所がいくつかあるわけです。泣沢の森もそうでしょう。

小島——あそこはザワザワザワーッとしているような感じですね。

岡野——ええ。どこもだんだん森が小さくなっていくけれど、まだあそこは常緑樹の森が鬱蒼としています。香具山の麓ね。能登の少彦名神社の森ほど鬱蒼としていないけれど、でも霊感がピリピリッとくるでしょう。

小島——ええ。何かを感じます。

岡野——イザナミの神が亡くなって、夫のイザナギが泣く、その涙から成った泣沢女神（なきさわめのかみ）を祀ってある。だから、後世まで人が命乞いをする社です。そこのご神体は文献によると古色蒼然たる井戸です。枯れ井戸になっていますが、火の神を子どもとして産んで焼けただれた女神の体を連想させるような、そういう井戸です。

一歩一歩、上っていって感じ取る

岡野——飛鳥坐神社でも、女子学生たちが「先生、これ、何なんですかあ」と聞くから、「うーん、男性も女性もみんな、それぞれ持っているもの、合いカギになるアレだよ」と言うと、「ああ、ああ」とか言って、わかるけれど（笑）、あれだけたくさん、大きなのがずらりと並んでいると何だろうと思うわけです。

小島——パッと見たときにびっくりします（笑）。

岡野――あるとき、角川「短歌」の専属のカメラマンの斎藤さんと、「短歌」のグラビアの写真を撮りに飛鳥に行ったんです。斎藤さんは「岡野先生のは僕がちゃんとプランを立ててますから、その通り行ってください。まず、飛鳥へ行きましょう。あそこの神社のお石さんと並んで写真を撮りましょう」と。そこへ行ったら、「もっと近寄ってください。もっと近寄ってください」って言うんです。あれは僕の背丈くらいありますね。もっと高いかもしれない。そばに行って何十枚かパチパチ撮ったわけです。

それから、吉野との境の妹峠ですが、その途中にいろいろ、山のお社があるんです。栢森(かやのもり)神社とか。大和の山のほとんどは女性の神様です。だけど、飛鳥の稲渕の字(あざ)の入口のところには、県道と飛鳥川とを跨いで大きな注連縄がはってあって、そこに男性のシンボルがぶらんと下がっているんです。

小島――ああ、見たこと、あります。

岡野――「あそこの下で、見上げているところを撮ります」って斎藤カメラマンが言って(笑)。「あっちのほうはいいの」って聞くと、つまり向こう側は女性のシンボルですから、同じ撮るならそっちのほうが、気持ちが弾むんだけど、「いえ、あっちはもうけっこうです」と言われた(笑)。後は壺坂山へ行ったのかな。壺坂寺のところでまた何枚か撮られて。そうしたらその晩、泊った天理の宿で熱が出ましてね。

その話が前登志夫さんに伝わったら、喜んで、「さすがの岡野さんもあのお石さんの霊力には負けはった」と（笑）。前さんだって、山の主みたいな人ですから、そういうことがわかるわけですよ。「前さんが喜んではりましたでぇ」という話が伝わってきてね。だから、飛鳥というところは話は尽きないほどいろいろ体験があります。

山田寺は入り口もあまり特徴がないから、みんな気がつかないで、ことに自転車ですとスーッと通り過ぎてしまう人が多いんです。今はそういう気風も本当に後を断ちましたね。明

万葉旅行

治、大正くらいまでかな、無実の罪を着せられた人はあそこへ行くんです。あそこで祈願するんです。

つまり、あの潔白な蘇我倉山田麻呂が謀反を企てているという無実の罪を被せられて、しかし、自分がそれに抵抗しようと兵を起こして多くの人の命を失わせるのに堪えないと言って、その無実の罪を潔く受けて、一族はあそこで自刃して滅びるのです。それから後、冤罪を着せられた者はここへ来て、ここで祈れば、その恨みの思いはいくらか晴れるだろうと、あそこへ行く人たちがずっと絶えなかったんです。それが明治くらいまで続いて、冤罪を被った者があそこで祈るわけです。

そこはちょっと気をつけてないとわからない。古代の遺跡とは関係ないですから。入り口のところにそういうものばかりを捧げてある小さな祠がありまして、それを見ていると、粛然とした気持ちになるのです。若者たちにもその話はよくわかるわけです。

小島――それこそ沼空の痛み、未完成霊というようなものですね。

岡野――そうです。だから、一歩一歩歩いて、時間をかけても感じ取るということが大事だと思うのです。旅行には必ず懐中電灯を持って来させます。夜道を歩くこともしばしばあるから。飛鳥だけでも、暗くなるまで歩き続けて回るんです。飛鳥近辺、斉明天皇の御陵なんかはちょっと離れていますが、そういうところも回って、夜道を帰ってくる。そのうちに飛鳥研修会館ができて、宿泊が楽になりました。そしてさらに、妹峠を越えて、吉野へ行って、前さんのところは寄らないで、寄ると大変なことになるから（笑）、喜佐谷を越えて吉野山へ行くわけです。この行程が一番長い。

吉野はわりあい大きな宿があって、しかも冬は割引して泊めてくれます。そこで、めいめいが一週間分の手帳に書いておいた歌の中から、私が選んだ歌を出させて、歌会をやるのです。そのときはこれは、と思うような良い歌が出るんです。解散したら、憑きものが落ちたみたいになるんですけどね。一週間、そういうものに触れて、その思いを短歌のかたちに凝縮させておくと、いい歌ができるんです。

吉野で解散ということになるんですけどね。運動靴の上にまで血が滲んできても黙って歩いている女の子がいたり。女性は我慢強いですねえ。男性は昼食を食べられる所がなくて二時、三時まで歩いていると、もう動けないといって座りこんでしまったりする。

飛鳥では本当に食事に困ったんですよ。やがて一、二軒、ぽつぽつ、食事をさせてくれるところができましたけれど、ご飯を一遍、炊いて、「足りないから、もう一遍炊く」と言うんです。三十人とか四十人になるとね。その間、しばらく待ってなきゃならないんです。そのうちそういうこともだんだん楽になってきました。

それが代表的な一つのコースです。

奈良のコース、近江のコース

小島——奈良を中心のコースも行かれているんですよね。

岡野——それが二番目のコースです。飛鳥のとき、石上(いそのかみ)までは行きますけれど、そこから北へは行かないで奈良のコースになるわけです。石上の社はいいですね。あの森も霊感の豊かな所で、七支刀(ななさやのたち)や、今でも神主さんの霊場になっている石上の鎮魂術、そして天理教の教祖の出た所で、今も天理教の宗教都市です。奈良のコースはわりあいに範囲がコンパクトになっています。ただ、春日の裏山がなかなか森林がいいんです。意外なところに鹿の一群れがいたりして。その森を抜けて柳生のあたりまで行きます。

小島——細い水が流れていて、岩を踏みながら歩いて行くんですね。滝坂の道とか、いいところです。

岡野——太安万侶(おおのやすまろ)の墓とか、奈良も行くべきところはいっぱいあります。昔の奈良の都の一条大路を歩いているとわりあいに雰囲気が残っていますでしょう。宮殿の跡などは整備せられているし。さらに歌姫の社のある歌姫峠、額田王が大和との決別の歌(巻1、一七番と一八番)を作ったのは、この辺りだろうと思うと、特別の感慨があります。天智天皇と鎌足が飛鳥になじみ深い豪族たちを説得して近江へ都を移そうとする、そのときの緊迫感と、額田王のつとめた役割の大きさが、あの古風な長歌と反歌から立ち昇ってくる。
小島――〈三輪山をしかも隠すか雲だにもこころあらなむ隠さふべしや〉（巻1・一八）、とてもいい歌だと思います。
岡野――力強いですね。そんなふうで、奈良を中心としたコースが一つです。私は興福寺宝物館で大好きな阿修羅像と、旧山田寺仏頭に逢えるのが楽しみでした。〈うなじ清き少女ときたり仰ぐなり阿修羅の像の若きまなざし〉（『冬の家族』）というのも、そういう時の作で、阿修羅を見ていると、特攻隊で自爆した同級生の顔が重なってくるのです。それから阿修羅の骨と筋肉だけのするどい脚も僕のあこがれの脚です。

三番目は近江です。大津で降りて、逢坂峠を一遍、越えるのがいいから、関の清水まで行きます。泉は全く枯れて、ハイウェイが通って殺風景になっていますが、あの辺り、蟬丸の遺跡だとか、いろいろあります。そこを歩いて、三井寺のほうへ山道を行くと途中に小さな公園があって、そこに忠度の歌碑があるんです。そして、三井寺から琵琶湖を見降ろしたりして、近江の都のあった跡を訪ねる。

宣長の弟子で、平田篤胤と並んで没後の門人に伴信友という優れた学者がいます。その伴信友の『長等の山風』という本がとてもいいんです。天智天皇が築いた近江朝廷が自分の弟によって滅ぼされ、自分の子どもや廷臣たちが滅ぼされていくわけですが、その与多王という孫に当たる人を書こうとした本です。

そこからずーっと琵琶湖の西側を北へ北へ行くんです。そうすると高島郡というところへ。黒人の歌に〈何処にかわれは宿らむ高島の勝野の原にこの日暮れなば〉（巻3・二七五）がありますが、ああいうところを、かなり距離があるんですけどね。塩津神社の塩津から高島郡辺り。さらに賤ケ岳に登って琵琶湖を見降ろして。

小島――塩津は塩の輸送とかかわりがあるところですね。笠金村（かさのかなむら）の歌が残っています（巻3・三六四、三六五）。

岡野――そうなんです。あそこへ行くと琵琶湖は非常に静かで、南の大津から見る琵琶湖とはまた非常に感じが違う。

小島――湖東と湖西は全然違いますね。

岡野――ええ。そして、賤ケ岳を越えると小さな湖があるんです。その伊香小江（いかぐのをえ）に、天から清らかな女性が下ってきたという天女の伝説があります。結局、自殺してしまうんですけど。古代の神話には、複数の男性から求婚せられたりして命を断ってしまう女性が多いですね。ああいうのも日本の神話の持っている、男性と女性の大きな宿命の違いというものが感じられるのです。

これ、かなり距離がありまして、そこだけでだいたい一週間近くかかるのですが、東側にもまだ十一面観音のお寺がありますでしょう。そういうのは少し電車を使って訪ねて、終わりになるんです。

北近江の野を歩いているときに、年長の院生たちに話したことがあります。今昔物語集の本朝部にある話です。若い男が東国を旅していて、畑に白くつやつやと太っている蕪大根を見て、たまらなくなってかがまって精を放った。翌年そこをまた通ると、小さな蕪の子がたくさんとび出してきて、「ちちよ、ちちよ」とすがりついたという話です。

万葉旅行

その晩の夕食のとき、隣に座った秋山が「先生、これお百姓さんにもらってきました」と言って大きく艶々した蕪大根を食卓にでんと据えました。切ってもらって、みんなでデザートに食べました。サクサクとしてとても美味しかった。秋山が早く亡くなったとき、それを思い出しました。

熊野、伊勢・志摩、吉野のコース

岡野——あと二つは、大阪から紀伊田辺まで行って、あそこら辺からずっと歩いて、昔の中辺路(熊野街道)の、バスが通ってますけど、できるだけバスに乗らないで、昔の古道の感じのところを歩くんです。そして、本宮まで行くコースです。九十九王子を辿って行きます。

小島——小栗街道からずっと行ったところですね。

岡野——そうです。あれも、ことに中世の伝承がひしひしと甦ってくるようなコースでしてね。

小島——病の人たちの。

岡野——亭主を乗せた土車を引いていく。中世のああいう伝承は、ある点で古代よりももっと不思議な迫力があるでしょう。そして、峰の湯に浸っていると、電気は灯っているんだけど暗くて、この世の地獄を覗いているような感じがしてくるでしょう。

それを今度は伊勢から。伊勢神宮にまず行って、剣峠を越えます。これ、丸一日かかるわけです。

小島――普通、もっとかかると思いますけど（笑）。

岡野――剣峠から五ヶ所へ出て、それからずーっと海岸を南へ下ってくるんです。そして、北牟婁郡、南牟婁郡、それは昔の熊野です、伊勢に接しているけれど。そして、新宮から本宮まで続くという、このコースが一つです。万葉遺跡は少ないけれど、結び松の磐代、〈み熊野の浦の浜木綿百重なす心は思へど直に逢はぬかも〉（巻4・四九六）など、けっこうあるんです。鬼ヶ城とか、『万葉集』にはこれは出てこないけれど、あの岩窟を見ていると……。

日本の海岸には恐らく古代人が穴居生活をしたであろうと思われる洞窟が多くあります。そういう洞窟の奥のほうに入っていって、しばらく座っていると、波の音がこもって、何とも言えぬ不思議な、この世ならぬ音みたいなのが響いて来て。そういう岩屋の伝説、穴居生活の記憶、そこで養われる母子神信仰のありようなど、考古学ももう少しそういう点を集中的に調査して、日本人の精神伝承と深く関連する面が明らかにされるといいと思うんですけどね。

小島――少し南ですけど、南方熊楠の記念館がありますね。あそこの中は菌がたくさん展示されていて、庭が奥深くて奇妙な気持ちになってきます（笑）。

岡野――柳田国男、折口信夫、南方熊楠、年齢の順番からいえば熊楠がいちばん上で、そして、柳田国男で折口信夫ですが、いちばん天才的な要素の多いのも熊楠じゃないかなあ。

小島――ヘンテコリンな人だったみたいですね、あの記念館でいろいろなスライドを見ましたけど。

岡野――途方もない人ですよ。だいたい時を同じくして、あの三人が出たというのは日本の近代にとってすごいことだったなあという気がするんです。

小島――熊楠は神話的な匂いのする人で、折口信夫はうたびとの感じがします。

岡野――そうですね。古代と新しい時代とが混在しているようなところがあります。柳田先生はそういうものを自分で持っておられるんだけれど、できるだけそれを新しい学問の上に秩序あるかたちで生かしていこうとされた。

熊野というところは、あれだけ大和族が遠路をやって来て、熊野を経なければ大和へ入れなかったわけですから、民族の通過儀礼みたいなものがあるわけです。

小島――熊野水軍の隠れた洞窟があって。

岡野――そう。熊野水軍の九鬼嘉隆(くきよしたか)なんて戦国武将の中でも不思議なもの(茶道に造詣が深いなど)を持っている人です。答志島で自決するんです。ああいうところもすごいですね。だから、熊野というところがまた魅力がありましてね。大和、近江、熊野、吉野、伊勢もそうですね。だいたい、こんな感じです。

筑紫万葉、家持万葉

岡野――ときに「今年は筑紫万葉をしよう」といって九州に行ったり、「家持万葉」で富山に行ったり。畿内ほど濃密ではないけれどいろいろあるわけでして、ことに九州は面白いですね。日本へ入ってきた八幡信仰。九州の宇佐八幡へ行きますと、宇佐八幡のお社のあるところは普通の神社の感じだけど、御許山（おもと）というのがあるんです。八幡信仰のいちばん根源のところで、だいぶ離れていますが。そこまで僕は行ったことがあるんです。『神々の座』という本を出したとき、担当編集者とカメラマンと三人であの辺りを歩いたんです。

宇佐八幡の御許山へも行きました。これはすごい山でして、厳しい禁足地があるんです。そこに三つの石があって、八幡神が最初に日本へ示現した姿だといわれている。それがまた、八流之旗になって下ったとか。今は三つ、石がありまして、真ん中の石がいちばん大きい。それは遠くからは見られるんだけど、柵がしてあって、そばへは近寄れない。戦前に内務省の神社局の局長をしていた神道学者が、中へ入って調査した記録があります。でも、そんな現実の記録はどうでもいいんです。遠くから見ていて、ああ、ここへ八幡神が現れたんだと思ってね。それが今度は逆に、八幡船（ばはんせん）になって日本から攻め込む、その守り神になるわけです。だから、九州というのはなんといっても面白いところです。外来信仰の第一歩の地ですから。

国東半島も磨崖仏がたくさんありますでしょう。とにかく、筑紫万葉が一つ。そんな話をNHKの「短歌入門」の時間に話したりすると、昭和天皇が毎回聴いていてくださって、とても興味を持たれましてね。「この間唐津の虹の松原の辺りに行ったんだけれど、その前に領布振山の話を聞いておけばよかったねえ」などとおっしゃったりしました。
越中の家持万葉も何度か行きました。そのうち万葉歴史館ができました。

小島――私もついこの間、行って、リレー朗唱会に参加しました。

岡野――僕は設立の時の相談からかかわって、ずーっと運営委員をやっていたんです。三年くらい前に辞めさせてもらったんです。辞めるとき、「一遍、来て、朗唱したい。そのときは二十九番歌を僕にとっておいて」と。例の「近江の荒れたる都を過ぎし時に、柿本朝臣人麻呂の作れる歌」です。「あれはもう絶対、僕は来年やる」と言っていたんですけどね。

小島――私は二十七番〈よき人のよしとよく見てよしと言ひし吉野よく見よよき人よく見つ〉と二十八番〈春過ぎて夏来るらし白栲の衣乾したり天の香具山〉を朗詠しました。

岡野――あの吉野の歌は不思議な歌ですね。そうですか、それは二首ともいい歌だ。

小島――額田王みたいな衣装を着せていただいて。真っ赤な袴みたいなのを穿いて。楽しかったです。男の人の衣装もすてきですよ。家持みたいな紐かけブーツみたいな布ブーツを履いて。中西進さんが今年はトップバッターでした。佐佐木幸綱さんも毎年。

岡野――あれはそもそも最初、高岡の市長さんが國學院の学長に「万葉をテーマにした公開討論会をやりたい」と相談に来られたんです。富山と競り合っているわけです、富山が日本海文化のシンポジウムを前年にやったら三千人が集まったということで。今度は家持で高岡でやりたいと。「それなら京都から梅原猛さんに来てもらいなさい。僕は東京の歌人たちにできるだけ来てもらうように呼び掛けるから」って。それが始まりなんです。

そのうちに、土地を提供してくださるご婦人がいて、あの建物ができたんです。県立ではなく、市立で、あれだけのものができているのは立派です。毎年、運営会に行って、「こういうものは営利とは全く関係ないんだけど、文化的には非常に水準が高いところなんだから」と言って、市会議員さんを少し説得しなきゃならないんです。経費がかかり過ぎるとか言われるから、「こういうところこそ、市の素晴らしいところなんだ」とか言ってね（笑）。

多様性を持った国際色豊かな古代

岡野――その他では僕は韓国の慶州辺りへ。大和盆地と似ているんです、あそこの風景も。それで、二度、大学院の学生を連れて行きました。

慶州のホテルの上に山があって、晴れた日には九州が見えるわけです。そこを韓国の若者たちは集団で実によく走るんです。「明日の朝、五時半にフロント前に集まれ。山へ走って登らせるから」と言ったんだが、翌朝、全然集まって来ない。部屋へ電話をかけると「先生、ダメぇ、二日酔いです」って（笑）。それでも、僕はどんな旅でもいつもマラソンシューズとランニングパンツと持って行っているから、一人で走るわけですよ。韓国の若者たちが声をかけて登ってくるんです。抜かれるものかと思ってね。はるか上に観音様みたいな仏像があって、日本のほうを向いて、いい顔をしていられるんです。

あの辺り、日本の風土と似ているんです。古代の韓国から大和へ来て、遣唐使、遣隋使、遣新羅使が日本からも行きましたでしょう。韓国からの使いが帰るときに、「うねひはやみみはや」と言ったと言うんです。「畝傍山よ、耳成山よ」と言うつもりだったんですね。それを「采女(うねめ)はや耳はや」と聞き間違えて、日本の宮廷の采女を犯したと解釈して、そいつを拘束したという記録があります。しかし、それは冤罪であるということがわかったんです。なるほど、行ってみると慶州あたりの山は柔らかくて、大和三山の感じとよく似ているんです。だから、風景はなかなかいいですよ。古いお寺がたくさんあります。

小島――渡来人の王仁(わに)氏とか、どの辺りへやって来たのでしょうか。

岡野――大和でも、飛鳥のいちばん西南の檜前(ひのくま)辺りが渡来人の古い遺跡が多いですね。今でもあそこの一角は古い十三塔が残っていますし、その辺りの杉林から、布目瓦なんかの破片がいっぱい出てくるんです。

天智天皇の近江朝廷は近江の渡来人たちを一つの足がかりにして都移しをしたんでしょう。土木技術が非常に発達していますでしょう。今もあの辺り、頑丈な、大きな石を使った橋がかかっていますでしょう。ああいうのはのちのちまで渡来人たちの子孫の技術なんですね。

ですから、小林秀雄が敗戦後に最初に出した本、『無常といふ事』、比叡山の下の石垣を見ながら、長い年月の推移と無常をつくづく感じるところがありますけれど、あの本の書き出しのいちばん印象的な、歴史的な時間の実感、それをあそこで感じているのです。

それから、『日本書紀』を見ると、あちこちで七、八世紀のころ、灌漑用の池を作るでしょう。ああいうのは大陸の技術が入ってきて作られ、稲作が普及していくのです。それとともに入ってきたのが曼珠沙華などだろうと、勝手な推測をするんです。

小島――医療なども渡来人がもたらした可能性があるとか。『古今集』仮名序に出てくる〈難波津に咲くや木の花冬ごもり今は春べと咲くや木の花〉の歌も、王仁が仁徳天皇の即位を促して奉ったとされていますが、いつ、どのように、どこからやってきたのか、不思議だなあと思うんです。

岡野――この集落は朝鮮半島から来た、この集落は中国大陸のほうから来た、そんなのが時間をおいて、そしてまた日本の場所を変えて、簡単には混ざらないで、続いていたと思うのです。ですから、あのころの村一つ違えると、言葉も、習俗も、持って来た技術も違っていたという、そんな多様性を持った国際色があったんだろうと思います。

もののふの文学の伝統

岡野――『万葉集』の時代はそういう印象が非常に強いから、多様性があったと思うんです。大伴氏のところに新羅からの尼さんが居候していたりするでしょう。大伴氏は伝統的な家だけれど、同時に武と歌の家です。歌と武は裏表ですからね。戦の初めにまずことばの力で相手を圧伏しようとする、そういう家です。大伴氏は家持の次の息子の代で滅びますでしょう。そこで、日本の古代からの久米氏、佐伯氏、大伴氏などが属していた、ますらお、もののふの家の言葉による力の伝統が一つ大きく変わった。

それはやがて、都からの貴族が地方の武士の家に下っていって、源氏、平家のもののふの文学伝統にはなっていくんです。平家だって早く滅びてしまうから、あわれですけれど。平忠度の歌にしても、「船弁慶」の平知盛、「見るべき程の事は見つ」と言って、錨を背負って波に沈みますね。あれは平家いちばんの豪傑です。ああいう、「もののふのあわれ」があります。

もののふの文学の伝統では、戦争を弓や刀の実力でやる前にことばでやるでしょう。言葉で掛け合ったり、系図を名乗ったりして、それでだいたい勝負が決まってしまう。霊力の籠った言葉の争いですから。それがだんだん下落していって、中国風の力ばかりの争いになっていって、生々しいものになる。大伴氏も滅び、佐伯氏その他も勢力を失ってしまう。それが平家、源氏では少し、特色あるかたちで残るわけです。

小島——ちょうど清盛がのし上がってくるのと西行の動きが微妙に。

岡野——そう。西行がそこに入ってくるんです。西行の『新古今集』の中での異色。後鳥羽院が西行の歌をあれだけ高く評価するのは、やはり西行がもののふの家筋であり、もののふの心を持っている点です。頼朝は、西行が鎌倉へ来たとき、話をするでしょう。あまり実らなかったという話になっているんだけど、僕はあの二人はかなり大事なことを話したんじゃないかと思うんです。頼朝や実朝の本当の内面は『吾妻鏡』の中からは探りだせないんじゃないかと思うんです。

小島——西行は清盛をずーっと見てきて、最後も見届けたので、その後、頼朝と会っていることにとても謎があると思うんです。

岡野——おっしゃるとおりです。それは面白い問題です。西行の歌はものすごくいい歌とつまらない歌があるでしょう。ああいうところがまた面白いんですよ。

小島——あの人の動き自体もちょっと謎めいたところがありますね。嵯峨野にいたときとそうじゃないときが、いつ、どうなんだというのがわからないところがあります。

岡野——俊成、定家は歌の家のれっきとした歌人なんだけれど、同時に歌は緊密に作る人で、歌論もよく整っています。ところが、そういうものと違ったかたちでの歌の世界を持っているのが西行、頼朝、実朝なんですね。

小島――定家は『明月記』を読んでいくと何となく辿って行けますすけど。

岡野――定家は緻密で真面目です。

小島――面白いですね、後鳥羽院との関係がありありと。

岡野――頼政も面白い。馬場あき子さんが好きなんだけど。

あのころ、女房に評判がよかったんです。女房に評判がいいというのは大事なことなんです。意地悪いんですからね、女房は（笑）。博士なんて全然問題にもしてくれない。頼政はよほど魅力のある男だったんですね。

小島――男らしいというか。カッコいい感じがします。

岡野――もののふの魅力ですね。

小島――とても面白くて時間を忘れてしまいました。次回は伊豆高原の岡野さんのお住まいでお話を伺う予定です。一味違ったお話になるのではないかと楽しみにしております。

（二〇一二・一〇・二五　ＫＫＲホテル東京）

【第12回】

熱血教師時代を経て、宮内庁御用掛に

硬軟自在に対処する丸谷才一氏

小島――今日は静岡県伊東市の岡野さんのお住まいに伺ってのインタビューです。書斎の窓からは伊豆大島をはじめ伊豆七島のいくつかが見渡せる、すばらしい眺めです。

岡野――どうぞ存分に眺めていてください（笑）。

『折口信夫全集』の刊行が終わって、いよいよ教師に本気になってからの話です。六〇年安保から大学紛争の激しい時期になっていくときのこと。そして、昭和五十四年から宮中の歌会始の選者に、さらにその後、御用掛を承ってからどんなお務めをしたのか、お話しいたしましょう。

小島――まずは熱血教師時代のお話ですね。

岡野――そんなにおっしゃられると恥ずかしいです。『折口信夫全集』を出版し終わりましてね。もちろんその間も必要な講義はしてましたけれど、ほとんど全集の出版に毎日、時間を取られていたのが終わって、それまで兼任講師だったのが専任になりました。折口信夫記念古代研究所の、所長は先輩の西角井先生になってもらったんだけれど、主事の役で、毎日出ていました。秋山實君が第一回の助手です。そこで、万葉研究会と文学史研究会と二つの研究会を作って、学生たちと密着したかたちで毎週、研究会をやって、年末には万葉旅行にするようになりました。

小島――大学のご講義は主に『万葉集』とか『源氏物語』とかでしょうか。

岡野――それが、私は自分の気持ちではまず「上代」で、『古事記』とか『万葉集』をと思っているのですが、そのころ伝統的な学問研究の大学の國學院は財政困難でした。伊勢の皇學館は官立でしたから進駐軍の指示で廃校にされてしまったんです。國學院もかなり危なかったが、私立校だからというので、助かった。神道研究の教授でもパージに引っ掛かって教壇に立てなくなったり、「折口、武田も危ないぞ」という噂が流れたりしました。戦争に深く加担したということで世間の目は冷たく、財政も困難だったのです。皇典講究所が國學院大学のそもそも母体でして、その皇典講究所は解散を命ぜられて、なくなりました。

そのころ、大学の教授で、事務能力も抜群にあって、大学の経営や未来像に積極的だったのは折口・武田両先生の教えを受けた佐藤謙三先生です。

佐藤謙三さんという人は國學院の学問に流れる日本の伝統をしっかり持っていて、その上で、「新しい感覚を持ってないと、学生たちの心を捉えることができない。今までの国学一辺倒みたいな感じではどうにも新しい学園というものは成り立たない」という考えがありましてね。ですから僕に、「講義も上代から近世までやれ」と。そういうのを折口先生はしょっちゅう言っていたなと思いながら。大変なんですけどね、西鶴や近松や。

小島――『浮世風呂』までやらなきゃいけない（笑）。

岡野――芭蕉の連句は五年くらい続けて講義をしましたよ。連句というものは面白いものだと思ったのはそのときなんです。

小島――それが今につながっているんですね（笑）。

岡野――そうですね。ですけど、それは僕自身にとっては非常に勉強になりました。とにかく勉強していかないと九十分の講義って大変なんですよ。学生たちはそんなに嫌みな質問なんかせず、一生懸命聴いてくれるわけです。『万葉集』や『古事記』ならば、前の晩にみっちりと下調べして行かなくても講義できるんですけど、時代が下ってくるとそうはいかない。ことに『源氏物語』の文章は難しいですからね。どうしたって、徹夜で丹念に下調べしていかなきゃならないし、あるいは近松、西鶴になるとまた全然違う。それで一生懸命やったのが自分の勉強のためにはよかったと思うんです。あるいは、表現者としてもよかったと思うんです。

そのころ丸谷才一、中野孝次、若く亡くなった橋本一明、菅野昭正、飯島耕一、川村二郎、篠田一士、少し年上に安東次男という厳しい人もいた。東京大学の外国語科を出て素晴らしい才能を持っている人たちを集めてきた感じがするんです。その中でも丸谷さんと中野孝次さんは年は僕より一つ下なんだけど、ほとんど同年みたいな感じです。

國學院の一番大事な学問だと思って自負しておられる神道科の先生とか、あるいは先輩の国文学の人たちと話をするのが何となく窮屈なんですよ。折口信夫という人はそういうところが広い人でしたから、先生と話をしているような調子で先輩と皇室や神の問題を話をするわけにいかないいんです。

そのころの折口古代研究所と、語学の人たちの集まっている語学研究室は隣り合わせです。しょっちゅうそこへ行って、丸谷才一とか中野孝次としゃべっていた。そのうちに五つくらい若い橋本一明というフランス語の教師で、話をしているとふわっと知的な虹の橋が架かるような話をする人が入ってきた。彼が一番、きらきらしていたなあ。これはすごい才能の持ち主じゃないかなと思ったんです。その橋本氏が四十代になって間もなく亡くなったんです。彼の葬儀のとき、友人代表の丸谷才一の声涙ともに下る弔辞は鮮烈だった。

小島——想像できます。スピーチが素晴らしいですからね。

岡野——心の篤い人、熱血漢ですからね。そのころは学生に対しても厳しかったし、樺美智子が亡くなったときも学生たちに演説して、「僕は若い女性が好きだッ。その若い女性が殺されたと言うではないかッ。黙ってはおれないではないかッ」と言うから、学生たちが喜ぶわけです（笑）。後でその話をすると、丸谷さんはちょっとはにかんで、「いや、それは違うよ、岡野さん、それはちょっと、話が大きくなってるよ」って言うんですけどね（笑）。そういう時期だから、神道科の先輩なんかから「岡野ってちょっと危ないんじゃないか」って睨まれたかもしれないけれど。そんなふうに世の中が動いていっている時期でした。

そのうちに丸谷さんは小説が忙しくなって、大学を辞めちゃうわけです。『たった一人の反乱』のころです。國學院が多少居にくくなったこともあるのかもしれないと思いましたけどね。

小島——そうですね、『たった一人の反乱』を書かれると……。

岡野——ただ、丸谷才一にしても中野孝次にしても、あるいは川村二郎、飯島耕一もみんな、非常に要領よくサバティカルの休暇を取って、ヨーロッパへ二、三年行って来るわけです。飯島と川村はたしか僕より五つくらい下です。ヨーロッパから帰ってくると日本回帰して、見事に日本の古典についてのものを書くんですよ。そしてまた、言うことが国文学を専門にやっている者より新鮮なんです。

丸谷さんの『日本文学史早わかり』、「日本文学史のバックボーンは勅撰和歌集二十一代集だ」なんて、言われてみれば本当にそうなんです。国文学者といったって、ヨーロッパの文学史をどうしたって下敷きにしてものを言うものだから。結局、ヨーロッパへ留学した人たちから新しい文学史が興ってますからね。そうすると、うわあ、どうして気がつかなかったんだろうと思うわけですよ。折口信夫なども、学生時代から若い時期にうんとヨーロッパの学問の影響を受けています。最近の安藤礼二さんの研究で、その詳細がずいぶん明らかになりました。

ところが、丸谷さんは國學院に来たんだから、國學院の学問のいいところを身につけなければと思っていたんですね。そういうところ、非常に感覚がいいんです。佐藤さんがあるとき、「丸谷が王朝和歌をうんと読み込みたいと言っているから、君が相談相手になってやれ」と言った。僕は丸谷さんからヨーロッパの文学や学問の話を聞くのが楽しい。そんなことで、こっちが吸収しているばかりでもないし、語研へ行って話すのが本当に楽しかったですね。

律儀な中野孝次氏

岡野――國學院というのは早稲田のように早く世相を捉えて、敏感に動く感じではないんです。伝統的な学問がずーっと特色ですから、それは当然そうなるんだけど、革マルが自治会を取って、自治会は革マルによって全部動かされていくということになると、今度は右のほうが黙ってないわけです。それで学生の間に激しい衝突が起こるのです。

中野孝次は、旧制の高等学校は出てないんです。検定で資格を取ったんです。よき教養時代の旧制高等学校、あるいは大学予科とかにはよき教養の名残の雰囲気があったでしょう。僕らは戦争中で、それはいびつなかたちになっていたけれど、それでも専門部を経由してきた人とはかなり違う教養があったわけですよ。そこのところを彼は検定で通った。その引け目みたいなものがあって、それを意識して努力するところがあったんです。そしてまた、大学の教師としての意識も堅固で律義なところがあった。

学長の佐藤謙三さんから言いつかって、僕は昭和四十年代の十年間、ずっと学生部のスポークスマンから学生部副部長、学生部長を務めて、ドイツの大学との交換教授も直前になって取りやめてしまった。それまで國學院出身者でないと学生部長はできないという何となく一つのパターンができていたのです。そういうのは、大学としては健康なかたちではないから、誰か、法学部や経済学部でもいいんだけれど、当時の國學院は文学部がいちばん中心でしたからね、國學院出身者でない人を学生部長にする先例を作りたい。誰がいいだろう、と佐藤学長が言う。「中野孝次君がいいでしょう」と僕も言ったんです。そうしたら佐藤さんが、「そうだ、そうだ。中野にやらせよう。そこから突破口が開けて行くから」ということになりました。

中野氏に言ったら、「うん、じゃ、やってみる」と言うんです。でも、新学年が始まったら、学生たちの間で大きな事件が起こって、彼は衝撃を受けることになる。当時の國學院の学生の大要を言いますと、学生の自治会の組織を大学は認めているのですが、選挙の結果は革マル系が自治会の主要メンバーを占めることになる。そうなると伝統的な学校ですから、伝統派が激しく対立することになり、体育系の学生がこれと共同で行動する。この二派の対立が一番激しかった。そこへ、民生系の集団が、事件が起きると、独自の立場で絡んで来たりする。そういう形で一九六〇年代はずっと経過していた。

それで、自治会が集会を妨害されないようにと、屋上へ集会を移した、これが事件の原因なんです。屋上への階段が二つあって、バリケードを組んでいたのを反対派がだんだん壊していって、たそがれどきに屋上で大混乱になった。主として自治会の集会に参加した一般学生や自治会系の女子学生に被害が多かった。日赤や渋谷病院に運びました。六月二十七日、夏休みになる直前です。

中野孝次氏が「ダメだ。もう俺には学生部長は務まらない」と言って完全に打ちひしがれた状態でした。その晩、中野氏を車に乗せて学長の家まで連れて行って、「ここでお前さんが崩れたら、もう絶対に、学生部長は國學院出身者でないとできないことになってしまう。こんなことで崩れちゃだめだッ」と説得したら、明け方になって、「うんっ、よし、やるっ」と。その立ち直り方が見事でした。それから、彼は朝一番に、用務員さんよりも早く、学校に出てくるんです。そして学内を見回ったりして。そういうところが彼の律儀なところなんです。丸谷さんのように、硬軟自在に対処するのとは違って。だから、後に『清貧の思想』なんか書くでしょう。丸谷さんが「あいつ、バカだなあ。『清貧の書』なんて書きやがって」って、顔をしかめるんだけどね（笑）。

学生たちとの交流

岡野——そういう時期があって、僕が学生部長を……、いや、その前にスポークスマンをしたのかな。入学式の翌日です。「この大学の学問のあり方や勉強の仕方を一時間くらい、話をしてやってくれ」と学生部長からの依頼で、その話をして、話し終わったら、「しつもーん」と手を挙げるやつがいる。「僕たちは國學院大学に憧れて来たのに、先生のさっきの話を聴いていると、「自分で学べ。休講があったって、そんなものは気にしなくていい。自分で図書館へ行って勉強しろ」なんて、あんまりつれないじゃないですか。もう少し、どういうふうに勉強したらいいのか、話してくれませんか」と言った学生がいる。

「うん、よし、わかった。もう今日は時間がないから、君たちの中でも個人的にそういう質問をしたい者はいつでも俺の研究室へ来い。俺が昼メシを食っててもちっとも遠慮することはないから話しかけてこい」と。それが海老沢泰久（小説家、ノンフィクション作家）です。海老沢は早速、翌日やってきた（笑）。

「先生からそんな窮屈な学問の話なんか、本当は俺、聴こうと思わねえんだ」って。あいつ、敬語のないところから来ているから、ことばが荒いんですよ（笑）。「ただ、ときどきうまいものを食わせてください」って。それから、女房にも下宿を世話させたり。そんなかたちで学生たちとだんだんつきあうようになったんです。

小島——海老沢さんは「ＮＨＫ歌壇」にゲストで来ていただいたときも、先生に友人のようにお話しされてましたね（笑）。

岡野——そうなんですよ。奈良橋善司も早く亡くなっちゃったな、明治の教授になってたんだけど。編集者の秋山實も成瀬有も亡くなった。長谷川政春君は健在ですがね。

皆でサッカーチームを作って、一ツ橋の語学の先生、うちの語研の先生たち、大学院生のチーム、高野公彦さんのチームとも二、三回、やりましたよ。

小島——たしか歌も残ってます。

岡野——高野さんはいつも、キーパーの前ですごい気迫でがんばってるわけ。それで、僕がシュートしようとすると怖い顔をして睨んだ（笑）。五十代まで、サッカーチームでやってましたよ。「ユニホームを作ってやるから入れ」って、勧誘したりしてね。

ただ、あの大学紛争が終わった後、教師と学生の間が、少数の特別な学生は別ですけれど、本当に心をぶつけあって話し合うことがなくなりましたね。それまではいろいろな研究会やガリ版刷りの同人雑誌みたいなことをやったりして、研究のグループ・創作グループそれぞれ特色があったんだけど。

小島――番組の打ち合わせのとき、海老沢さんが「小島さん、大人ってのはイコール信頼できない人ということなんだけど、岡野先生だけはイコールじゃないんだよ。大人でこんなに信頼できる人は本当にいないんだよ」って言ってました。

岡野――大人で子どもだったわけですよ。ですから、佐藤謙三先生がときどき、「岡野ッ、お前は本当にかしこい男か」って言うのね（笑）。ちょっと型破りで一筋縄ではいかないところがあるやつだなと思っていられたんでしょうねえ。でもね、佐藤先生はときどきほめてくれましたよ。たとえば、「私学の庭」（『滄浪歌』）という、学生たちが真剣に苦しんで行動していることをうたった連作を発表したとき。それから外から来られた教授で哲学者を自任していられた方が、教授会で延々として、この大学は権威主義のかたまりであると批判を続けられたとき、静かに聞いているとその人の考え方の方がはるかに権威主義に感じられてきて、どうにも我慢できない。その人の長い発言が終わって、「私の実感から言うとあなたの考えの方がはるかに権威主義に感じられました」ということを、少し具体的に言った。教授会が終わったら、佐藤さんは「よく言った」とほめてくれました。

國學院大学は一度も機動隊を入れなかった

小島――噂によれば、岡野さんは大学側のことを学生に伝える一方で、学生たちの弁護をして、楯になられたそうですが。

岡野――経営者側から見るといちばんコントロールしやすいのは、渋谷警察なんかと連絡を取って、その指示に従い、彼らが必要だと思えば官憲を導入するというかたちです。でも、それを一遍やってしまったら、もう学園のあり方、学生たちの心のありようは一変します。後に、それを回復させていくのがどれほど困難か、当然、読み取れたから。

ですから、逆手にとった場合もありました。つまり、大学の正門を入ったところに神社がありまして、ご祭神は八百万の神様だそうです。ありとあらゆる神様がいられる。そこが本学の聖域だというわけです。

あるとき、学生たちの紛争の中で、その聖域の垣根にだれかが火を点けたらしくて、垣の板が少し焼け焦げたんです。神殿じゃないですよ。外の垣根が焼けたんです。そうしたら「神殿を焼こうとした。渋谷警察署に犯人を調べさせて、絶対に犯人を挙げなければ」ということになったんです。そのとき、僕は「大学問題に関する委員会」という、そういうことを処理する会議の委員でした。理事会の連中が「ここで躊躇なんかするときじゃない」と言う。

小島――先生は四十代でしょうか。

岡野――四十代のなかばですね。教授になってました。「あそこが國學院大学のいちばん大事な、魂のありどころ、聖域であるということは間違いありませんね。それならば申しますけれども」と言ってね。

僕の叔父が松阪の樹敬寺の方丈をしてたんです。それは代々の本居家の墓のある寺です。もう一つ、宣長には山室山に神式の墓がありますけれども、祖先代々の墓は樹敬寺にあるんです。昭和初期の不景気の時代で、浮浪者がお寺の本堂の下にもぐりこんで暖をとっていた。冬なんか、そこで一晩、身を憩わせることがあったんです。そういう一人が不注意でタバコでも吸ったんでしょうね。それで本堂が失火で焼けたんです。そのとき、当然、警察が犯人を調べ上げることになるわけですが、叔父の方丈が、「浮浪者といえども仏の膝元にすがってきた者が失火をして焼けたのだから、厳しく調べ上げて犯人を徹底的に追及することはやめてもらいたい」と言ったので、檀家や信者たちが「方丈さんの言うとおりだ」と言って、寄付が集まり、意外に早く本堂が復元したのです。

そのときの話をして、「あそこが本当に國學院大学の大事な聖域ならば、なおさらのこと、そこの垣が失火かあるいは放火か知らないけれども、ちょっと焼けたというのに、すぐ官憲を導入し、学生を官憲の手にゆだねて犯人扱いにして摘発するということはしないほうがよろしいでしょう」と言ったんです。

長老の神主さんの理事が、「岡野君、そういうのは初心というものだよ」と言ったから、思わず、「宗教家が初心を失ったらどうなりますか」と言った。佐藤学長が喜んで、後で「岡野、よく言った、よく言った」とほめてくれた。こんなふうに話すと軽薄な感じになりますが、僕はいつも國學院での自分の態度や考えを決めなければならないときには、折口先生だったらどうするだろうということを念頭に置いていた。先生の学問と判断が、いつも私の心の支えでした。

だから、うちは一度も機動隊を入れたことがなかったんです。

大学紛争のころの詠み人知らずの歌

小島――先生ご自身は怪我をされたということはなかったですか。

岡野――一遍あります。六・二七事件の前後はかなり殺伐とした雰囲気で、セクト間の小ぜりあいが多かったのです。ある日、廊下を歩いていると、突然眼の前で十数人の学生がもみ合いを始め、そのうちの一人が倒された。積極的に攻撃している側は体育会系で、空手の心得がある。放っておくと危ないと思ったから、倒れている上におっ被さって「蹴るのなら俺を蹴れ」と言った。とっさのことで止められなかったのでしょう。バカーンと一つ、脇腹に蹴りを入れられた。ぐーっと息がつまったけれど、それ以上は何もしませんでした。家へ帰って脇腹に湿布薬を貼らせて寝ました。小学生の子ども二人がかわるがわるのぞきに来て、「パパ、ケンカしたの、だいじょうぶ」なんて心配して（笑）。

小島——岡野さんは鍛えておられるから、本気になったら強いんじゃないですか。身も軽いし、強そうですよ。

岡野——そうですね。体は小さかったけど、組み合ったりはしました。でも、うちの学生なら、必ずしも教場で触れ合っていなくても顔を見知っているから。いやがらせは言うんですよ。僕が夜遅く、会議を終わって学校の裏門を出るとき、裏門の塀の上で胡坐をかいて見降ろしたりしていて、「月のある晩ばっかりじゃねえぞ」って。コンチクショー、こいつぅと思ってね。まあ、可愛いんですけど（笑）。組みついてきても、僕だとわかるとスーッと力を抜くんです。そのころの十年間、毎年体育祭には体育系の学生とマラソンを走ってましたから、空手部の連中もみな顔を知っている。

　それが一九七四（昭和四十九）年ころ、革マルと中核の内ゲバが激しくなると完全に覆面をして襲って来るわけです。目だけ出して、鉄パイプを持って。入学式の翌日です。自治会の委員長が頭を割られて溝に倒れ込んだ。学生部長として裏門の前に立って彼らとにらみ合ったときは、さすがに怖かったですよ。これはもう殺人集団だなと思った。それが大学を、あっという間に一瞬、通り抜けて行った。そして、後に何人か倒れていて、渋谷病院や日赤に運び込んだんです。
一応、片付いた後、何とか気持ちを鎮めようと思って、青山墓地へ入って行ったら、墓地の桜がしだれて咲いているんです。〈夕かげに花むら白くゆらぎつつ墓地の桜は地に低く咲く〉(『海のまほろば』)の「墓地の桜は地に低く咲く」という下の句ができたのはそのときです。今までの桜も墓地の桜はこんなにして地面に低く垂れて咲くんだと思ってね。今までの生臭い場面から気持ちが続いてきてたんですね。
小島——歌は、一般の方は優雅なように思っておられるけれど、気持ちが緊張しているときに、あるフレーズがふっと湧いてきますよね。
岡野——ええ、不思議なものです。のどかなときにももちろんそうだけれど、自分の心が動いているときに浮かぶ。
小島——いろいろな危機感、不安感とか、緊張感があるときに、どこからともなく浮かんできますね。
岡野——短歌のフレーズって本当にそういうところがありますね。
それにしてもあの後の収まり方は寂しかったですね。
先日、大学祭の学生たちに頼まれて、國學院で一時間余り話をしたんです。今度の歌集『美しく愛しき日本』について話をしてくれと言ってきたものですから。その話の中でも触れたのです。

最後の中核派との紛争の中で殺された自治会関係の学生がいまして、その翌日、学校へ朝早く行ったら、裏門のところに大きな立て看があって、〈青年死して六月かがやけり軍靴の中の汝が運動靴〉と一首だけ書いてあるんです。ああ、いい歌だと思ってね。すぐに研究室から自治会の部屋へ電話をかけて、「あれは誰が詠んだんだ」と作者を聞いたが、全然、応答がなくて、聞けなかったんです。でも、いつまでも、あの時期の詠み人知らずの歌として記憶に残ってたんです。そのうちにだんだんわかってきた。鈴木英子という歌人がいるでしょう。彼女が知っていた。「あの歌を作ったのはこういう学生なんです」と。

小島――その作者は後に歌人になった人ではないのですか。

岡野――それから後も歌を作っていたよ

岡野家家族写真
洋子夫人、次男の夏井くん、長男の安都佐くん

うですが、歌集を出すまでは行かなかったんだと思います。先日の講演のとき、彼が来て、「あの歌を作ったのは私です。いつも気にかけてくださって」と挨拶されました。

第一歌集『冬の家族』、第二歌集『滄浪歌』出版

岡野――昭和四十二年、私は四十二歳ですが、最初の歌集『冬の家族』を出しました。これは戦争中の体験、先生の家での歌から、先生の死、そして結婚して幼い子ども二人との生活です。出版の祝いをしてもらった夜、大雪が降って、家族四人が駅から雪まみれになって家に着きました。まさに「冬の家族」でした。第一歌集というのは、自分でもどんなふうに歌を作っていいのか、模索の期間ですね。

小島――でも、迢空のもとで長い間、暮らしておられ、身近にその歌作りを見て、もっと内部的な、懐（ふところ）をご存じだった人ですから、普通の人とは全然、違います。

岡野――そうでもないんですけどね。でも、先生が亡くなったということが一つの大きな僕の心の転機ですね。もうこれから、甘えたりなんかしてられないんだ。大学での兄弟子たちは、ちょうど僕と同じ年代の弟子を持っているでしょう。ですから、先生が亡くなった後、僕の教師としての勤めの場はそんなにやさしいものではなくなったんです。

一時、中央公論の専務や一緒に全集をやっていた編集者に、「僕も編集者か小説でも書くほ

うに変わろうかしら」と相談したこともあったんです。「あなたは折口信夫からあれだけ近々と教えを受けたんだから、それを生かさなければ」と諭されましたけどね。

小島――岡野さんの第一歌集のころ、短歌はいろいろなかたちで個性を出そうと少し新しいものを模索していた時代でしたね。でも、岡野さんはそういうことはされなかった。

岡野――そう、折口信夫が亡くなったその年、茂吉も亡くなり、前衛が出てきたときです。また、短歌ジャーナリズムが前衛派を非常に推し立てた。前衛派でなければ歌人でないみたいな感じがあのころ確かにあった。僕はそのころ、心がむなしくなるとよく鎌倉へ行って虚子の墓の前に立ちました。虚子も一時、同門の碧梧桐の新風に気圧(けお)されて、悩んだ時期がある。鎌倉武士の墓であったはずの大きな岩室を占めて、不動の厳しさを感じさせる虚子の墓は頼もしかった。

僕は前衛派には行くものかと思っていました。塚本邦雄さんにあるとき、「『日本人靈歌』もいいけれど、われわれの古代の生き方の中にはいっぱい、塚本さんがうたいたいと思うようなテーマがあるんだと思う」と言ったことがあるんです。それを短歌はうたうべきだという気持ちがあった。影響はもちろん受けましたけどね。

前登志夫さんの柔軟な詩的な方法の表現もあります。〈かなしみは明るさゆゑにきたりけり一本の樹の翳らひにけり〉。あんなうたい方ができたらと。こっちはそれから比べると固いです、どうしても。

小島――前さんは都市と大和の両方の視点をいつも持ちながらうたわれた人です。岡野さんはまた少し違いますね。もっとずっと古く遡っていかれるような、目には見えないけれど、日本人が日本人である何かみたいな、それがずっとうたわれている。

岡野――やはり、あんな山の中の、しかも修験道などを多く取り込んでいる神主の家に生まれたというのがねえ。

あれは第一歌集を出してから後でしたね。前さんのところに泊めてもらったことがあるんです。馬場あき子さんと岩田正さんと私とで。前さんという人は面白い人で、「夫婦はこの部屋へ。早く寝てもらいましょう」と言って、その晩、ふたりで徹夜で話をしていたんですが、「あのなあ、ちょっと覗いてみようか」って。

小島――前さんらしい（笑）。

岡野――前さんの奥様は賢夫人だと思うなあ。あの奥様が居られるから前さんはあんなふうに奔放にしていられたんですねえ。

そのうちに岩田さんが土俗論で、前さんと馬場さんと僕とを取り上げて論じてくれたんです。「土俗」ということば自体はそう好きではないけれど、前衛派というものに対しての土俗という一種の捉え方は納得がいくなあという感じで励まされたんです。

小島——塚本邦雄さんも生涯かけて日本とか天皇制にこだわった人ですけれど、どちらかというと思想に関わる方向ですね。岡野さんの活動はもっと言霊とか、よくわからないけれど日本人の魂というような、そういうことですね。

岡野——そうなんです。でも、一時は風当たりが強かったですよ。魂とか神とかをうたうことに対して。馬場さんの『鬼の研究』もちょっと誤解されたりしたところがあるんだろうと思う。

小島——馬場さんの「鬼」も、もとを辿っていくと迢空の「まろうど」みたいなものですね。

岡野——全く、おっしゃる通りなんです。

小島——今、時代が一周して、魂の問題がまたクローズアップされる時代です。

岡野——歌の表現というものと、日本人の、言ってみれば深層心理の中の大事な問題は、切っても切れないところがあるんです。

小島——そこに歌の発生があるんですね。

岡野——ですから、歌集で言えば『冬の家族』は戦後の先生との生活。家族を持って、これから一体、日本はどうなっていくんだろう。死んでいった者はこんな家族を持つことすらなくて、後に何も遺さず死んでいってるのにという罪の意識みたいなものがあったりしましたけど、二冊目の『滄浪歌』はもう少し意図的に、古代のあり方みたいなもの、あるいはヤマトタケルをテーマにしたりして、創作の気持ちで言えば『滄浪歌』がいちばん意欲的であり、燃えた歌集だったんです。

小島――今、作られている歌も中心にあるのは『滄浪歌』の世界ですね。

岡野――ええ。これはわりあい塚本さんが褒めてくれたんです。「『滄浪歌』はいいなあ、岡野さん」って言ってくれたんです。そういう意図的な、構築的なところを塚本さんは見てくれたんだろう。

小島――塚本さんは日本人の問題を考えようとされていた方だから。

岡野――本当にそうですね。ただ、後になって短歌賞の選考のときに前さんと塚本さんの間の取り持ち役を僕はやったんです。面白かったなあ。島田修二さんがあのころ、不安定で欠席することが多かったんです。すると、三人ですから、僕が二人の間を調整しないと決定できないんです。

昭和五十四年に宮中歌会始の選者に

岡野――昭和五十四年に宮中の和歌の御用係だった木俣修さんと侍従長の入江相政（すけまさ）さんとが相談なすった上のことだっただろうと思うのですが、宮中歌会始の選者を命じられました。木俣さん、山本友一さん、香川進さん、上田三四二さん、私の五人で、私が一番若輩でした。

小島――五島茂さんは？

岡野――五島さんは、昭和四十二年に『冬の家族』で現代歌人協会賞をもらったときの理事長で、奥さんの美代子さんも賞品を選んでくださってお世話になりました。五島夫妻は早くから皇太子ご夫妻の歌の相談役で、私も一緒に皇太子家の方へ召されるようになりました。

小島――宮内庁まではどうやって行くんですか。勝手に入っていっていいんですか。それともお迎えが来るんですか。

岡野――都内は宮内庁からお迎えが来る。僕はそのころから、ここ（伊東市）に住んでいましたから、東京駅へ宮内庁からお迎えがくるんです。

小島――お召し物は？

岡野――普段は背広です。歌会始の当日はモーニングか和服の礼服です。

詠進される和歌は総数だいたい三万首ほどで、九月の初めから、三千首くらいずつ、コピーをしたものが各選者に来るんです。それが十回くらい来て、第一次選が終わるわけです。そうして一遍、絞ったのをさらに二次選をして、だいたい百首くらいにして、最後は選者五人が宮内庁に集まって十時くらいから半日かけて一首一首選考していきます。そこで初めて作者の名前、性別、経歴がわかるわけです。そして、預選歌十首、佳作十数首が決まります。でも、内容は歌会始の当日まで外には漏らしません。

戦前はいわゆる旧派の歌人ばかりで、古今集流の歌が選ばれました。お題も、「松上、鶴」

とか「社頭、曙」とかでした。戦後、昭和二十一年から選者が代わります。旧派の御歌所の寄人という人たちばかりだったのが、佐佐木信綱、窪田空穂、斎藤茂吉、そういう新派の人が入るんです。旧派の人も千葉胤明とか残っていたけれど、すぐ、吉井勇、釈迢空など新しい人に代わります。戦後の宮中の短歌を新しくしようと努力したのは侍従の入江相政さんです。あの方は俊成、定家の流れの家ですから、そういうことに熱心だったのです。吉井さんは土岐善麿さんと仲が良かった。

小島――土岐さんは若いころ、啄木などと一緒に国禁の書を読んでいたかもしれないという人ですね。

岡野――そうです。土岐さんは折口信夫や吉井勇さんと仲がよく、藤原為兼の研究家だった。当時は日比谷図書館長だったんです。茂吉さんと吉井さんと折口と三人が宮内庁からの帰りに同じ車に乗って、迎えに行った私も助手席に乗せてもらったことがある。吉井さんは「ちょっと土岐君のところに寄っていくよ」と言って、日比谷で降りる。「僕、銀座で降りる」と折口が言って、銀座で降りた。茂吉さんはそのまま自宅へ帰るというので、後ろの窓から手を振ってるんですよ、ご老人がね（笑）。そうすると迢空も手を振って。「昔は一緒（の結社「アララギ」）にいたんだから、宮中でも選歌になると気持ちが合うんだよねえ」となつかしそうに話しました。でも、それが最後だったでしょうね、あの二人が会って、同じ車に乗ったりしたのは。

そのころから、未亡人短歌の募集を中央公論社の「婦人公論」でやった。それで、戦後の短歌の中でことに女性の歌がいいじゃないかということにトップクラスの歌人たちが気づいた。息子が戦地からまだ帰ってこない、あるいは戦死した夫を思っているといった歌を集め、『この果てに君ある如く』（中央公論社、昭和二十五年刊）という、歌のことばから採ったタイトルの、未亡人短歌の歌集ができました。

その選出にあたった、空穂、茂吉、迢空、善麿などの人々が、みな感心して新しい女性の歌に期待を寄せた。歌会始の詠進歌にも、そういう戦争未亡人や戦死者の母の歌が詠進されてきた。すると吉井勇や茂吉が、これ、取ろうよと言って取った。そんなふうにして、新しい女歌の興る気運が盛り上がってきたときに、思いがけずジャーナリズムの上に取り上げられて、変わった女歌の風向きを作ったのが『乳房喪失』なんです。あのころから、短歌が歌壇ジャーナリズムによって、動きを左右されるようになった。

話を十年余り早送りします。上田さんや私が宮中歌会始の選者になったことについても、多少の非難の声はありました。あの二人は戦中世代で、多くの戦死者を友人に持っているはずじゃないか。なぜ皇室に近づくのか、と。

小島――出自から考えたら岡野さんほどふさわしい人はいないと思います。

岡野――それは先生から戦後の宮中の歌の変化を聞き、昭和天皇のお歌の新しい姿と心を見ていましたからね。

そして、折口の全集を編集するとき、僕が折口の初期歌集のことで木俣さんに月報の文章を書いてもらったりして、木俣さんが「折口さんは、歌集に入っていない以前の歌になかなかいいのがあって面白いんだよ」と言っておられたんです。そして、選者になってみると、僕が酒を飲めないものだから、木俣さんによく、「酒の飲めない歌人なんてダメだよ」とか、「酒を飲めないのにお汁粉をお代わりするなんて、岡野君、それはいかんよ」なんて叱られて（笑）。宮中のお酒はおいしいんですよ。少し大きめの浅い杯にすっと注いでくださる。

「御用掛をお受けいたします」

岡野――昭和五十八年に木俣さんが亡くなられます。間もなく、入江さんから連絡があって、ちょっと会いたいということで、宮城前のパレスホテルへ徳川さんと二人で来られて、正式の洋食の晩餐を。そして、「御用掛を引き受けてもらえないか」とおっしゃった。「一日、ご猶予ください」と言ったら、古い堂上華族の方はもの言いから違うんです。「これはしたり。折口先生の薫陶を受けた岡野さんが宮中の御用をためらわれるとは」と。

小島――えー、お芝居みたいじゃないですか（笑）。

岡野――もうぐずぐず言ってちゃどうにもならんと思ったから、「は、お受けいたします」って言ったんです。

それまでも、選者になってから、しょっちゅう入江さんが、侍従たちの集まりとか、入江さんが本を出すと披露の集まりがあるんですが、そういうときにいつも呼んでくださった。選考しているときも僕がいちばん若いですから、選者の中で一番端です。そうすると、隣が侍従長の入江さんでして、「岡野さん、こういうことを覚えておいてくださいね」とか言われてたんです。僕はわりあい鈍感なんだけれど、「覚えておいてくださいね」と言われるんだから、覚えておかなきゃならないんだなと思って。

小島――しきたりとかそういうことですか。

岡野――ええ。「こういうことはちょっと宮中では大事なんですよ」とか。

小島――差し障りのないところで一つくらい、どういうことでしょうか。

岡野――旧派の歌と近代になって新しく変わってきた歌の区別とか。御用掛をいよいよ務めるようになって、両陛下や宮様の御歌をご相談するようになったとき、「高松宮妃殿下の喜久子姫は本当にご熱心で、歌もお上手なんですけれど、何しろ徳川宗家の御姫様ですから、旧派の歌がみっちりと身に入っていらっしゃる。そうすると、陛下（昭和天皇）の直宮様方はもう新しい歌を作られるので、やはりそこに違和感が起こります。そこのところを少しずつ直していっていただくように、うまくお願いしますよ」とか言われるんです。

小島――それは難しいことですねえ。

岡野――喜久子姫はまた一番ご熱心なんです。全然、昔風のかたちを崩されない。有栖川流の変体仮名ばかり使われる。初めはなかなか読めないんです。木俣さんも「原稿用紙にお書きくださって」と言ったんですが、「いえ、私はこの形は崩したくないと思います」とぴしゃりと言われたそうです。

半紙を二つに折って三首ずつくらい書いておられるのを漆の箱に入れ、それに紫の紐を掛けて結ばれて、さらにその上に紙縒(こより)で封がされ、墨で「、」と打たれたものをこちらに届けてこられるんです。そのころは頻々と御用があるので私は東京に住んでいました。持って来られると、それを、パチンとハサミで切って、開くわけです。普通の文章だったら大変ですけど、とにかく五七五七七で和歌であるということが基本になってますから、じーっと見てるとだんだん読めてくるわけですよ。半年くらいですらすらと読めるようになりました。

ただ、こっちもこんなに苦労してるんだから、やはり妃殿下も少し旧派でない歌を身につけていただかなければと思って、かなり直しました。そうしたら、入江さんからまた連絡があって、「岡野さん、あのねえ、もっともなんですよ。拝見したけれど、岡野さんの直しておられるのはもっともなんですけど、ちょっとおてやわらかに」「わかりました。ちょっと私が気負いこみました」と（笑）。

そのうち、「妃殿下に申し上げてありますからね。またご連絡がありますから伺ってくださ い」と言うんです。電話がかかってきて、「晩餐を差し上げたいから」とのこと。伺ったら、中華料理屋を頼んでおられて、コースで出てくるわけですよ。殿下もご一緒でした。

歌の話になったら殿下はすっと消えていかれて、妃殿下と二人です。話は主として旧派と新派との具体的な言葉の選び方です。「違いはこういうものです。『古今集』の時代はそれがいちばん素晴らしかったわけですけれども、現代では決まり切った固定化した言葉になってしまっておりますから」というふうなことを言ってね。

そうしたら、本当にあの方は気風のいい方で、「おっしゃることはよくわかりました。わかったけれど、すぐにそれが歌の上になめらかに変わっていくとは思えませんから、長く見ていてくださいい。ときどき伺いますから」とおっしゃる。

わりあい気楽に話をなさるのは、渋谷にいられる常陸宮さまの妃殿下です。あの方はまた、世の中のことをお知りになりたいわけです。「岡野先生、今の世の中はどうなっているんでございましょうか」と言われてね。世間話がしたいわけですよ。

殿下のほうは世間話は全然。殿下とは鳥の話、博物学的な話です。詳しいですねえ。他の人が聞いたら、何の話をしているんだろうって思うような。

「私は大和へときどき行くのですけれども、この間、橘寺の西門のところで、大和の西の山々がだんだん暮れていく夕方ごろ、電線に雀がいっぱい集まってまいりまして、しきりに鳴いていたんですけれども、葛城山に日が沈んだ途端に雀どもはさーっとどこか、ねぐらへ帰っていって、一羽もいなくなりました。あれは日の沈む前に何か集会か祈りのようなことをするんでございましょうか」と話しかけますと、

「うーん、それはわからないなあ。だけども、このごろ仙台の雀がしきりに東京へ集団で遊びに来るそうだ」

楽しそうに話に乗ってこられるんです（笑）。琵琶湖のユリカモメが鴨川へ遊びに行くという話だとか。

「今日は殿下はご機嫌がいいんですよ」と妃殿下がおっしゃる。「どうなすったんですか」と伺うと、「動物園でゾウにさわって来られたんです」。ああ、そうか、なるほど、ゾウにさわればやっぱりうれしいだろうなと思ったり（笑）。

入江さんの戦後の宮中改革

岡野――皇族方は月次（つきなみ）の歌会が毎月ありますからね。それはべつに歌会をなさるのではなくて、天皇にお見せするわけです。短冊に書かれるんだと思うのですが。そのために月初めにご進講

して、お歌を拝見して、お若い方には古典をご講義をします。

小島――皇族方は口語は絶対だめですか。

岡野――そうですね。口語は調べの上で、ことに歌会始はそこで披講がありますでしょう。母音を長く引いたかたちで読むでしょう。

小島――口語は合わないですね、たしかに。

岡野――合わないですね。世間の歌のように、気軽には変えられませんね。

小島――秋篠宮家の次の世代の方になられたら、フィギュアスケートもやっておられるし、口語をお使いになりたいかもしれないですね。

岡野――ただ、守ろうと思えば守れないことはないと思うんですけど、戦後、とにかく敗戦の気分の中で文字やら言葉の使い方を徹底的に変えたでしょう。あれは丸谷才一さんや大野晋さんたちは絶対に最後まで反対で、「あんなことをしてしまったから日本語がぐじゃぐじゃになっちゃったんだ」と言って。何度か「反対運動を起こそうじゃないか」と誘われたことがあります。「岡野さんまで文章を現代仮名遣いで書くようになっちゃったんだから。でも、歌人が歌の詞書(ことばがき)を現代仮名遣いで書いているのは、どうしたってあれは変だよ」と。ですから、あそこからとにかくどうにもできなくなりましたね。「文語で作れ」と言ったたって無理ですからねえ。そこのところは堰き止められないですね。

そんなことで、わりあいに長く務めさせていただいたわけです。

入江さんの戦後の宮中の御歌の改革、これは『入江相政日記』を丹念に見ればかなり具体的なことは書いていられますけれど、まとめて書いておいたほうがいいなと思う。あの人はなかなか肝っ玉の大きいところのある人で、それだけに誤解されることもあったと思うのですが、戦後の宮中の改革について、責任を自分で負う気持ちでいられた人です。ああいう人は宮中で天皇のおそばにいつの時代でも一人や二人、いてもらわなければならないと思うんです。

小島――それをお書きになれるのは岡野さんしかいないですよ。内側と外側と両方ですから。どちらかだけの視点では何かが違ってきます。ぜひ、お願いします。

（二〇一二・一一・二〇　静岡県伊東市、岡野邸）

【最終回】

岡野弘彦の歌人日乗

折口先生とは何か似ている

小島——毎回、楽しく進んでまいりましたこのインタビューも最終回になりました。今日は岡野さんのプライベートにちょっと踏み込んでお聞きしたいと思います。

岡野さんとはかなり長い間、おつきあいさせていただいておりますが、引き締まったスタイル、明晰な頭脳、本当にすばらしい心身をお持ちでして、大量のお仕事をコンスタントに長年続けておられます。すばらしい記憶力はこれまでのお話で読者の方にも十分、おわかりいただけたことでしょう。一体、どんな鍛え方をされているのか、秘訣をご披露いただけませんか。

岡野——いやあ、べつに秘訣など何もなくて、成り行きまかせで来たのですがね。

小島——いえ、そんなはずはない（笑）。

岡野——子どものときから山の中の一軒家で過ごしましたでしょう。

そのころ武運長久を祈る鳥居が村からの長い参道にびっしりとトンネルのように奉納せられるので、鳥居をつくるための大工さんが一年中いまして、木部屋という作業場で鳥居の組み立てをやっています。その大工さんたち、それから峠一つ越えた隣の郡から来て祖父の頃から家族のようになっている、万さんという男衆がちょっと変わった人でして、その万さんが僕を子どもとして扱わないんです。「坊さん、こういうことを知ってますか」と言って、大人の社会に紛れ込むと変人扱いをされるから、子どもの僕を相手にして話をするわけです。それは昔話だったり、カマイタチの話をしてくれたり。山へよく連れていってくれて、ひだる神がつかないようにする防ぎ方とか、ひだる神がついたらどうしたらいいかとか。

小島——え、どうしたらいいんですか。

岡野——「弁当を食べるとき、たとえ米三粒でも残しておく。ひだる神がついたら、その米粒一粒でも食べると、ひだる神が落ちる」と言うんです。「米粒もないとき、どうするの」と聞いたら、「そらまた、坊さん、覚えておきなはれや。手のひらに「米」という字を書いて舐めたら、ひだる神は落ちますねん」と言うんです（笑）。そんなことを、とにかく僕に真剣に教えてくれるわけです。

でも、僕の父はもともと理系の人で養子になっての神主ですから、そういう話を僕が聞いて、「面白い」と言うと機嫌が悪いのです。「万さんと話をするな」と言うんです。だけど、子どもにとっては面白い。その万さんにずいぶん僕は教育されました。

また、大和から来ている神末のおばあが昔話をしてくれる。それは父親や母親の話とは全然違って、面白いんです。僕が小学生や中学生のころから、古事記や万葉集の世界に引き込まれたのは、家に古典の本が多くあって早いころから読んだことと、大和・伊賀・伊勢の老人たちから折につけて昔話や伝説を聞かせてもらったからです

でも、遊び友だちが一人もなくて、周りはみんな大人で、なぜ、こんな一軒家の一人ッ子に生まれたんだろうと、いつも思っていました。

のちに折口先生のところに行って、先生と話をしていると、どうも先生もそういう子どもだったらしいんです。だから気持ちが合うんです。この人と何か似ているなあと思ってね。他の人は「あんなところは窮屈で、たまらないやろう」と言うけれど、そういう気がしなかったんです。

無器用だった折口先生

小島——折口先生はスポーツはされたんですか。

岡野——いえ、あの人は全然。体を動かすことは無器用なんです、『古代感愛集』『死者の書』とか、気に入った本を自分で装丁、自装するでしょう。それを柳田先生とか鈴木金太郎さんに

あげるんですが、それをやっているところを見ていると、あのころはチューブに入ったきれいな糊がないから、鍋で糊を作るわけです。

小島――舌切雀の糊みたいなのですね。

岡野――そうです。女のお弟子さんに頼んで端布(はぎれ)をたくさん持って来てもらっているから、いろいろな布がある。それを自分でハサミで切るんです。それに糊を塗って貼りつける、その手つきが無器用なんです。見ていると危なっかしい。見かねて、「先生、ちょっと、手伝いましょう」と言うと、「よけいなことをせんでいいッ」と機嫌が悪い(笑)。手のさばきのきれいな人と、子どもみたいな手の動かし方がいつまでも残っている人とあるでしょう。お箸の持ち方もそうで、先生はきちんとしているんだけど、それでもちょっと箸の持ち方の微妙な指使いが違うんです。よく見てないと気がつかないんですけどね。だから、若いころから運動は恐らく得意じゃなかったと思うんです。

小島――身のこなしが山窩(さんか)のような、ひたひたと山に入って行けそうな気配が作品にはあるのですが。

岡野――それはありますね。気持ちの上ではね。都会で生まれて、小さいときから歌舞伎などに触れていて、ずいぶん都会的だけど。それは二冊目の『春のことぶれ』の歌集に出てくるんです。第一歌集の『海やまのあひだ』のあの山人や海人の持っている、古代人そのもののような感覚、あれは話を聞いてもぞっとするような、孤独で苦しい旅の体験から得たものですね。やはり柳田先生の影響が非常に大きいと思いますね。折口信夫その人にももちろん、最初の小説で、大和を一人旅したり、善峰寺へ一人で行ったりするような、しかもそういう途中で自殺衝動みたいなのが起こってくる話などを聞いていると、あの人の持つ特異な感覚がこちらの身にも迫ってくるような気がしました。

木登りからマラソンまで

小島——岡野さんは小さいときから長距離を歩いて通学されたりで自然に鍛えられていったとは思うのですが、スポーツらしいスポーツはいつごろから始められたのですか。

岡野——山の子ですから、木登りは上手だったし、アケビなんかを採るのもうまかった。ですけど、小学校のころ、教えてくれる先生がいないんです。でも、バレーボールは対抗試合に出なきゃならなくて、僕はセンターをやらされたんです。一遍、勝ったら、次は負けるようなチームで、決して強くはなかったですね。

僕は短距離は速くないんです。山道をダーッと走り下っていくんだけれども、短距離の走り方が会得できてなかった。父親が一生懸命、短距離の走り方を教えてくれるんだけれど、山を走り登ったり下ったりする走り方と平地の短距離を走るのとは足の運び方がちょっと違う。

こっちはイノシシみたいに走りまくるだけで、シカみたいにスラーッと走るのを見ると、なるほど、うまく走るなあと思うんだけれど。そういえば村の猟師さんが飼っている紀州犬にも、猪犬と鹿犬とがあって、体型が違うんですよ。僕はシカのような走り方ができないわけです。

小島――普通、誰もできません（笑）。

岡野――ですから、小学校のときはスポーツはあまり得意じゃなかった。でも、中学を受けるためには体力のテストもあるからと言って、親類の副校長が僕に、特別教育をしてくれるんです、運動場の走り方を、もっとうまくなれとか言って、みんな普通の授業をやっているときに走る練習をさせられた。それでいくらか要領がわかってきたんだけれど。中学は二十五人が一クラスです。戦争中だから体育を専門に教えてくれる先生と体育の時間が陸上競技、剣道、軍事教練など多いわけです。けっこうしごかれるんです。それでやっているうちに、三年生くらいから投擲力があることがわかってきた。昭和十五年くらいになると軍事教練のなかに手榴弾投擲があるんです。距離を競わせられる。僕は六十メートルくらい投げるんです。

小島――六十メートルというとすごいですよ。

岡野――ええ。クラスの指導員みたいな、皆に投げ返す役をいつも言いつけられたりして。そのうちに予科の大学部の槍投げの選手をやっている人が、「岡野はなかなか筋がいい。もう少し磨きをかけたら伸びる」と言って、コーチをしてくれたんです。その人は後に特攻隊長として戦死しました。五年のときは槍投げで県で一番になりました。

小島――うわぁ、すごい。初めてうかがいました。

岡野――剣道は中学で二段を取りました。

小島――やはりすごいスポーツマンでいらっしゃるんだ。

岡野――そのころからだんだん、スポーツをやることが楽しくなったんです。

小島――岡野さんといえばマラソンというかジョギングで有名でして、いろいろなグラビアにも登場した、あのお姿が目に浮かびます。いつごろからなさっているんですか。

岡野――中学のころ、マラソンの大会がありまして、わりあい他の人より走れるなということはわかってましたが、軍事教練必須の時代でしょう。軍事教練で銃を担いで走らされたりしていた。本当にスポーツが楽しめるようになったのは敗戦後です。

僕が皇學館中学にいたころ、東京の國學院大学と皇學館大学とが定期戦をやるんです。同じ神主の学校で、ライバルなんですよ。國學院のほうが、さすがに東京だからいろいろな刺激を受けているでしょう。剣道とか弓道とか、國學院はそのころ強かったんです。中学五年の僕が槍投げの選手で出たりしました。

二十代は『折口全集』の出版準備で大変でしたから、しきりに走るようになったのは、三十代からですね。先生が亡くなって、全集が終わって、それから万葉旅行を始めるようになった。

万葉旅行をするためには平常から鍛えておかなければならないから、折口研究会は年に二回くらいは必ず山登りをしました。「折研のやつはみんな足が強い」とよく言われていて、そのうちにサッカーチームで大学院やら語学研究室の先生やらとやるようになって、コスモスチームなんかともやるようになったんです。

小島――今、高校や大学の文芸関係のクラブで山登りをやっているところなんか、ないんじゃないですか（笑）。

岡野――それはやはり平素から鍛えておかないとね。万葉旅行を何十年もやりましたが、事故は一遍も起こさなかったんです。途中で風邪で熱が出て大津の病院へ連れ込んだりしたことはありましたけど、大きな事故を起こすことはなかった。旅行をしますと、それが一番神経を使うんです。だから、わりあいに運動はよくやりました。

四十代で、体育祭のとき、十年間、毎年、学生たちとマラソンを走ってました。学生部長が学生と一緒に走るというので、みんなが好奇の目で見てましたよ（笑）。だいたい上から一割くらいのところで帰ってきてましたから。

朝風呂に一時間

小島――最近も体を鍛えるために何かされているのですか。

岡野——一昨年、手術をしてからは足がのびのび運べなくなりましたが、できるだけ動くようにしています。携帯電話に万歩計がセットされているから、その日の歩数がカウントされるでしょう。だいたい一日四千歩くらい歩いています。この年齢ならそれで十分だろうと思って。それと、机に向かっているとき、ときどき自己流の体操をするんです。

小島——以前、朝風呂にとても長く入られるとうかがったことがあります。

岡野——それは今でもそうです。一時間は入ります。

小島——一時間、ゴシゴシされるんですか。

岡野——いえ、ほとんど洗いません。そのかわり温度を三八℃に設定します。それ以上になると疲れて、お風呂から出た後、眠くなったりするんです。

小島——お湯から出たり入ったりされるんですか。

岡野——あまり出たり入ったりしないんです。三八℃くらいですと、ずっと入っていられます。間で一遍だけ湯から上がります。

小島——そうですよね、普通、そんなに長くは入っていられないですもの。

岡野——僕は心臓の持久力がありまして、いろいろな自己流の運動をやっているんです。例えばシタの運動とか。

小島——えっ、シタ？

岡野——一人でいますと、日常ものを言う機会がない。『源氏物語』の講義は、間に十五分、休みますけれど三時間、ぶっ通しでやるでしょう。そうすると舌が疲れてくるんです。だから、舌とか顎とかの体操。それから、顎や耳たぶを揉んで、十五回くらい鼓膜を震わせると耳が遠くなりにくい。リンパ腺にしたがって足の先まで自分でマッサージをするんです。そうすると、体がすーっと締まったような感じがして。

小島——体じゅうの血行がよくなるということですね。

岡野——そうです。そうすると、歌が作りたくなるのです。

小島——お風呂の中で？

岡野——それで、俳句と歌の初案を一筆箋に書いていくわけです。

小島——濡れたりしないんですか。

岡野——濡れることもありますけど、濡らさせないように書くのはうまいですよ。

小島——お風呂の中で朗詠されたり。

岡野——ええ。朗詠して、おお、これはいいなあって自分で思っているわけです（笑）。

小島——ホラ貝をお風呂で吹いたりされるとか。

岡野——去年、有馬朗人さんのＮＨＫ俳句の時間にゲストで出たら、有馬さんが「岡野さんはホラを吹くからね」と、わざと澄ました顔でおっしゃった。これは誤解されると思って、説明につとめましたよ。実は入れ歯になってからはホラ貝はあまりいい音がしないんですよ。高い音が出ない。高い音を出して、裏声みたいに音を回せると楽しいんですが、それには歯がきちっとしてないとだめなんです。

小島――お住まいが伊豆という場所柄、温泉ではないのですか。

岡野――温泉は近くまで来ているのですが、そこから家まで引くには五、六百万円かけなきゃならなくて。このごろのお風呂はよくできてますから、温度の調節は楽にできるでしょう。それに温泉といっても格別変わったお湯でもなさそうなんです。だから、引かなくてもいいやと思って。

小島――全身の血行をよくして、体も頭もよくする。すると、お耳も、眼力（めぢから）も。

岡野――それは健康のために自分でだんだん習慣づけてきたんですね。前に折口先生の口述筆記を深夜までするために禁煙したことは言いましたね。先生が亡くなって、また倍ほども吸うようになったのです。

大学紛争で団交をしていると、ズボンに焼け焦げができるくらい夢中になるんです。佐藤学長が「そんなことをしていたら、岡野、死んじまうぞ。タバコをやめろッ」「やめますッ」と、こっちもケンカ腰でやめたんです。それでいっそう走るようになったんです。走る距離をふやした。腹の出た歌人というのはカッコが悪いと思って（笑）。

僕は髪型も散髪屋さんも、若い時期からほとんど変えないんです。

小島——オシャレでいらして、和服はもちろんですけど、お洋服のときもネクタイやポケットチーフなど気を使っていらっしゃいます。

岡野——その時代の流行（はや）りとか勤め先の雰囲気にあまり動かされないところがあるということは、後になって考えてみると思うのです。時代が激しくなってくると、たまらなくなって髭を生やしてみたり落としてみたり、いろいろする人がいるでしょう。僕はそれがわりあいにないんです。散髪屋も何十年って変わらないほうが気楽なんです。黙って座っているとちゃんとしてくれる。

小島——それはなんとなくわかります。岡野さんはすべてにずーっと「わが道を行く」という感じがしますから。

岡野——まあ、そうですね。歌も本当に無器用に変えないで。変えようと思えば変えられる時もあったと思うのですが、古典の中の、いちばん自分で納得のいく時代の表現に執着する。先生よりもずっとそこのところは無器用で頑固だったと思うんです。折口先生は芯のところは変わらなかったけれど、歌集を見ていてもわりあいに変わってますね。ああいう鮮やかな転換は僕はできなかったのです。

小島――では、歌とは関係のないことで、ストレスを解消するための何かをお持ちでしょうか。

岡野――子どものころから愛読していたのが、古典や詩歌のほかは、そのころ探偵小説といった推理小説です。折口先生のところに来たら、先生も同じで、そのうちに先生と犯人の当てっこをしたりするんです。先に読んだ先生は「ここまで読んで、僕、犯人がわかったよ。君もここまでで当ててごらん。ここから先、読んではだめだよ」とか言って。僕が読んで、「そんなの、どうしてもそこまででわかるわけないですよ。先生は先を読んだんだ。ずるい」とか言うと、「人を疑ってはいかん」って説教されるんですけどね（笑）。それは楽しかったですねえ。

文学者はわりあいに体の無器用な人やスポーツをあまりテーマにしない人が多いでしょう。僕らの中学校のころには村野四郎という詩人の『体操詩集』が出ました。あれが好きでね。土岐善麿さんが若者の槍投げの歌を作っているでしょう。〈槍投げて大学生の遊ぶ見ゆ、大いなるかなこの楡の樹は。〉、土岐さんが自分で槍を投げておられたわけじゃないけれど。僕はマラソンの歌なんかわりあい作ったほうです。

身はすでに雄（を）のかまいたち嘵々と風にさからふ耳尖（とが）りくる
足裏に石踏みあてし疼きすらうつつなしすでに身は透きとほる
『海のまほろば』

しづまりし夕べの砂の陽に映えてかがやく尾根をひた走るなり　『飛天』

ひた走る地平の空は夕焼けてまぼろしの馬われに寄り添ふ

城ヶ崎の荒磯の巌にすくと立つ。平衡感覚はまだおとろへず　『バグダッド燃ゆ』

天城嶺を昨夜(よべ)すぎゆきし鹿の群の　跡をたどりて尾根いくつ越ゆ

小島――最近の歌集にも、走っておられる歌が出てきます。

岡野――ええ。走れなくなってから、いっそうね。空を飛ぶ夢をあまり見なくなってから、それでもときどき、ぽかーっと空を飛ぶ夢を見たりするのと同じようなものですね、それは。自分の内的な願望、あるいは欠落感みたいなもののときっとつながるのではないかなあ。フロイトは性欲説とつなぐわけですけど、僕はフロイト説は昔から信じません。

神主の家の息子だから、霊感みたいなものがあったけれど、折口先生と会っていると、この人はやはり霊感の強い人だ、この人の前で自分のそういう小さなものを決して出すまいと思って、だんだん自然に消していったんです。あれはいいかたちに働くときもありますけれど、現代の社会では持っていることがマイナスになることもあるんです。

小島――例えば？

岡野――現代では非常識に考えられたり。郷里で神主をしている甥もそれで今、損をしていると思うんです。

小島――では、(霊感というのは)岡野さんのご一族にわりと共通していることですか。

岡野――ええ。山の中の修験道の色彩の濃い神社でしたから、神主はそれを身につけてないとやっていけないんです。そういう力を持った先達が講社の人々を連れて参籠に来ますからね。彼らより強い霊力は持っていないと。それから、これはちょっと違うんだけど、忍者の棟梁なんかが伊賀から家の子郎党を連れて参拝に来るでしょう。そんな人々に応対するとき、表に出さないで、しかし、内側では対応できる力を持ってないと困るときがあるんです。

そういう力の出る子と出ない子とがあって、極端に出るのは、ことに戦後の時代では困るわけです。世俗的な生き方を普通にするためには、そんなものを表から消しておいたほうがいいわけです。

小島――歴史をずっと遡っていくと、皇族とか、その周辺の方々が、今でいう超能力のようなもの、人為を越えたものを感じ取る力とか、そういうのはありますね。

岡野――ええ。それから、善意か悪意、よく見届けられないんだけれど、意識的にそういう霊能者に近付いてくる人が多いですね。そういうのが災いを与えたりすることもありますね。昔なら道鏡みたいなのが。

小島――皇位継承のエピソードのまわりにもそういう話がたくさんあります。

岡野――近代に入っても、そういう話が絶えないですね。ああいうものがまつわりついていくことはよくないことだと、現代は思うのですが。そういうものを自分でコントロールできるというか、自分でちゃんとわかっているならいいんだけれど、しばしばそれがそうならないで、自分も損するし、自分のまわりの人たちも傷つけるということがありますでしょう。そんなのは僕は愚かなことだと思っているんです。そういうのも折口信夫という人のところにいて、うーん、この人はそういう力の強い人なんだけれども、それをマイナスのかたちで人に及ぼしたり、あるいは自分に影響させたりしない人なんだなということがわかりました。それは人に言ってもなかなかわからない。兄弟子なんかでも、春洋さんは感じていたと思いますけど、言ってもわからないから言わない。確かに、世襲の神主の家はそういうものがあるんですよ。

短歌を近代で変質させたもの

小島——岡野さんご自身で、ここは自分としてはとても気に入っているところだと思われるところ、あるいはここは自分はいやだなということがあれば。

岡野——そうですねえ、短歌の問題として言いますと、古代の歌の始まりから江戸時代の終わりころまで、短歌は日本人の民族にくっついた不思議な、今の歌人の方たちは日本人特有の詩の表現法だと思っていられるでしょうけれど、文学の領域よりもむしろ人間としての生きていく根底のところとつながっている、そのつながりの大きな力で引き寄せられている文学だと思うのです。

ですから、宣長あたりまで、現実に自分が生活の上で異性を恋するからというのではなくて、しかし意図的なかたちで、つまり題を設定して恋歌を作り続けましたでしょう。春夏秋冬の歌はもちろんいちばん多いのですが、四季の歌でも実際の四季の変化を単に叙景していくということではなくて、自分の心で作り上げた四季のあり方、理想的な季節の微妙な変化というものを作っていったと思うのです。

ことに恋の歌は、中世あたりになってくるとものすごく多岐にわたってきます。「逢ひみて後の恋」とか、「逢ひて逢はざる恋」とか。もちろん、恋の体験がない人間なんてほとんどありえないわけです。どうしたって自分の実体験が多少ともそこに滲み出してくるけれど、しかしまた、あんなふうに複雑に設定せられたかたちで生きているわけじゃないですよね、現実には。あれは一体、文学なんだろうか、あるいは民族の情念なんだろうかという感じがするのです。文学と言ってとても解き切れるものではない、という感じがするのです。

一体、何のためにあんな恋の心を歌にしたんだろう。それは、『源氏物語』がああいうかたちで延々として長編物語になってくる。それと同じ動きだと思います。文章で言っているところは、情理を尽くした叙述で説いていくから、ある自然な感じがしてくるわけですが、和歌になると、あのかたちで題と作品と並べていくと、現代のわれわれには明らかに人工的なかたちで恋を作っていっているように見える。

小島――複雑な題詠ですね。

岡野――ええ。でも、あれが短歌のいちばん短歌的な部分じゃないかと思うのです。それが単純な写実主義、自然主義で、根こそぎ刈り取ったような感じになってしまった。日本文学の、ことに抒情的な部分にとっては、むしろあんなふうに根こそぎ変質させられてしまうのはマイナスだったんじゃないかという気持ちがあるわけです。

小島――とても難しい、とても本質的なお話だと思うのですが、ああいうややこしい題詠を含めて人工的なところに行く。それを行かせてしまった訳のわからない情熱そのものがということですか。

岡野――日本の近代というものが、非常に大事なものを、ヨーロッパからの影響にあまり根こそぎ動かされすぎて、抹殺してしまったんじゃないかという感じがあるんです。

小島――それは沼空が言った、「女流の歌を閉塞するもの」につながることですか。

岡野――それにもつながっていきます。そして、短歌と俳句と比べてみると、安東次男のエッセイなんか読んでいて思うのですが、どうも短歌のほうがそういうところを俳句よりもいちはやく変身させてしまった。芭蕉の連句がかなりそれを執念深く追い続けている。芭蕉、蕪村、それから虚子の一派ですね、近代に入っては。歌人は連句を作らなかった正岡子規の影響、

「アララギ」の影響が非常に強かったものだから、そういうものをスーッと変えていった。それは必ずしも短歌にとって本当にいちばんいいかたちだったろうか、どうだったろうかという思いがあるわけです。

小島――今、芭蕉の話が出てハッとしたのですが、松永貞徳が連歌から俳諧のほうへ少し行って、その後、談林みたいなものも出てきて、芭蕉が出てくることによって俳句の世界はむしろ和歌のほうに近づいてきますね。逆に、短歌は近代、俗語を取り込むことも含めて、むしろ俳諧のほうに方向としては行ったのかもしれない。そうすると、結局は和歌の持っていたものがどんどん希薄になっていく。少しわかりました。

岡野――やはり日本の近代はいろいろな矛盾を孕んで近代になっていくんですよ。

小島――確かにあそこで和歌の趣はがらっと変わりますね。

岡野――変わります。それは新鮮な変化ではありますが、同時にむざむざと葬ってしまうのには、もったいないものも一緒に滅ぼしてしまいました。

小島――丸谷さんはいつもおっしゃってましたね。日本文学の中心は和歌なんだから、その和歌の方向性をみんながもっときちっと語らなければだめだと。

岡野――あんなにあの人が文人気質を大事にしていたって、亡くなってから、僕が頼まれて墓碑銘を書いてから、初めて気がつきました。

小島――最後まで洒落っ気があった人ですね。

俳句の中にある力に惹かれる

岡野――このごろ僕は、俳人の中の、むしろ少数ですが、連句を大事にする人、その人の連句、あるいは連句でなくても、俳句の中にある力みたいなものに惹かれているんです。短歌のほうが十四音多いので、多くのことが言えるのですが、十四音短い俳句のほうが広いことを言っているような感じがするときがしばしばありますでしょう。

小島――言わないことが大きな世界を表現しえるというのはわかります。

岡野――あるいは漢詩でも、五言絶句の詩の中にとてもいいのがありますでしょう。あれはどうも短歌的、さらにより俳句的なことばの含蓄だという気がする。その奥に秘めた広がりが却って大きい力を持っている。東洋の文学、そして中国の文学の影響以前から持って来た日本の文学にも、それが日本なりにあったと思うのですが、そういう部分を近代で変質させたのではないか、そんな気がしています。

それはどうも、近代に入っては、大岡信さんや丸谷才一さん、あるいは石川淳、安東次男という人たち、あるいは虚子、年尾親子なんかのやっていたこと、どうもあそこが未知の可能性をいちばん持っているところじゃないかという気が、このごろひしひしとするんです。

小島――一方で私などが考えると、近代の短歌の改革によってヨーロッパの影響も受けたでしょうし、青春の文学という一面が短歌にパッと開けていきますね。今お話に出た虚子なら、〈遠山に日の当りたる枯野かな〉は二十代で作っているんですね。あれは青春の感覚ではないと思っていましたが、そういう点で俳句の青春性はどうなのかな。短歌は明らかに青春性を獲得できるような部分が近代以降とても大きく開けたような感じがするのです。ただ、今、岡野さんがおっしゃったことはよくわかります。それは短歌が今、どんどん軽くなっていますから、そういうなかであらためて虚子の〈遠山に〉の句を読んで、しみじみといいなあと思ったりするんです。

岡野――短歌と俳句を比べると、短歌のほうがはるかに調べがあります。俳句はかたちが小さすぎて、なかなか調べを出しにくい。

小島――それと青春性とかかわりがありそうですね。

岡野――ええ。それは大きいと思うんです。

小島――牧水、白秋、晶子、啄木もみな、あの青春性は感傷的な調べですね。

岡野――調べがありますでしょう。何といっても短歌のほうがより抒情でしょう。そういうところが近代の抒情、あるいは青春性を出しやすかったと思います。俳句はそこがある意味で不自由だから。それでも例えば、加藤楸邨の〈雉子(きじ)の眸(め)のかうかうとして売られけり〉、俳句であれだけ抒情が出せる。すごい人はすごいんだなと思いますね。だけども短歌のほうが近代、のびやかな抒情、あるいは人間性がはるかに出たことは確かです。

小島――人間のいやな面まで含めて。

岡野――そうです。俳句のほうがそこは抑制せられた文学ですね。ただ、抑制せられてきただけに、手放しで出せなかったのが内的にまだ力を溜めているところがあるんじゃないかなという気がしましてね。ことに連句は個性の全然違った者が数人で共同制作をするわけでしょう。あの面白さ。江戸の俳人たちが一番熱狂したわけですけれど、まだ燃焼し足りない、われわれに残されているものがあるんじゃないかという気がするんです。

俳句は玄人の文学

小島――今こそ、ああいうものがとても大事かなと思うのです。前の人が付けると、なぜ、こう付けたんだろうとか、それを考えますね。自分の気持ちだけではなくて、前の人の気持ちや次の人のことも考えますし。集団とか人間関係の中での自分というものを見たり考えたりする。

岡野――僕も連衆に加わった連句の会は、大岡さんが具合が悪くなって、長谷川櫂さんに代わったのですが、やはりメンバーが一人でも代わるとしばらくはちょっと戸惑うわけです。でも、三回か四回やると、それなりに新しい三人での気合いが生まれてきます。

ところが、丸谷さんの入院が多くなりましたでしょう。僕は「それじゃ電話とファクスを使ってやることにしようよ」と言って、丸谷さんが入院したり退院したりして、僕はときどき会ってましたが、結局、連句そのものは主としてファクスでやったんです。七、八か月かけて。これが靴を隔てて足を掻いているようなもので、まどろっこしかった。一座していると顔色を見ただけでだいたいお互いの調子が察せられるわけですよ。こんな突拍子もない句を出したのは、多分こういうことだろうなあと。「この句の気持ち、どう?」とストレートに聞くのは野暮だし、こっちもプライドがありますからね。何か察してやろうと思って、何となく探るわけです。そのとき、向こうもわかっているだろうから、そこがまた面白くて。

でも、(ファックスだと)そのやりとりがない。あれは確かに座の文学ですね。座を同じくして、気合いで汲みとったり、あるいは牽制したりして、組み立てていくでしょう。そういう微妙なかけひきは、なかなか、玄人の文学だなあという感じがしましてね。

『七部集』の中で芭蕉が、「これは『七部集』に大事に収めて」という歌仙のできた、あのメンバーは芭蕉の息が細かくかかっていて、ツーと言えばカーと答えられるようなメンバーですね。ああいうかたちのものが江戸時代にあそこまで芭蕉、蕪村などを核にしてできたことは、歌の世界にもなかったし、中国の漢詩の世界にもまずなかっただろう。共同体のようなかたちで生まれてくる、「渦巻き」のような未分明なところから手繰りだしていく、そこのところ、われわれの先輩ももちろんそういうことを考えた人が多かっただろうけれど、言語芸術が行き詰まってきているときに、そんな打開をもう一つ考えてみたら、と思うんですよ。

小島――丸谷さんはいたずら好きでもいらして、私もほんの一、二回ですけれども、何かご用でお葉書やお手紙をくださるとき、最後に俳句ではないんだけれども五七五がついてくるんです。すると必ず、「これは付けて返せよ」ということなんだろうと思って、もう真剣に、何か付けて返さなきゃというようなことがありました。だから、岡野さんがおっしゃったように、何か文学なんだけれども、もっと開かれた、人間関係の中に組み込まれている表現なんですね。

短歌の現在

小島――岡野さんが「渦巻き」とおっしゃったことですが、飛躍するかもしれないですけれど、二〇一一年の震災のとき、有名無名の作者のたくさんの作品が作られました。ああいう動きはどんなふうにお考えですか。

岡野――今度の震災の場合と戦争の場合とでは、戦争の被害のほうがはるかに大きくて、生臭く、厳しく、長期にわたっていたんだけれど、戦争は、外からいろいろ複雑な力が働きますでしょう。だから、むしろ今度の東日本の天災のほうが、人間として、「何がわれわれにこんな災厄をもたらしたんだろう。その原因となるような何かをわれわれ人間が犯したことがあるだろうか」とか、いろいろな思索をしますでしょう。

ああいうかたちで死んでいった人たちの死後の魂のありようみたいなものを、われわれの祖先は何世紀もかけて、災厄のたびに繰り返し苦しみ考えてきたと思います。ところが近代の戦争の場合は、靖国神社が一つの手立てになったり、天皇のために死んだということで一夜にして軍神にしてしまったり、長い日本人の神観念をいとも簡単に変えるようなことをやってしまった。それもそれでいくらか、遺族の方の心の鎮めにはなったろうけれども、大きな神観念の変更です。ほとんど決定的な心のやすらぎには結びついていかない。ところが、あの津波の災厄、地震の災厄などは、根底からそういう問題を深く考えさせられる長い心のより所がある。そこのところが大事だと思うし、そういうなかに、僕たちの文学のありようやより所も戦争とは違ったかたちが出てきていいんじゃないかという感じが、今度なんかつくづくしました。

そして、俳句のほうがああいうことをすぐに表現することが難しいと何となく思っていたし、俳人もそう思っていたけれど、一年くらい経ってみますと、俳句のほうが持続力を持って出ている。短歌のほうがああいうことに応じて反応しやすいと思っていたのは、僕たちの錯覚だったんじゃないかという気がしてきているんです。

小島——いわゆる歌人たちはわりと持続して、みんな折々に作るんですが、投稿歌壇なんかですとウワーッと大量に出て、今は波が引いたようになっていますね。

岡野――そうなんです。あれは不思議です。

小島――岡野さんはそれも含めて、現代のいろいろな選歌をなさっているし、短歌雑誌は若い人に至るまでごらんになっているんだと思いますが、それについてはどんなふうにお考えですか。短歌の現在みたいなことですが。

岡野――一つは、言葉そのものが変わりましたでしょう。敗戦を一つの大きな境にして、だんだんと。それから、文体が変わりましたでしょう。

小島――いろいろなものがアメリカナイズされていくんですね。

岡野――ええ。これから短歌が本当に短歌の定型に十分に生かす言葉と文体を熟成させていくまでに、かなり年月がかかるんじゃないかという感じがするんです。

小島――時代に合う表現ですか。

岡野――ええ。今、若い人たちの意識はそれはそれとしてかなりわかるんだけれど、表現せられた短歌を見ていると、少数の優れた人はそれなりの作品があるけれども、だいたい事柄を言うことだけに追われていて、本当に心に衝撃的に触れて突き刺さってくるというかたちが少なくなっていますね。そこのところ、短くて不自由だと思われている俳句のほうがかえって有効な感じがするものが少数だけれど確かにあるという気がするんです。

小島――現代は何ともわからない不安感が四方八方から押し寄せてくる時代です。

岡野――本当にそうです。歌の世界を支えていた日本の風土、自然、それが変わったり希薄になったりしていきましたでしょう。だから、人間が知的な構成で自分の中から手繰り出してくるよりほか、しようがないんです。そういう広い自然と心を響かせ合って、そこから手繰り寄せてくるというものがほとんどなくなりましたでしょう。

小島――そう思います。身近な場面を考えても、いつも思うのですが、電車に乗っていて、なぜ、車窓から外の景色を見て、あそこに鳥が飛んでいるなとか、あそこで人が畑を耕しているなとか、見ないんだろう。みんなケータイの画面を見ているんです。

岡野――あれは人間としての存在が危ないんじゃないかという感じがするんです。

小島――外界があって自分があるのですから、外界が見えないと自分はもう見えなくなります。

岡野――メールで寄せられる投稿歌と一枚一枚手書きで書いてこられるはがきの投稿歌のギャップが、今、どうしても気になるのです。メールで投稿してこられるのが全く採れないわけじゃないんです。数少なくはあるんですけれど、でもだいたいにはその密度が淡いですね。

折口先生の「発生論」

小島――最後になりますが、これからなさりたいことは何でしょうか。

岡野――もうこの年齢になったら、何を考えていっても、いつそれが戯言のように裏切られてしまうか、わからない。まず単純な問題として、自分の体の力がいつまで続くかということです。最近、僕の周辺の親しかった人、あるいはあんなに見事な芸の世界を展開していた勘三郎があえなく逝ってしまう。そういうのを見ていると、こっちも意気消沈してきます。一つは、もう少し連句的な作品を、また、いい連衆に助けられて、切り結びながら続けていきたいと思っています。

小島——今、チャレンジされている「俳句と短歌」は今後も続けていこうと思われますか。

岡野——ええ。あれはかなりエネルギーが要るんです。これはうまくいったと思うのは三十作っても滅多にないんですけれど、あれももう少しやってみたいと思うんです。

小島——岡井隆さんもなさったけれど、また全然、質が違いますね。

岡野——やってみるなら、芭蕉、蕪村の成果をできるだけ緻密に後付けていってみようと思っています。そうするとまた、変わった可能性が出てくるかもしれないですから。

もう一つは、折口信夫がいつも言っていた、「自分の古代学の究極の表現は戯曲、小説にするよりないんだ」ということが、このごろ何となくわかってきたんです。例えば「文学発生論」も、あの人は自分のこの世への出生の問題と重ね合わせて、書いていくよりしようがなかったんじゃないかと思うんです。

『死者の書』の続編で、四十枚くらい書き始めて終わっているものが、さらに二つあるんです。時代がポカッと変わって、悪左府頼長が高野山へ登って、生きたまま髭が伸びているという伝説の弘法大師の祖師堂を開けさせるところから始まっているんです。悪佐府頼長の日記、『台記』の別記がありまして、そこに特に自分の内面的なことをちらちらと書いているんです。

まだ先生のいるとき、『台記』別記を先生はしょっちゅう見ているから、どこを見ているのかと思って調べたら、サイドラインを引いてあるところがある。それは、自分の使っている身分の低い若い男を寝所に引き入れて、あのころのいわば男色の世界に引っ張り込む、そこのことが簡潔に書いてあるところで、歴史家が初めてそれを論文にせられたのは折口が死んで十五年くらい経ってからでしたか。僕はその前にそれを見て、うわぁ、先生はこんなものをテーマにしようとしているんだなあと思って、ちょっとショックを受けたことがあるんです。

小島――いい意味ですけれど、『死者の書』の大津皇子の描き方もずいぶんエロチックですよね。

岡野――そうです。『万葉集』の大津と大伯の姉弟の、お姉さんの歌はそういうものを感じさせますよね。だいたい古代の同胞のきょうだいというものは同時にその民族の始祖であるという考え方はどこの神話学にもあるわけですが、だから、折口はそれを自分の出生というものが一体どうなっていたんだと、あの人はそれなりに自分で思い詰めていったと思うのです。そういう問題と日本人の一番根源を問い詰める問題とがあの人の胸の内で、複雑に重層していた。

つまりあの人の「発生論」が幾重にも重なっているのです。日本民族の発生、あるいは日本文学や日本芸能の発生と、わが身、わが心、わが感情の発生みたいなものとが重層している。そのことを考え考えして、苦しんだんだろうと思うのです。

小説「折口信夫」を書いてみたい

小島――ぜひとも、小説「折口信夫」をお書きになってください。迢空にまつわるいろいろなことはたくさんお書きになってこられましたが、小説とか戯曲みたいなかたちだと、また違う姿が浮かび出てくるのではないでしょうか。

岡野――「日本文学史概論」とか、そんなものは僕も全く書く気はないのです。折口先生があんなにわかっていて、書いているんだから、僕なんかが書かなくたって『折口全集』を読んでくだされればわかると思う。ただ、そういう身の内側からのことは、先生もはっきり言ってないわけです。富岡多恵子さんがしきりに、折口の『家へ来る女』という小説の中で、変な芸者が来て、しゃべって、またパッと消えていくでしょう。「あれがちょっと引っ掛かるなあ」とおっしゃる。まだ、わからないことは多いのです。

丸谷さんが亡くなる時期が迫ってきたころ、やはり「折口信夫を書いてみたい」と言ってました。一月(ひとつき)くらい、僕は毎週、丸谷さんのところに行ってそのことに関して話し合っていたのです。そのときの会話の中で、丸谷さんも「うーん、そこなんだよ。自分の出生の、あのやりきれない孤独感というか絶望感みたいなものと、日本民族の発生、日本文学の発生というもの、あるいは日本人の神の発生の問題というものが全部重なっていくんだと思うんだなあ」と。僕も「うーん、僕も昔からそういう感じはあるんだけれどねえ」と言って。

小島――丸谷さんのご遺志を継いで、岡野さんがお書きになるべきですよ。丸谷さんも思いが残ってますから。私も、そのことはうかがったことがあります。

岡野――「文藝春秋」二〇一三年新年号「新・百人一首」に出てくる折口信夫の最後の手帳に残された歌、〈人間を深く愛する神ありて　もしもの言はゞ、われの如けむ〉(『倭をぐな』)はやはり折口信夫の神の問題、あるいは自分の出生の問題と深く絡まり合っていると思うんです。そういうのを少しでも言えたらなあ。そんなことを書いてみたら、浮かばれない魂も浮かばれるかなあと思ってみたりするんですけどね。

小島――ぜひ、お書きになってください。皆さん、楽しみにされてますよ。ありがとうございました。

(二〇一二・一二・一二　ＫＫＲホテル東京)

インタビューを終えて

岡野弘彦さんは破格の人である。人生も人も歌も、そして師・釈迢空への敬愛のスケールも。このたびのインタビューは、その破格ぶりに、あらためて驚き感動した時間だった。

親しくお話しさせていただくきっかけとなったのは、一九九九（平成十一）年から二年間、「NHK歌壇」（現在の「NHK短歌」）の進行役を務めたことである。岡野弘彦さんと河野裕子さんが、わたしの担当する週の選者でいらした。

岡野さんは厳か（おごそ）で品よく、おしゃれでおちゃめ。四十歳そこそこのわたしに、申し訳ないほど心をひらいておつきあいくださった。なかでも忘れられないのは、あるとき、岡野さんの少年時代のエピソードから忍者の話になり、忍者走りを教えてくださるという。NHKの控え室の廊下で！「あなたは気持ちのまっすぐな人ですから、訓練すればきっとできますよ」と、歌の話をするときと同じぐらいの熱意で教えてくださったのだ。本当になんという方だろう。その後も数々のご恩あり、仰天エピソードあり。わたしにとっては特大の敬意を抱く歌人である。

そんな岡野さんに、一年間にわたってお話をうかがう機会を得られたことは、幸運としか言いようがない。端正な美しい話し言葉、超人的な記憶力、ゆたかな人間性、さらに社会における学問における時代の証言。いずれも感動することばかりだった。どんな質問をしても必ず師・迢空の話題になり、はじめのうちは「もっと先生ご自身のことを」とお願いしたりしたけれど、回を重ねるうちに、それは迢空から受け継いだ課題がそのままご自身の課題となって、考え続け生き続けていらしたからだとわかった。神の問題、日本民族の問題、歌と言葉の問題。

多くの人に、ぜひこの本を読んでもらいたいと思う。一九二四（大正十三）年に神主の息子として生まれた子が、往復六キロの道を紀州犬を伴って小学校へ通い、絵馬殿で不可視の世界に心を遊ばせ、全寮制の中学ではいじめ対策に知恵をしぼり、さまざまな体験を積み重ねながら、やがて生涯の師・折口信夫こと釈迢空に出会う。彼はどのように学問の世界へ歌の世界へ導かれたのか。彼は軍隊で何を見たのか。彼は人間・迢空とどんな交流をしたのか。彼は学生闘争の現場に教師としてどう立ち会ったのか。そしていま、彼はなにを願うのか。

岡野弘彦さんの語りには、わたしたちが過去を思い未来を考えるヒントが、そして生きるための勇気の素が詰まっている。

小島ゆかり

後書きにかえて

今度のインタビューでは、折口先生との出会いから先生の家に入って八年間、薫陶を受けていたことを中心に話しました。小島さんは聞き上手で、ぼくの書いたものなどもよく読んで下さっていて、楽しく話せました。

折口信夫のことをみんなに知ってほしい。いろんな先生と出会ったけれど、ぼくにとって折口先生は格別でした。世間では折口信夫というのは厳しい人で、非常に潔癖で神経が鋭く怖い人だと思っているらしいが、ぼくはわりあいに早くから先生のやわらかなところが好きでした。感情がやわらかなんです。人への思いやりが深くて、歌をみるとよくわかります。

山中(なか)に今日はあひたる　唯ひとりのをみな　やつれて居たりけるかも

茂吉の孤独とも違う、古泉千樫のやさしさとも違う、啄木の微妙な人間観とも違う、なんともいえない人間愛みたいなものがある歌です。

人も　馬も　道ゆきつかれ死にゝけり。旅寝かさなるほどのかそけさ美しい調べでうたっていられるが、ふっとその美しさに紛れて、民俗学の採訪の目的があるわけだけど、それだけでない人間追求の深い感情で旅をしている人の歌ですね。

そういう歌に中学生のころからひかれてきた。山の中の一軒家で、参拝してくる人たちと夕方に二キロの山道を帰ってくると、そういう感情が共感できるのです。

その先生のところへ暇があると行っているうちに先生の方から声をかけてくださった。先生が亡くなった後、及ばずながら先生の全集を編集したりして、先生の学問を普及させる、あるいは作品の世界を普及させるのにお役にはたったのかなと思います。

短歌というのは感情のいきいきしている時期が一番大事なんです。歳をとってもこの定型が力になってくれて作り続けられるけれど、若いころ、万葉旅行をしていたころのものが自分でも懐かしい。感情が湧いてくると言葉がピタッとわが感情にくっついてくれる、日本人にとってありがたい詩の形です。短歌的抒情と、いい意味でも悪い意味でも言われるけれど、その短歌的抒情をこれからも日本人は大切にしていくことが大事だということが伝われればと願います。

この集の編集に力を貸してくださった秋山佐和子さん、そして本阿弥書店の奥田洋子さんに感謝します。

岡野弘彦

静岡県伊東市の岡野邸で第12回のインタビューの折に

岡野弘彦（おかのひろひこ）インタビュー集
歌は世につれ情は歌につれ（うたはよにつれよはうたにつれ）

二〇二〇年七月七日　第一刷

編著者　岡野　弘彦
発行者　奥田　洋子
発行所　本阿弥書店（ほんあみしょてん）
東京都千代田区神田猿楽町二―一―八　三恵ビル
〒一〇一―〇〇六四
電話　（〇三）三二九四―七〇六八（代）
振替　〇〇一〇〇―五―一六四四三〇
印刷・製本＝三和印刷
定価はカバーに表示してあります。

ISBN978-4-7768-1484-9 C0092（3200）　Printed in Japan